HET BOEK DAHLIA

Elisa Albert

Het Boek Dahlia

Vertaald door Dennis Keesmaat

AILANTUS

AMSTERDAM 2009

De vertaler ontving voor deze vertaling een werkbeurs van
de Stichting Fonds voor de Letteren

Oorspronkelijke titel *The Book of Dahlia*, Free Press New York
Copyright © Elisa Albert, New York, 2008
Copyright Nederlandse vertaling © Dennis Keesmaat / Uitgeverij Ailantus
Copyright vertaling gedicht Emily Dickinson © Louise van Santen
Omslag Studio Ron van Roon
Binnenwerk Adriaan de Jonge, Amsterdam
Foto auteur Marion Ettlinger
ISBN 978 90 895 3012 7 / NUR 302
www.ailantus.nl
www.clubvaneerlijkevinders.nl

Voor David

't Is eenvoudiger doden te beklagen
Hetgeen vroeger beklag
Overbodig had gemaakt –
Het spelen van een Treurspel
Is zeker een applaus
Hetgeen een gespeeld Treurspel
Te zelden haalt.

Emily Dickinson

Woede is nuttiger dan wanhoop.
The Terminator,
Terminator 3

Inhoud

Foute boel

Heb je de voortekenen genegeerd – doelbewust? Wist je in zekere
zin wel dat er iets aan de hand was? Heb je dat niet willen zien?
Wat waren de tekenen? Wat wist je?

Er waren symptomen geweest. Alleen achteraf als zodanig herkenbaar, maar toch: symptomen. Hoofdpijn. Wat futloosheid. Geen
zin in iets anders dan rondhangen in haar huis, heet douchen, zich
insmeren met lavendelmoisturizer, films kijken op tv, om het uur
een hasjpijp leegroken, hartige broodroostersnacks maken, die in
vieren snijden en systematisch verorberen. Haar e-mail checken en
nogmaals checken. Maar dat week allemaal niet erg af van Dahlia's
gebruikelijke gemoedstoestand, en dus was er nul reden voor bezorgdheid geweest.

Nou ja, wel bezorgdheid, maar geen bezórgdheid. Gewoon dat
haar leven aan haar voorbijging. Dat ze misschien in feite wel haar
tijd, en zichzelf, volslagen verkwanselde. Dat dit misschien geen
fase was. Dat, oké: waar was ze verdomme nou mee bezig?

Ze had gedacht dat ze ongesteld moest worden. Dan had ze altijd
zulke vreselijke hoofdpijn, en/of dikke buik en opgeblazen gevoel,
en/of de algehele vermoeidheid. Een ophanden zijnde menstruatie
kon zo ongeveer alles wel verklaren.

Dan was er ook nog de blaasontsteking, waarvoor ze de week
daarvoor nog een antibioticakuur had afgerond. Dus er was van alles mis met haar. Om nog maar te zwijgen over wat er allemaal, je
weet wel, mís was met haar.

De laatste dag van haar onwetendheid werd Dahlia Finger even
voor twaalven wakker en ging met een kom Cheerios voor de tv zit-

ten. *A League of Their Own* werd uitgezonden, voor de achtmiljoenste keer, en toch vond ze hem weer volkomen onweerstaanbaar, en ze keek hem helemaal uit, van Jon Lovitz die ten tonele verscheen tot Tom Hanks die een treurig militair telegram voorlas – even pauzeren voor een hijs aan de hasjpijp – en dan direct door naar het einde, met de jonge meiden die uit beeld verdwijnen en de luidruchtige oude besjes die hun plaats innemen. Toen was het inmiddels bijna twee uur 's middags en Dahlia zat ongegeneerd te huilen over het verstrijken van de tijd en het feit dat Geena Davis en Tom Hanks – die zo duidelijk voor elkaar bestemd waren – nooit iets met elkaar kregen, en de zon dreigde zich weer voor een dag terug te trekken en dus zette ze een kop thee voor zichzelf en keek ze een tijdje in haar vergrootspiegel. Toen belde ze Mara, die druk aan het werk was in Boston en zoals gewoonlijk niet kon of niet wilde praten.

'Denk je dat het personage van Tom gewoon eenzaam en dronken is doodgegaan?'

'Ik weet het niet, *dude*. Ik ben aan het werk.' Een beetje bijdehand wel. Mara had een leven, zoals dat heet. 'Ik bel je later.'

Toen Dahlia's moeder vijftien jaar geleden aan Mara werd voorgesteld had ze geweigerd te begrijpen waarom dit meisje 'mara' heette, wat in het Hebreeuws 'bitter' betekende. 'Mara!' had Margalit gejammerd. 'Wat voor naam is dat nou weer voor een meisje?' Dahlia en Mara vonden dat na verloop van tijd grappig en toepasselijk. Dahlia sprak de naam van haar vriendin altijd uit op dat zangerige Hebreeuwse toontje, omdat ze graag mocht denken dat Mara net was als zij: haar gelijke, een echte, verbitterde vriendin tot het bittere einde.

Dahlia had een paar weken eerder de GRE-test gedaan, het toelatingsexamen voor beroepsopleidingen, en rustte nog steeds op haar lauweren die nauwelijks lauweren mochten heten: ze had (min of meer) geblokt en een standaardexamen afgelegd dat zo buitengewoon oninteressant was dat ze de hoofdpijn ook had kunnen toeschrijven aan het feit dat haar hersenen zich probeerden te ontdoen van al die nutteloze informatie. Die verdomde GRE-test.

Nauwelijks aangeraakte studieboeken lagen nog steeds op een stapel in de hoek, onder formulieren voor ziektekostenverzekeringen en aanbiedingen voor creditcards die ze af en toe overwoog te overwegen.

Waarom de GRE-test? Misschien voor een opleiding tot maatschappelijk werker. Dan kon ze optrekken met drugsverslaafden of mishandelde vrouwen. De beschadigden, de verneukten, de onherstelbaar beschadigden, de onherstelbaar verneukten. Dat leek haalbaar. Misschien had ze een roeping. Misschien zou ze gelukkig, zelfstandig, voldaan zijn, de mensheid tot dienst. Haar vader trots maken. Ze had het min of meer opgegeven om Margalit trots te maken, of eigenlijk om zelfs maar een tijdje haar aandacht vast te houden.

Hoe dan ook, het was tijd om iets met haar leven te doen. 'Wat is je strijdplan?' vroeg Margalit regelmatig op hoge toon. Alsof het leven een lang gevecht was dat je zorgvuldig moest orkestreren.

Dahlia had zo nu en dan ook met de gedachte gespeeld een opleiding tot rabbijn te volgen. Een katheder zou haar in staat stellen een Talmoedisch oordeel te vellen over mensen die ze niet trok en ook om een beetje aan zichzelf te werken, een antwoord op alles te krijgen. Ze zou een coole rabbijn zijn, een echt mens, een stonede universalist die wijsheden uit de popcultuur verkondigde. Ware het niet dat, gloeiende godver, Danny al rabbijn was. Haar klootzak van een broer, de rabbijn! Dus het hele idee strandde al voordat het vorm kon krijgen. Iedereen kende Danny ook al. Hij stond bekend als 'Dan' of 'Dan the Man' of 'rabbijn D', nadat hij een leven lang jeugdkampen had begeleid, leerlingen advies had gegeven, joodse studieverenigingen had voorgezeten en jeugdgroepen had gehoed: het was een kortzichtig, achterlijk universum en rabbijn Dan, Dahlia's enige broer, was er koning. Koning Klootzak, rabbijn Dan.

Prima. Maar bij welk beroep zou ze zich níét elke godvergeten dag van kant willen maken? Rechten studeren klonk als een verdomde vloek, de woorden in combinatie (RECHTEN STUDEREN) als een soort gevangenisstraf die werd opgelegd in een taal die ze niet sprak, voor een misdrijf dat ze niet had gepleegd, door een totalitaire, ondemocratische rechter in een derdewereldland. Te veel regels, te veel precisie. Jezus: wétten. Nee, bedankt.

Ze had geen noemenswaardig creatief talent, hoewel ze destijds een vette mixtape maakte en zichzelf als een redelijke cultuurkenner beschouwde (met als bewijsmateriaal de zoveelste keer dat ze met milde ironie naar *A League of Their Own* keek, het tweewekelijkse concertbezoek, de verplichte halfgelezen stapel *McSweeney's* op de grond, naast de onaangeroerde studieboeken voor de GRE-test en onaangeroerde ziektekostenverzekeringsformulieren, en de bioscoopkaartjes voor arthousefilms die onder in haar tas zaten). Toen ze weer terug was verhuisd naar LA had ze een paar proefscenario's geschreven (want ze moest haast wel, toch? Zij die tijdens haar maandelijkse stonde elke suffe film op tv meerdere keren extatisch bekeek), maar ze waren niet bijster origineel of indrukwekkend. Eentje was bedoeld voor *Sex and the City*. Het andere voor *Scrubs*. Dat ze nooit had gezien. Maar Dahlia's valse trekjes leverden alom sneren op die binnen de lijn van het verhaal niet te verklaren waren: naar materialisme, domheid, klootzakken van rabbijnen, relatiewebsites. 'Een paar leuke momenten, maar veel te vijandig voor een tv-serie!' schreef de enige agent die ze kon overhalen ze te lezen, de zoon van een oude vriend van haar vader. 'Waarom zou Carrie opeens geen Manolo's meer dragen en afgeven op haar eigen obsessie met mode? *Sex and the City* wordt trouwens niet meer gemaakt. En *Scrubs* is een ziekenhuiscomedy, dus het is raadzaam het programma in of rond een ziekenhuis te situeren. Veel succes.'

Het was strontvervelend, proberen te bedenken wat je met je leven moest doen. Een kwestie van die kleur parachute vinden die het beste bij je past, zoals het bekende boek oeverloos herhaalde. Maar echt: als je überhaupt geen parachute had kwam je zo hard op de stoep terecht dat het waarschijnlijk niet eens pijn deed, en zou je zodoende een heel nieuw kleurenpalet van botten, bloed en spieren veroorzaken.

Dus die parachute kon de tering krijgen, het strijdplan kon de tering krijgen. En dus wiet en *A League of Their Own*. En dus dutjes in het briesje. En dus broodroostersnacks. En dus misschien een opleiding tot maatschappelijk werker. Of een opleiding journalistiek (hoewel dat het probleem van feiten met zich bracht, namelijk een verantwoordelijkheid jegens). En dus de GRE-test. Whatever. Alles zou wel 'op zijn plek vallen', zoals ze tegen haar moeder zei. ('Ma zè, op zijn plek vallen? Niets valt ooit op z'n plek! Wat is je strijdplan?')

Ze leidde een isometrisch leven: beweging zonder voortgang.

Dit was hoe dan ook officieel een nieuw begin. Ze had wat haar vader 'mogelijkheden' noemde; ze had alle tijd en vrijheid om die te verkennen. Ze was negenentwintig jaar en die goeie ouwe papa Bruce had de lei voor haar schoongeveegd. Het leven in New York, dat toch al niet vol te houden was, was ronduit onleefbaar geworden. Die ongecompliceerde, rijke Bruce, God zegene hem, had haar een uitweg geboden: kom naar huis.

En Bruce had zijn kleine meid inderdaad welkom 'thuis' geheten, met een prachtig optrekje in Venice. Hij deed alsof dit Dahlia's goede recht was, dat het net zo voor de hand lag als bij een arrestatie je rechten te horen krijgen of het uitbrengen van je stem. Net zo onvermijdelijk als een wapen bij je dragen. Natuurlijk zou haar een huis geschonken worden, waarvoor ze slechts een minuscule hypotheek hoefde te betalen (maar alleen opdat ze zou 'leren met geld om te gaan' en er zelf 'verantwoordelijk' voor te zijn; hij had dan wel een flinke smak geld, Bruce had ook 'waarden').

Dahlia was gek op het huis, vond het heerlijk dat het van haar was (oké, gekregen, maar toch). Het was een toevluchtsoord, haar eigen frisse bungalow vol schone oceaanlucht. De Spaanse tegels, het roestvrije staal, de open keuken, de inbouwspotjes, het schuine plafond met de balken. Om de voordeur te bereiken moest je door een houten hek en over een kort stenen pad met aan weerszijden nachtjasmijn lopen. Ze zou naar Marokko gaan en terugkomen met kleurige lantaarns om langs dat paadje te hangen. Ze zou op zoek gaan naar een windorgel. Ze zou een hangmat kopen. Ze zou de deur blauw verven. Ze voelde zich veilig, buiten bereik van alle rotzooi die haar in New York had achtervolgd, op de universiteit, op de middelbare school, tijdens haar jeugd, in de baarmoeder, en misschien zelfs daarvoor al. Ze was anoniem in Venice; ze kende niemand en bijna niemand kende haar. Als ze 's nachts in bed haar best deed, dacht ze dat ze de Stille Oceaan kon horen. Ze voelde zich alsof ze opnieuw verwekt was, dat ze die eerste maanden opnieuw aan het wortelen was via de middagfilms op tv en de hasj, via late middagwandelingen over Abbot Kinney Boulevard, met een pauze op Main Street voor een kop koffie en een boek of een roddelblaadje. Films kijken (*Titanic, Flirting with Disaster, Mannequin, Thelma and Louise, Rushmore, The Goonies, She's Having a Baby*, het maakte niet zoveel uit) was een soort gebed: ze kende de personages net zo goed als ze zichzelf kende, net zo goed als ze alles wist wat er maar te weten viel, en ze kon hun bewegingen, geheimen en misverstanden eindeloos in kaart brengen en opnieuw in kaart brengen, alles in oneindig veel combinaties overdenken, telkens weer. Keer op keer. Het waren bekenden, mensen die ze haar hele leven al kende en goed begreep, mensen die niet in staat waren haar teleur te stellen door te veranderen of te verdwijnen of opeens met iets onverwachts op de proppen te komen. De tranen om *A League of Their Own* waren puur louterend. Wanneer ze eenmaal klaar was kwam ze weer tevoorschijn, als herboren. Ze zou nieuwe fouten maken. Of misschien helemaal geen fouten.

Oké, wacht. Serieus? Het was niet *A League of Their Own*. Eigenlijk was het *Terms of Endearment*, maar dat lijkt te makkelijk, nogal belachelijk. De realiteit is *fucked up*. Dat Dahlia op de laatste dag van haar onwetendheid om twee uur 's middags zo stoned als een garnaal *Terms of* fucking *Endearment* lag te kijken op haar bank!

Wat wist je voordat je het wist?

Nee, laten we het op *A League of Their Own* houden.

(Maar die was het niet.)

Op zeker niveau verbaast het je misschien niet. Op zeker niveau wist je misschien wel dat het foute boel was.

Maar goed, de symptomen. Achteraf glashelder, overduidelijk als de oorzaak bekend is. Hoofdpijn, lusteloosheid, slechte zin. Ze was moe, hoewel ze niets vermoeiends had gedaan. Op de een of andere manier was het heel goed om aan te nemen dat het kwam door haar gebrek aan richting, het ontbreken van een verlangen om iets anders te doen dan blijven zitten waar ze zat, huilen, in haar perfecte bungalow in ieder geval íéts te voelen (al was het maar om die godvergeten Debra Winger), terwijl het zilte briesje haar witte gordijnen – gordijnen die ze zelf had opgehangen! – enigszins opbolde. Bruce was overdreven trots op die gordijnen geweest, en op Dahlia omdat ze ze helemaal zelf had opgehangen. Bruce was altijd overdreven trots, op alles. De hoofdpijn enz. duidden alleen maar op de zinloosheid van Dahlia's bestaan – een leven dat relatief bezien zo gezegend, makkelijk en overvloedig was dat er aan het geheel een etterend schuldgevoel moest worden toegevoegd. Dat best weleens bijgedragen zou kunnen hebben aan de voortdurende flauwe hoofdpijn en de neiging languit op de bank stoned te gaan liggen soezen in het briesje.

'Verwend', hoorde ze Margalit haar toesnauwen, alsof ze live commentaar gaf. 'Alles gaat veel te makkelijk voor jou. Je zou eens een paar echte problemen moeten hebben. Je zou eens moeten weten wat echte problemen zíjn.'

Ben, de jongen met wie ze het deed, had die avond willen afspreken voor een etentje, een film, een drankje, maar Dahlia was tevreden op haar bank, tevreden met haar films, tevreden met haar wiet. Ben putte haar uit (zoals baantjes haar uitputten, zoals de GRE-test haar uitputte, zoals haar ongesteldheid haar uitputte, zoals het innen van haar vaders cheques haar uitputte, zoals naar het postkantoor gaan om postzegels te kopen voor enveloppen met rekeningen die ze betaalde met geld dat haar vader haar geheel vrijblijvend gegeven had haar uitputte).

Dahlia en Ben hadden elkaar ongeveer een maand geleden leren kennen op een feestje in een bar, een verjaardag van vrienden van vrienden van vrienden, op een van de uitzonderlijke avonden waarop Dahlia de bank, de wiet en de films had verlaten voor een avondje uit. Een meisje moest af en toe een avondje uit, en door de zeldzaamheid van dergelijke avondjes haalde Dahlia er gegarandeerd alles uit. Ze was de grote gangmaker op die uitzonderlijke avonden. Waarom ging ze niet wat vaker uit, vroeg ze zichzelf af.

Ben promoveerde in de kunstgeschiedenis, de onbemiddelbare lieverd. Hij biechtte Dahlia op dat hij zelf ook niet vaak uitging. Hij was het soort jongen van wie ze zich kon voorstellen dat ze er als eerstejaars makkelijk op had kunnen vallen, een sullige student met brede schouders en een lekkere bos warrig haar en een koerierstas. In elk geval was het al aantrekkelijk om zich hem voor te stellen als het lustobject van een ándere eerstejaars, en daarmee was de koop bezegeld. Zelf had ze nooit het voorrecht gehad ontheiligd te worden door een oudere student. Ze zoenden op de parkeerplaats, en zijn nerveuze glimlach was hartstikke aandoenlijk, net zoals zijn zachte handen om haar gezicht, alsof hij de kus echt meende. Het was Santa Monica-koud, de lucht vochtig en tintelend. Na New York had Dahlia zichzelf als experiment iets voorgenomen: niet meer neuken bij de eerste ontmoeting. Zou ze het kunnen? Ben rook zoet en hij was lief en die zachte handen hielden haar gezicht niet te losjes en niet te opdringerig vast. Zou ze het vol kunnen houden tot een tweede afspraakje? Nee, dat kon ze niet.

'Rij achter me aan,' zei ze voordat ze in haar auto stapte. Door zijn verlegen, opgetogen blik wilde ze bijna van gedachten veranderen, maar het was te laat. Schijt. Het leven is te kort, zoals dat heet.

Maar meer dan een maand later: genoeg! Godsamme, ze wilde helemaal geen vriend. Ze wilde de lieve aanstaande doctor niet kwetsen, maar echt. '*Dajenoe*', zoals Margalit zei wanneer ze klaar was met een van haar mannen: *zo is het wel genoeg geweest.*

Deze Ben-figuur wilde zo graag tijd met haar doorbrengen, haar vriend zijn, haar op avonden als deze zien voor een etentje, een drankje. Wie had er de energie voor? Het enige leuke was ze leren kennen, het vindt-hij-me-echt-leuk?-spelletje spelen, erachter komen hoe ze in bed waren, zo vertrouwd raken dat je je kon ontspannen, daarna konden ze weer gaan. Gewoonlijk speelde dit scenario zich af in een periode van een week of drie. Raak niet te gehecht aan me, wilde ze de arme knul op de een of andere manier duidelijk maken, ik taal er niet naar om je vriendin te zijn. En je beseft het misschien niet, maar jij taalt er niet naar om mijn vriend te zijn. Nog een leuk leven verder, enz.

Bij wijze van smoes en in wat een gelukkig toeval bleek, had Dahlia Ben verteld dat ze zich niet lekker voelde, dat ze die avond thuis zou blijven, wat zou rondhangen, zich gedeisd zou houden, 'het rustig aan zou doen'.

'Oké,' had hij mistroostig gezegd. Hij wist vast wel hoe laat het was, hij wist vast wel dat ze hem afscheepte. Ze had inmiddels een week nauwelijks echt moeite gedaan om met hem af te spreken. 'Beterschap. Ik bel je straks nog wel even.'

Niet doen, had ze bijna gezegd.

En toen de middag overging in de avond raakte Dahlia een beetje in de war: ze voelde zich echt niet zo goed. Was dit haar straf? Was haar smoes werkelijkheid geworden? Want ze voelde zich écht niet zo goed. Nou ja. Ze maakte een voorraadje hapjes voor zichzelf (brie, een Fuji-appel in schijfjes, crackers met knoflooksmaak, chocoladekoekjes), rangschikte die als een buffet op haar salontafel, en liet zich weer op haar bank zakken voor een hijs aan haar hasjpijp. (Zou het al te gek zijn om te zeggen dat *Dying Young* op tv was? Waarschijnlijk wel. Laten we een middenweg kiezen en zeggen dat het *Steel Magnolias* was, goed? Een compromis tussen Julia Roberts en een voortijdige dood, is dat wat?)

Het is heel gewoon om terug te keren naar het moment dat het misging, het moment dat ons leven van goed opeens slecht was, van normaal naar onzeker ging.

Het laatste wat Dahlia zich herinnerde was dat ze even pauze nam van de films om op vh1 naar een *I Love the 90's*-marathon te kijken.

Ze had een diepvriespizza in de oven gedaan, had nog een kop thee gezet, liet zich op de bank vallen en begon het uitvoerige proces waarbij ze zich psychisch voorbereidde om naar bed te gaan: het immer deprimerende einde van alweer een mislukte dag. Maar ze lag er nog steeds, na middernacht, terwijl ze eerst 1993 en vervolgens 1994 en 1995 aan zich voorbij liet trekken.

En toen had ze een zware epileptische aanval.

Je diagnose begrijpen

Neem de tijd om goed te begrijpen wat je precies hebt. Zoek het op.
Stel vragen. Maak aantekeningen. Lees erover.

Margalit en Bruce Finger, inmiddels zo'n twintig jaar uit elkaar, kwamen tijdens de crisis relatief makkelijk weer samen. Bruce deed het goed in een crisis, stond altijd paraat voor iedereen, zelfs voor zijn ex, de vrouw die decennia eerder hun gezin zonder plichtplegingen had laten imploderen, nog geen blik over haar schouder had geworpen toen ze weghuppelde. Ze waakten zes dagen aan Dahlia's ziekenhuisbed en wachtten tot ze ontwaakte en ze daarna een manier konden vinden om, zowel voor haar als voor zichzelf, het feit te verbloemen dat ze de klos was.

Het zag er echt somber uit. Het zou misleidend zijn om te suggereren dat Dahlia in dit hele verhaal op een of andere concrete manier 'aanwezig' was: ze was met vliegende vaart naar de spoedhulp gebracht en vervolgens (nadat specialist na neuroloog na specialist was opgetrommeld en zijn zegje had gedaan) naar de operatiekamer om het gezwel – de tumor – te laten verwijderen dat ze hadden aangetroffen in haar hersenen toen ze haar uiteindelijk hadden geMRI'd. Ze zou een tijdje buiten bewustzijn blijven, maar haar toestand was stabiel. 'Uit de gevarenzone', in de woorden van een van de zwerm van artsen die voorbij was gekomen, hun gezichten vervaagd tot één autoritaire, humorloze massa. 'Voor dit moment.'

Bruce belde Danny om hem te vertellen dat zijn zus op de intensive care lag, zojuist een toeval had gehad en een operatie had ondergaan waarbij een behoorlijke massa uit haar hersenen was gehaald.

'Gaat het goed met haar?' vroeg Dan zijn vader na een (te) lange stilte. Wat was dat nou weer voor vraag? Nee! Het ging helemááal niet goed met haar!

'Ja. Nou. We weten het eigenlijk niet,' zei Bruce. 'Ze is uit de gevarenzone.' Het *voor dit moment* liet hij weg. 'We wachten tot we meer horen. Ze dachten dat het misschien een beroerte was, maar nu zeggen ze dat het een tumor is.'

Danny slaakte een zucht. Zijn zus was zó'n mislukkeling. Wat werd hij toch moe van deze wereld. 'Nou, hou me op de hoogte.'

Dahlia zweefde niet 'boven' dit alles, maar er min of meer onder, ermiddenin. Het is zo'n door de populaire cultuur bekrachtigde misvatting dat bijna-doden neerkijken op een werkelijkheid die zich ontvouwt en ernaar kunnen kijken als een film, hoewel een die merkwaardig gedraaid is. Alsof een dergelijk bewustzijn zo lui is, zo fantasieloos, dat het in het gunstigste geval achteroverleunt op een soort comfortabele kosmische bank, knus met de afstandsbediening in de hand, om te kíjken. In werkelijkheid zweven de bijna-doden in een ether ('ether' zoals gedefinieerd in de natuurwetten als 'een zeer ijle en hoogst elastische materie waarvan men vroeger veronderstelde dat die de wereldruimte vulde, inclusief de ruimten tussen de stofdeeltjes, en dat ze het medium was dat licht en andere elektromagnetische straling mogelijk maakte', maar daarover later meer. Veel meer.)

'Ze heeft nog negen maanden,' zei het hoofd Neurologie op de tweede dag. Het zou fijn zijn om te denken dat hij gewoon een uiterst eerlijke kerel was, de vriendelijke arts die begreep dat zijn rol niet toestond dat hij dergelijk nieuws afzwakte, een man die diep in zijn hart wist dat de keiharde, pijnlijke waarheid de enige optie was. In werkelijkheid was hij gewoon een eikel, een medicus wiens schitterende resultaten tijdens natuur- en scheikunde en op de medische faculteit hem vrijstelden van sociale vaardigheden, tact of inlevingsvermogen. 'In het gunstigste geval.'

Het was inderdaad een tumor: glioblastoma multiforme (vierde graad) in Dahlia's linkerslaapkwab.

'Het is echt niet de beste soort tumor om te hebben,' zei het hoofd Neurologie afwezig tegen haar dossier.

Margalit trok dit allemaal niet echt. Ze snikte, viel voor drama-tisch effect terug op Hebreeuws ('Mijn kindje! *Motek! Chaval!*') en werkte op de zenuwen van de verpleegsters, die nerveuze blikken uitwisselden met Bruce.

Bruce was heel zakelijk, maakte aantekening na aantekening en nog meer aantekeningen. *Niet de slechtst mogelijke plek, niet per se de ergste tumor,* krabbelde hij in zijn notitieboekje, terwijl het hoofd Neurologie verderging met uitleggen dat het wel degelijk de ergste tumor was. Maar de tumor bevond zich momenteel in een deel van haar hersenen dat niet veel invloed had op neurologische functies, en wellicht 'aangepakt' kon worden met alleen bestraling en chemo.

'Ik moet jullie wel vertellen,' zei het hoofd Neurologie voordat hij weer opging in de maalstroom van het ziekenhuis, een rivier van onverschilligheid, 'dat gliobastomen niet goed zijn.'

Het kwam erop neer dat niemand een glioblastoma overleeft. Een beetje zoals niemand Baby in de hoek zet, gesnopen?

Bruce Finger was niet iemand die kwaad werd wanneer mensen steeds weer niet aan de verwachtingen voldeden. Als je openlijk of kwaadwillig tegen hem loog ging hij helemaal over de rooie – dat had Dahlia door bittere ervaring geleerd toen ze vergeefs had ge-probeerd een slim trucje uit te halen met zijn MasterCard – maar verder maakte het niet uit of je harteloos, wreed, roekeloos, onver-schillig, ongevoelig, slordig, neerbuigend, lui, onvriendelijk en/of hebzuchtig was, hij liet het allemaal van zich af glijden als water van de spreekwoordelijke eend. Eenvoudig gezegd: hij wilde het beste in je zien, in iedereen, en in het leven in het algemeen.

Dat was misschien wat hem in staat stelde zijn eufemistische aan-tekeningen te maken, vol genegenheid zijn gestoorde ex-vrouw te troosten, zijn reptiel van een zoon die ijs in plaats van bloed had te bellen en het nieuws mee te delen zoals het zich voordeed. Het kwam niet bij hem op, zoals wel bij Dahlia het geval zou zijn ge-weest – en het kwám ook op bij Dahlia, zelfs in de ether! – om wrok tegen Margalit te koesteren, tegen Danny, tegen het hoofd Neurolo-gie, tegen de fabrikant van het ziekenhuisbed, dat helemaal niet zo lekker lag. Om wrok te koesteren tegen, laten we eerlijk zijn, iedereén. Het kwam niet bij Bruce op het hoofd Neurologie schuins aan te kijken en 'klootzak' te mompelen. Het kwam niet bij hem op zijn notitieboekje en pen door de kamer te smijten, te brullen, de implicaties van dit nieuws te accepteren en naar rato te reageren met woede en wanhoop. Zijn enige dochter zou sterven, en snel ook.

Bruce noch Margalit had in dagen geslapen, of je moest met tussenpozen hevig knikkebollen op de aan elkaar vastzittende ziekenhuisstoeltjes van vinyl meetellen: haar onderkaak verslapt en haar voorhoofd gefronst, tegen hem aan geleund, zijn kin tot rust gekomen op haar kruin tot dat haar wekte en ze opschrok – 'Huh?' – tegen zijn kin knalde en hij op zijn tong beet – 'Au!' Waardoor ze zich allebei opgelaten hadden moeten voelen (zij voor de onbetamelijkheid van de affectie en nabijheid, hij omdat hij zo'n godvergeten voetveeg was), maar omdat zij gewend was van iedereen te nemen wat ze maar nodig had en hij eigenlijk ook wel een voetveeg wás, gebeurde dat niet.

Het verhaal van Margalit en Bruce begon langs een stoffige weg nabij Arad, waar zij op twintigjarige leeftijd tijdens weekendverlof stond te liften in haar legeruniform. Bruce had haar opgepikt (helemaal niet riskant of vreemd destijds) en dat was het dan, zoals ze zeggen. Niets was op dat moment onmogelijk geweest, niet voor een lekkere twintigjarige *sabra* in haar uniform, met een enorm geweer als een handtas over haar schouder. Hier had je een Amerikaan, een toekomstige advocaat, die toen ze haar hoofd in zijn auto stak om te kijken wat voor vlees ze in de kuip had, had geglimlacht, haar blik vasthield en haar ogenblikkelijk voor zich won. Hij werkte na zijn rechtenstudie en de advocatuur een tijdje op een kibboets, en verkende dit wonderbaarlijke land, waarvan de geboorte en het bestaan bijna tot op de dag parallel liepen met die van hemzelf. Ze kon in zijn auto stappen, ze kon hem helemaal suf neuken, ze kon met hem trouwen en naar de States verhuizen en kinderen krijgen en terugkomen naar Israël om haar familie op te zoeken en affaires te hebben en de kinderen meenemen of ze achterlaten, ze kon opnieuw trouwen, en vervolgens nog een keer; alles was mogelijk. Ze zou het allemaal doen, en meer.

'*Noe*?' had hij gezegd, wachtend tot ze het portier zou openen en instappen. Een woord dat alles omvatte – *En? Vertel eens? Nou? Hoe zit het?* – vakkundig gebruikt door deze Amerikaan, hoewel hij zich van de taal verder nauwelijks een woord eigen had gemaakt. Margalit wist wel beter dan hem voor een Israëli te houden (ten eerste was er het horloge, te blinkend en ouderwets – van zijn grootvader, ontdekte ze later – en er was de onderontwikkelde vorm van zijn bovenlichaam, de zachtheid van zijn handen: dit was geen man die arbeid had verricht in de mediterrane zon of in dienst was geweest), maar dat vloeiende '*noe*' had haar van haar stuk gebracht.

'*Noe* wat?'

Ze reden een paar kilometer in een hete, geladen stilte, elkaar zijdelings hartstochtelijk toegrijnzend, en nog geen twee uur later gingen ze op in een zedeloze, zilte zomerextase op de achterbank. '*Noe* wat?' grapten ze na afloop, nog een hele tijd hitsig.

Dahlia had er tijdens een les creatief schrijven op de universiteit een gedicht over geschreven met de titel 'Mijn ouders leerden elkaar kennen als in een pornofilm', dat slecht was ontvangen (*'Mijn ouders leerden elkaar kennen als in een pornofilm:/zij in legertenue naast de weg,/hij die langsreed, botergeil,/haar geweer lag tussen hen in, groot en gevaarlijk, en wond hem op./(maar zou hij dat toegeven?)/pornofilms hebben geen epiloog, maar hier ben ik, en ik schrijf dit…'*). Het ging nog een tijdje verder, nogal een episch gedicht eigenlijk, en bevatte een vergelijking in de vorm van haar ontmaagding op veertienjarige leeftijd door een zweterige Israëliër tien jaar ouder dan zij. Een goed gedicht, vond ze, hoewel ze moest toegeven dat de passage over de copulatie van haar ouders enigszins gênant was. Wat wisten die stomme studentendichters nou helemaal over de kracht van lyriek? Dahlia wist hoe het zat. Dahlia was de échte dichter. Dahlia bleek kanker te hebben. Lik m'n reet, dichters.

Op de vierde dag kwam rabbijn Klootzak, die in de stad was om vrienden op te zoeken, met lege handen en alleen langs. Met zijn armen defensief en instinctief over elkaar op zijn borst kwam hij de kamer binnen sjokken. Zijn trouwring glinsterde onder de tl-buizen van het ziekenhuis.

'Danny!' riep Margalit met overslaande stem. 'O, Danny! Danny!'

Nadat hij zijn moeder had toegestaan hem te omhelzen (hij nam zo passief mogelijk deel aan de omhelzing door de zijkant van zijn torso en één slappe arm aan te bieden, geheel in lijn met de voorschriften in zijn handboek voor eikels) en even op de vensterbank/het luchtrooster had gezeten om aan te horen wat ze tot nu toe wisten en een snelle, afkeurende blik op zijn comateuze zus had geworpen, vertrok hij weer.

'Hou me op de hoogte,' zei hij tegen Bruce, en hij schudde de hand van zijn vader als een vreemdeling.

Het was echter niet de zwaarte van Dahlia's hachelijke medische situatie waaraan Daniels verbeten gelaat te wijten was. Denk niet dat hij gewoon to the point en bezorgd is. Stel je Jerry Seinfeld voor, maar dan met minder haar en zonder de aangeboren intelligentie en ongedwongen glimlach. Op zijn gezicht altijd een uitdrukking alsof hij in alle ernst een gigantische, onhandelbare en heel erg vieze wind probeerde binnen te houden. Zijn nagels gruwelijk afgekloven, tot op het bot.

Opgemerkt moet worden dat als Margalit, Bruce en Dahlia niet respectievelijk Danny's moeder, vader en zus waren geweest, hij een houding zou hebben gehad die het tegenovergestelde van kille onverschilligheid zou zijn geweest. Jan en alleman die hulpbehoevend was kon op rabbijn Klootzak rekenen. Hij ging langs bij talloze kwakkelende kennissen, zat sjiva bij de verste vrienden van vrienden. Woonde bruiloften en doopplechtigheden en besnijdenissen in overvloed bij. Als Dahlia het geluk had gehad tot Jan en alleman te behoren, zou rabbijn Klootzak koekjes hebben meegenomen, kaartspelletjes gespeeld, moppen getapt, theologische perspectieven geschetst, zichzelf naast de zieke geplant en haar hand vastgepakt, gebeden. Maar rabbijn Dan was hier slechts Danny, slechts de verloren zoon van verachte ouders, de vervreemde, gehate broer van de zieke.

Desondanks was dit de ziekenhuisscène, die Dahlia slechts bijwoonde vanuit een diepe bewusteloosheid (dat wil zeggen de ether, dat wil zeggen eigenlijk helemaal niet). Uren regen zich aaneen tot weer een dag, en toen nog een. Ze wachtten tot Dahlia uit haar coma zou komen. Margalit ging naar huis om te douchen en zich om te kleden. Bruce verroerde zich nauwelijks. Hij belde Danny twee keer op om mee te delen dat er niets mee te delen viel.

Ben, Dahlia's pseudovriend, de onwaarschijnlijke held, was degene geweest die Dahlia een paar uur na haar toeval bewusteloos in haar appartement had aangetroffen, nadat hij haar een paar keer vergeefs gebeld had. Hij hing een paar dagen rond in het ziekenhuis, keek bezorgd en liet Margalit en Bruce heel veel koffie en kaneelbroodjes voor hem halen uit de kantine. In de directe nasleep van Dahlia bewusteloos en in God mocht weten wat voor toestand van kwalijk riekende chaos te hebben aangetroffen (er was braaksel geweest, en urine), leek hij zich ronduit een integraal onderdeel van dit dramatische verhaal te voelen. Het deed er niet toe dat Dahlia slechts iets vrijblijvends met hem had gehad: Margalit sloot hem in de armen alsof hij zo ongeveer familie was, op die overweldigende manier van haar.

'Ben!' krijste ze zo nu en dan, en omklemde hem in wat eruitzag als een pijnlijke omhelzing. Op zoek naar troost. 'O, Ben!' Hij was terneergeslagen en bevond zich tot zijn ontzetting opeens in de positie waarin hij op de een of andere manier verlichting schonk aan deze toevallige mensen die zich in zulke erbarmelijke omstandigheden bevonden ('Heel leuk om u te leren kennen. Ik vind het zo erg,' bleef hij maar zeggen). De verpleegsters dachten op de een of andere manier dat hij de toegewijde verloofde van die arme, zieke, jonge Dahlia Finger was.

'Wat doe je voor werk, jongen?' kon je Bruce horen vragen. En: 'Wat doen je ouders?'

Margalit en Bruce waren gewoon verrukt dat Dahlia een vriend bleek te hebben. Dit goede nieuws duwde de kanker bijna naar de achtergrond. Het was aangrijpender om een voortijdige dood te sterven wanneer je worstelde met een ontluikende relatie! Verijdelde liefde, enz. (Niet dat ze doodging, trouwens, nee. Hou je in.) Maar ondanks het feit dat Ben in de verste verte niet haar vriend was (laat staan haar verloofde), en ondanks het feit dat hij haar niet een keer gebeft had tijdens het handjevol keren dat ze seks hadden gehad en verder een voorkeur had voor voorbarige vieze praatjes en een moeilijk standje met benen over het hoofd dat een beetje vernederend had aangevoeld en een beetje pijn had gedaan en, Dahlia wist het vrij zeker, tot de recente blaasontsteking had geleid, was het een mooi verhaal. O, en: ondanks het feit dat Margalit en Bruce een opgeblazen romance gebruikten om haar onvermijdelijke ondergang nog verder te ontkennen. Ze had tenslotte een vríénd, praktisch een verlóófde. Ze kon niet doodgaan.

Voor een man was Ben best aardig, maar het duurde niet lang voor hij zich elegant terugtrok uit het hele tafereel van afschudden-van-het-aardse-ongerief, iedereen nerveus het beste wenste, Bruce zijn nummer gaf en vroeg hem op de hoogte te houden, wat mensen zeggen als ze er niets mee te maken willen hebben.

Op de zesde dag kwam Dahlia uit haar coma.

Ze heetten haar weer welkom in het land der levenden. Een van de verpleegsters gebruikte precies die uitdrukking: het land der levenden.

Ze was Ziek, zeiden ze tegen haar. Hoofdletter Z, Ziek. Er was iets goed mis met haar. 'Iets': ha. En niet zomaar iets. Hét. Cellen, kwaadaardige cellen, die zich vermenigvuldigden als ongewenste etnische elementen in een getto waarvan de grenzen al snel zullen verruimen en ook de betere buurten zullen gaan omvatten. De oncoloog – laten we hem dokter Cracker noemen – probeerde het in precies zulke termen uit te leggen toen Dahlia op de zevende dag voor het eerst op kon staan, met een kaalgeschoren en verbonden plekje aan de linkerkant van haar hoofd, de pijn dankzij een gigantische lading pijnstillers teruggebracht tot een gemeen geval van anticipatoire lage eigenwaarde veroorzaakt door het kale plekje, haar ongezonde gelaatskleur en de machteloze vernedering om met haar ouders in de spreekkamer van een arts te zitten, alsof ze in de problemen zat, alsof dokter Cracker de rector was. Het was allemaal niet een béétje gênant: de omvang ervan, de ernst. Dahlia was er nooit goed in geweest dingen serieus te nemen, zelfs serieuze dingen niet.

'Een operatie raad ik je niet aan.' Dokter C. had het tegen Dahlia. De patiënt. 'Zoals ik je ouders al heb verteld, zul je door een operatie niet langer leven, en door de locatie van de tumor loop je grote kans dat de kwaliteit van je leven afneemt. Als je later ernstige neurologische symptomen ontwikkelt, zou een operatie misschíén een optie zijn. Maar dat zien we wel als het moment daar is.' Voor nu: bestraling. Een kuur van zes weken. 'Agressief,' zei dokter C. Gevolgd door chemo.

'Hoewel het allesbehalve een goede tumor is, bevindt hij zich op een plek in de hersenen die relatief goed bereikbaar is,' voegde Cracker er nog aan toe met een knikje naar Bruce, die dat laatste graag hoorde. Benadruk het positieve.

'Wat betekent dat?' wilde Dahlia weten. Haar stem klonk ongewoon, vreemd, als een neerwaartse lift links van haar.

Cracker maakte van zijn lippen een lange, dunne streep. 'Dat hangt af van hoe de behandeling verloopt. Het hangt af van je houding, hoe jij als individu reageert op de behandeling. Ik heb over een patiënt gehoord die nu al bijna vijf jaar een tumor als de jouwe heeft en met wie het prima gaat.'

Margalit snoof. 'Prima?'

'Het betekent,' kwam Bruce tussenbeide, 'dat hij zich op een bereikbare plek bevindt, en je bent jong, je bent gezond. We hebben geen enkele reden om niet optimistisch te zijn. Er is geen enkele reden waarom je hem niet zou kunnen overwinnen en nog lang en gelukkig leeft.'

Bereikbare plek. Overwinnen? Lang en gelukkig leven? Wat een vaagheden! Alsof hij een gangster in een telefooncel was die het over een geplande moord had. Niet overdrijven, pa.

'Maar… waaróm?' Margalit barstte weer in tranen uit en richtte deze jammerklacht tot dokter Cracker. 'Hóé…?'

Waarom en hoe deden er niet toe. Dit was de bliksem die insloeg. Dokter Cracker schudde slechts zijn hoofd. 'Er zijn geen externe of genetische oorzaken voor een dergelijke tumor.' Hij stond op, knipte de fluorescerende schermen aan en hing haar MRI-scans op. Met een laserpen die hij op een kleine tien centimeter afstand hield, gaf hij hun sierlijk een rondleiding. Daar had je hem, een asymmetrisch ding aan de zijkant dat bloeide in de linkerslaapkwab van de bloemkoolroos die haar hersenen vormde. Tot op heden waren Dahlia's grootste gezondheidsklachten een aanleg voor constipatie en ingegroeide haren geweest. En slapeloosheid. En de blaasontsteking.

Kanker is de abnormale ontwikkeling van afwijkende cellen. Kanker wordt veroorzaakt door een reeks mutaties. Elke mutatie verandert het gedrag van de cel.

Toen ze heel klein was en haar familie rondjes draaide in een steeds groter wordende cirkel, haar ouders op weg naar hun belachelijke breuk en de laffe Daniel die zo doelbewust en wreed langzaam maar zeker uit beeld verdween, had Dahlia zo nu en dan gezwolgen in fantasieën over ziekte, dat ze Margalit en Bruce weer bij elkaar zou brengen, verenigd in hun strijd tegen wat het ook was dat er met hun dierbare dochter aan de hand was. Later, op de middelbare school, had ze zich ontwikkeld tot een onvervalste automutilant. Nu was het te laat. Ook te laat kwam het besef dat het toch niet gewerkt zou hebben, dat ziekte geen beter leven opleverde.

'Wat betekent het?' vroeg Dahlia opnieuw aan de arts. Ze klonk niet zo dwingend als ze van plan was geweest, gezien de hoofdpijn en zo, maar zo makkelijk kwam hij niet van haar af. 'Ga ik dood?' Ja, duh. 'Ik bedoel als in niet van ouderdom?' Ja, misschien. 'Ik bedoel, hieraan?'

Margalit snoot haar neus; Bruce bestudeerde zijn aantekeningen.

En nu allemaal, zonder onze lippen te bewegen of een geluid te maken: yep.

'Nou,' bracht dokter C. uiteindelijk uit. 'Statistisch gezien heb je een kans van een op drie om nog minstens twee jaar te leven. Het is heel belangrijk dat je positief blijft denken, er is steeds meer bewijs dat gemoedstoestand en wilskracht daadwerkelijk effect hebben op de behandeling en het herstel.' Dokter C. dreunde dit stukje op terwijl hij omhoogstaarde naar haar MRI-scans en vervolgens, toen hij ze eraf haalde, naar de lange lichtgele envelop waar ze in verdwenen.

Zijn gezicht leek te zeggen: laat me met rust, oké? Dring niet zo aan. Alsof Dahlia die doorvroeg op zichzelf al een vorm van negativisme was, een tactloos en onaangenaam verhoor dat haar op de een of andere manier schade zou berokkenen wanneer het niet ingeteugeld werd. Nog meer.

'Maar... realistisch gezien...' Ze zocht naar woorden. 'Wat betekent het echt?' Zeg het maar! Zeg het! Zeg het!

Er viel een stilte, beklemmend als een bankschroef, een onderbreking van de hysterie en het maken van aantekeningen. Bruce en Margalit keken naar elkaar, naar dokter C., naar Dahlia. Toen begon Margalit weer zacht te huilen en Bruce stak zijn arm uit en wreef over haar rug. Heel even was Dahlia meer van streek over de manier waarop haar ouders met elkaar omgingen – Bruce die Margalit toestond hem te gebruiken voor de kalme, betrouwbare, genereuze soort troost die hij bood – dan over het feit dat niemand hier eerlijk tegen haar was.

'Het helpt niet om in deze fase van het spel al in worstcasescenariotermen te denken,' zei dokter C. Aha: een spél. Een soort wedstrijd wellicht?

Dahlia wachtte tot hij met wat meer geruststelling voor de dag zou komen, dat ze er vroeg bij waren, dat het heel goed te behandelen was. Op zijn bureau grijnsden twee ingelijste foto's haar blijmoedig toe: eentje van een kleine, stroblonde jongen die vrolijk opkeek door een te lange pony, en een andere van een vrouw met dure highlights die een verloren strijd voerde in het verleidster-moedercontinuüm. Hoeveel Zieken die ten dode waren opgeschreven hadden op de plek waar Dahlia zat naar die onverdraaglijke foto's moeten kijken? Hoeveel sufkutten hadden de tastbare uitingen van dokter Crackers fysiologische voorspoed moeten verwerken (een vruchtbare, feromonen uitwasemende vrouw, een normaal, gezond kind, de geïmpliceerde gezonde testikels die de eerste in staat had gesteld de tweede te laten groeien in haar weelderige, stevige baarmoedertje) terwijl ze hun eigen volkomen gebrek aan fysiologische voorspoed verwerkten? De kleine Cracker jr. en mevrouw Cracker hadden de klappen, toegebracht door dit paradigma, ongetwijfeld al honderden keren opgevangen, terwijl ze grijnzend hof hielden over het proces waarbij de hoop, de dromen en als vanzelfsprekend beschouwde toekomst van weer een ten dode opgeschreven idioot werden doorgeprikt, stukgesneden, verbrand en uitgestrooid als as in de wind. Zíj zouden ziek moeten zijn, eveneens.

Op dat moment kwam het bij haar op, met de woorden *externe, genetische* en *tumor* als plichtsgetrouwe instrumenten in een fanfare die werd aangevoerd door de kanker die energiek zijn benen in de lucht zwiept en met zijn baton twirlt, dat haar ouders en dokter Cracker haar dit in eenstemmige gezamenlijkheid meedeelden. Ze was dagenlang buiten bewustzijn geweest, lekker onder de dope, en ze hadden dit natuurlijk al besproken. Ze waren hier bijeen om het haar te vertellen. Het was alsof ze ingrepen: je hebt kanker, jij belachelijke brokkenpiloot, en we zijn allemaal heel bezorgd om je. We houden van je. We willen je helpen. Je kunt dit verslaan, dat wéten we gewoon! Dodelijk (figuurlijk dan).

Eindelijk kwam Dahlia aan bij 'Word ik nog beter?' De stomste vraag die er bestond. Ze haatte zichzelf om het stellen ervan, dat ze zichzelf zo in de kaart liet kijken: ze wilde beter worden, en nu had ze dat aan iedereen laten weten. Dus als ze niet beter werd, zou ze niet alleen dood zijn, maar ook nog eens een loser.

'Ja,' zei Bruce in een reflex.

'We kunnen veel doen,' zei dokter Cracker. 'En de behandelmethoden kennen een voortdurende wetenschappelijke progressie.'

'Het is te behandelen,' zei Bruce zwakjes. 'Je bent jong en gezond. Het bevindt zich niet op de slechtst mogelijke plek.' Het woord 'plek' kwam er echter niet helemaal lekker uit. Bruce, de doorzichtige schat, schoot vol en kon het slechts op een miezerig fluistertoontje uitbrengen.

Dokter Cracker pakte de draad weer op. 'Iemand met een tumor als die van Dahlia leeft gemiddeld nog tien maanden. Dat wil zeggen met bestraling. Maar ze bevindt zich waarschijnlijk op het hogere deel van de curve omdat ze jong is' – niet volgens het tijdschrift voor oud-studenten! – 'de tumor aan de kleine kant is' – maar van de ergste soort – 'ze een goede conditie heeft' – minus de hevige wietlong – 'en ze momenteel geen neurologische symptomen heeft.' Op de toeval na. En de hoofdpijnen. En de algehele misère. Enzovoort.

Dahlia was negenentwintig jaar. Absoluut te jong om te sterven, maar zeker oud genoeg om zichzelf te bedekken met het kleed van haar ziekte, haar eigen aantekeningen te maken, theatraal te huilen over de dreiging van haar eigen dood. In plaats daarvan zat ze daar maar en gaf ze geen reet om het hele wetenschappelijke verhaal, de voorwaarden, de opties; wat betekenden die woorden eigenlijk? En hoe zou het haar helpen als ze het wist? Ze keek naar Cracker jr. en mevrouw Cracker op die kiekjes: Vlasblondje jr. met die pony en mevrouw met haar enorme laag make-up en verkrampte lachje. Het was altijd hetzelfde met die grote momenten in je leven, die arrogante, gewichtige momenten die een ogenschijnlijk aangeboren, voorgekookte reactie vereisen. Ze moest verdrietig, verontwaardigd, verdrietig en vrolijk zijn – nou, nee, niet vrolijk, maar het begint ook met een v, dus wat kan het schelen? En daarna, na de voorspelbare afwerking van het lijstje: acceptatie. En daarna dood.

En nu allemaal samen: *tumor, kanker, groei, nee, maar, misschien, nee.* Nee, nee, nee. Nee. Misschien. Ja. Nee.

Margalit fluisterde opnieuw 'waarom', maar het was tegen niemand in het bijzonder gericht. Ze zaten allemaal onderuitgezakt, uitgeput. Dokter C. vouwde zijn handen en keek naar Bruce om het verdriet te zien van iemand die het, zoals dat heet, een plekje aan het geven was. Voor iemand die zijn brood verdiende met mensen te vertellen dat ze kanker hadden, en omstandig uit doeken te doen dat we allemaal sterven, bakte dokter C. er niet veel van. Het leek godverdomme wel een amateurtoneelavond in het buurtcentrum.

'We willen het volgende voorstellen,' zei dokter C. Bruce bladerde terug naar een vorige pagina in zijn schrijfblok, gevuld met aantekeningen. Boven aan de pagina had hij OPTIES geschreven. Margalit sloeg haar armen om zichzelf heen. Ze droeg haar gebruikelijke overdaad aan sieraden: aan elke hand twee joekels van zilveren ringen, een enorme kralenketting, woest heen en weer zwaaiende tinnen oorbellen uit de Arabische wijk. Margalit vertoonde zich nooit zonder minstens een handvol sieraden te veel. Het was een look. Die werkte voor haar. Je hoorde haar van ver aankomen, zacht getinkel dat het absolute dieptepunt van je dag aankondigde.

'Zoals ik al zei wil ik een operatie afraden. Een operatie zal weinig verschil maken voor de lengte of kwaliteit van je leven, en er zijn gewoon te veel risico's. De tumor bevindt zich op een lastige plek – de slaapkwab is verantwoordelijk voor geheugen, spraakvermogen en gehoor en heel veel belangrijke dingen.'

'Weinig verschil?' zei Dahlia.

'De volgende stap zal zijn om direct met bestraling te beginnen. Wellicht raden we een gelijktijdige chemotherapie aan, of dat komt misschien later. We zullen nog meer onderzoeken doen. Het is mogelijk dat we later alsnog een operatie aanraden, áls ze ernstige neurologische symptomen krijgt.'

Ze vond het vreselijk dat er in de derde persoon over haar gepraat werd.

Dahlia durfde zich niet te wagen aan nog een nauwelijks verhuld Blijf Ik Leven Of Ga Ik Dood? Als ze aandrong zou ze het zeker niet overleven, had dokter C. impliciet duidelijk gemaakt. Ze moest timide zijn. Ze moest zijn antwoorden slikken. Ze moest tevreden zijn en zich behelpen en weinig vragen. En zou dat dan misschien betekenen dat ze het zou redden? Als ze verdomme haar kop maar hield? Als ze het accepteerde? Zou dat misschien kunnen doorgaan voor een positieve houding?

Dahlia moest de dood dus maar in haar eentje overpeinzen. En niet eens op een onthechte, vage, stonede, studentikoze manier: een echte, langgerekte, afschuwelijke, naderende, oneerlijke en verfoeilijke dood. De dood van haarzelf, iemand die ze kende. Zoals toen op de middelbare school een bekende van haar, Julia Grielsheimer, op een donderdagochtend in mei niet wakker was geworden, slachtoffer van een hartkwaal die niet was opgemerkt. Zoals tijdens de bijeenkomst van de hele school die erop volgde, waar

Dahlia zich slechter had gevoeld over het feit dat Julia enig kind was geweest, dat haar ouders nu godverdomme helemaal niks meer hadden als bewijs van de liefde en angst en zweet die het gekost hadden om haar überhaupt op de wereld te zetten. Zoals de tranen die Dahlia had geplengd toen het a-capellakoor van meisjes de langst uitgesponnen, grimmigst denkbare versie van Cyndi Laupers 'Time After Time' had gezongen. Die was gevolgd door een slechte voordracht van Yeats, daarna mooi werk van Whitman en toen de onvermijdelijke Dickinson (het was een behoorlijk strenge, prestigieuze school). Dahlia huilde ongegeneerd, bouwde een hele toer, waardoor de mensen rondom haar op de tribune grinnikten dat zij en Julia niet eens goede vrienden waren. Dat was waar: zij en Julia waren geen goede vrienden geweest. Maar ze hadden samen Spaans gehad, en één keer, vlak voor het jaarlijkse winterbal, had Julia liefdevol en uitgebreid de jurk beschreven die ze voor de gelegenheid had gekocht. Een koningsblauwe empirejapon. Julia had gezegd dat ze haar haar zou opsteken, maar een paar plukken los zou laten. Het woord dat ze gebruikt had was 'strengen'. Ze had het voorgedaan voor Dahlia, een dikke pluk haar boven op haar kruin samengepakt en twee zachte, lichtbruine plukken langs haar gezicht getrokken. Dahlia was verbaasd geweest dat Julia het woord 'strengen' had gebruikt – ze zag nog levendig voor zich hoe Julia's lippen zich rond het woord hadden gevormd ('strrrren-gen') – en over het hele gesprek, dat abrupt was geëindigd toen de bel ging en hun wegen zich scheidden voor het zesde uur. Ook verrassend was Julia's date geweest, een extraverte toneelnerd die door bijna iedereen op school omarmd werd om zijn goedmoedige bereidheid zichzelf te vernederen. Ze waren een leuk stel geweest. Dahlia had Julia lief gevonden, en misschien interessanter dan in het algemeen werd aangenomen. Waardoor Dahlia nog harder moest huilen: ze waren inderdaad niet echt vrienden geweest, en nu zouden ze dat ook niet meer worden. Maar vooral: Julia's ouders! Jezus christus, Julia's ouders. 'God, Dahlia,' had zelfs Mara boos gefluisterd. 'Zulke goeie vrienden waren jullie toch niet?'

'Gelukkig ben ik geen enig kind,' zei Dahlia opeens, waarmee ze de stilte in het kantoor van dokter Cracker verbrak. Er volgde nog een stilte, en iedereen leek gemeenschappelijk te besluiten – dokter C. omdat hij geen idee had waar ze het over had (deze gezinssituaties waren zo ongemakkelijk!), Margalit omdat Dahlia zich in geen geval mocht uitleven op het onderwerp van haar broer, Bruce omdat het allemaal te vreselijk voor woorden was – dat ze maar het best genegeerd kon worden.

Margalit staarde met open mond voor zich uit, als een vis aan de haak, haar gezicht omhooggedraaid alsof dokter Cracker, Dahlia, God of een gevleugeld, mystiek wezen misschien wel een verrukkelijk brokje voedsel (of hoop) in het gat zou gooien. Bruce, een nieuwe tranenvloed afdoende afgehouden, krabbelde verder in zijn schrijfblok. Hij vroeg of dokter C. alstublieft een paar dingen wilde herhalen, vroeg naar de spelling van *astrocytoma*, nogmaals de betekenis van *anaplasie* en *glioblastoma multiforme*. Hij schreef die dingen kennelijk op om ze later nog eens langs te gaan. Maar wat zou hij later precies met ze doen? Het internet afzoeken, de diagnose dubbelchecken? De medische kennis van dokter C. staven met Google? Een alternatieve wonderbehandeling verzinnen die de beginselen van de chirurgie en chemo op hun ellendige, dove klotekop zouden zetten?

Margalit wilde weten *waarom*. Bruce stelde dokter C. nog een diepzinnige, onnozele vraag, maakte nog een diepzinnige, onnozele aantekening en negeerde zo goed als hij kon zijn ten dode opgeschreven dochter, zijn irritante ex-vrouw, negeerde zo goed als hij kon het *waarom*. Ondanks al haar egoïsme en drama en overbodige verbazing, wist Margalit ongetwijfeld al *waarom*. Dahlia wist instinctief wel *waarom*. Dahlia had geen twijfels over het *waarom*. Het was nogal banaal, het *waarom* (nee, ze leek zelfs deze uiterst serieuze ervaring over de eindige levenscyclus niet onder ogen te zien zonder de ironie die ze had geërfd, de cursivering, de sneer). *Waarom* was het exclusieve terrein voor wie op de vlucht is voor de waarheid, *waarom* was voor wie koppig vasthoudt aan hoe de dingen zouden móeten zijn. *Waarom* was het domein van iedereen die de wrede grondbeginselen van oorzaak en gevolg niet snapt. Er was geen *waarom*, er was alleen het gegeven dat deze eventualiteit op het moment van bevruchting al versleuteld was in Dahlia's DNA, zoals de ontwikkeling van cystes in de eierstokken of acne of vroegtijdige grijsheid. Zoals haar gekoppelde neigingen tot constipatie en ingegroeide haren. Het had op de loer gelegen, als het schrikwekkende geloei van een wekker, sinds de bevruchting, de eerste stapjes, en die beangstigende keer dat Margalit haar was kwijtgeraakt in een winkelcentrum. Als een dronken tol was ze richting een bestemming gestuurd die al vastlag, de ergste ziekte die er bestond, en haar leven had gezorgd voor de tien miljoen wormgaten om haar tot dat punt te brengen. Het waarom bestond uit de vráág naar het waarom, verdomme nog aan toe.

Een ongewone ziekte

Kanker lijkt in niets op andere ziektes. Kanker is een van de geheimzinnigste en ongrijpbaarste ziektes die we kennen. Er is geen eensluidende behandeling en vaak ook geen eensluidende oorzaak.

Na de toeval was Dahlia bijna gestikt in haar eigen braaksel en ter plekke gestorven op haar nieuwe bank van Shabby Chic, terwijl VH1 nog steeds de jaren negentig afging, jaar na jaar, en toen weer terug, steeds opnieuw weer 1999, het einde van alles, als in een achterhaald christelijk romannetje voor het grote publiek. Gelukkig voor haar (dat zegt iedereen, maar Dahlia zegt: wat is godverdomme het verschil of ze nog een paar waardeloze maanden of zelfs jaren leeft, Ziek?) had Ben na twee onbeantwoorde telefoontjes besloten om langs te komen, en had hij toen ze niet reageerde op zijn gebonk op de deur door het raam getuurd en ten slotte de volgende ochtend vroeg bij haar ingebroken, terwijl de verkoolde restanten van haar pizza nog nasmeulden in de automatische (goddank!) oven. Hij had een 'voorgevoel' gehad dat er Iets Mis was, zei hij, en hij werd geprezen als de Rechtschapen Niet-Jood die hij was: hij had haar gered. Er werd zelfs geopperd dat deze lieve jongen, met wie ze een paar vrijblijvende afspraakjes had gehad, misschien wel De Ware was!

'Hij geeft duidelijk heel veel om je, Dahlia,' zei Margalit, 'en het komt bijna nooit voor dat een man actie onderneemt met een dergelijk voorgevoel.' Een weinig subtiele uithaal naar Bruce, die ineengezakt in de hoek van de ziekenhuiskamer zat en kennelijk een incapabele echtgenoot was geweest al die jaren geleden. Dahlia had niet veel energie op dat moment, nu ze de helft van haar hersenen moest missen (nou ja, niet echt de helft, zoals dokter C. duidelijk had gemaakt, er was maar een flintertje verwijderd, maar verdomme, het voelde als de helft), maar de absurditeit van Margalit die de cupido uithing bleef niet onopgemerkt.

'Negeer me niet, *motek*! Als iemand om je geeft gooi je dat niet zomaar weg! Hoe vaak denk je dat je de kans krijgt? Niet te geloven, deze meid. Niet te geloven!' (Zie ook: Wat Is Je Strijdplan?)

Het kan verleidelijk zijn om je leven nog eens grondig na te lopen, op zoek naar een oorzaak. Na te denken over de diepere wortels van je ziekte, al was het maar om ze achter je te kunnen laten. We noemen dit 'het verhaal construeren'.

Zelfs klootzakken die verkouden zijn hebben een verhaal. Hoe lang ze al ziek zijn, hoe ze het voelden opkomen, hoe hun holtes precies aanvoelden. Dan volgt de subtiele verschuiving richting de prognose: wanneer zijn ze weer beter? Ze weten zeker dat ze het overleven – zucht, kuch – maar gezondheid lijkt nog zo ver weg, een land van gelukzaligheid dat voor lief werd genomen en waar eenhoorns ronddartelen met volledig onthaarde nimfen die aan de pil zijn. O, wat zullen ze blij zijn als ze daar weer zijn! O, hoe heerlijk zal dat voelen, springlevend!

En we hebben het niet over hypochonders, die freakshows zijn een heel ander soort van ziek.

Ouderen bieden een interessante variatie: die hebben sowieso niet lang meer, dus ze kunnen klagen en jammeren wat ze maar willen, overwerkte internisten aan het hoofd zeuren om nieuwe medicijnen tot ze zo het leven uit attaquen, maar ze kantelen nog steeds richting de grote onvermijdelijkheid, ze weten het, en dus is er geen als-ik-beter-ben om de zaak te vertroebelen. Dahlia's opa Saul, 97 jaar oud, draagt de meeste van zijn organen aan de buitenkant van zijn lichaam, en bij de eerste kennismaking geeft hij je een verhelderende rondleiding. In ouderdom speelt beter worden geen rol. Wat een opluchting moet dat zijn.

Hoe dan ook, dit waren de feiten van Dahlia's verhaal, het verhaal van haar ziekte (dat ze geacht wordt de rest van haar verdom-

de leven, hoe lang dat ook is, op feestjes heel zelfingenomen te verkondigen).

Maar hoe blij Dahlia ook was dat ze nog leefde (als die lieve Ben
haar niet gevonden had zou ze ongetwijfeld zijn gestikt in haar eigen braaksel en gestorven op haar nieuwe bank, en dat zou het dan
geweest zijn, einde verhaal), ze was ook een beetje geïrriteerd. Ben
was haar appartement binnen gedrongen (ze hadden, nogmaals,
iets *vrijblijvends* gehad). Wat had hem het recht gegeven dat te
doen? Nu werd haar de relatief snelle, eenvoudige, catastrofale en
pijnloze dood onthouden waartoe ze voorbestemd was. Zou ze nu
verplicht zijn om zeg maar te 'vechten' voor 'haar leven' of zoiets?
En het ergste van alles: zou ze nu gedwongen zijn om een soort relatie met deze sukkel te hebben? Hadden we al gezegd dat ze iets vrijblijvends hadden?

Je eigen verhaal draait erom je blik te richten op de dingen in je le-
ven die misschien hebben bijgedragen aan je ziekte, en die je nu de
kans geven om proactief beter te worden.

'Je bent jong', bleef iedereen maar zeggen. 'Het had op een slechtere plek kunnen zitten!' En: 'Als iemand dit kan overwinnen, ben
jij het wel!' (Het doet er verder niet toe dat niemand Dahlia mogelijkerwijs kon verwarren met iemand die het kon 'overwinnen'.)
En: 'We gaan voor een second opinion.'

Ze kon dergelijke praatjes door het membraan van de waarheid
laten dringen, háár waarheid: dat ze ten dode was opgeschreven.

Dus dat is het verhaal van Dahlia's ziekte, min of meer. De basis-
versie, de afgezwakte en ongezouten versie. De versie die mensen
konden krijgen als ze dat echt wilden, als ze het echt meenden wanneer ze vroegen: 'Hoe gaat het me je?' of: 'Wat is er aan de hand?'
Het zou haar narratieve troef op feestjes worden, het nec plus ultra
van *hou je mond en luister naar me*, haar script voor wanneer men
haar vol medelijden aanstaarde, met opgelaten, voorbarige condo-
leances kwam, of erger nog, dat deprimerende optimisme, doen
alsof ze beter zou worden. Ze wordt niet beter. Er is geen beter. En
dat – luister je, dokter Phil? – betekent absoluut niet dat ze niet beter wíl worden. Het is niet omdat – luister, Oprah! – het haar een-

voudigweg ontbreekt aan de wil om beter te worden. Het is niet omdat – ik heb het tegen jou, Lance Armstrong – ze fysiek niet sterk genoeg is om beter te worden. Het is omdat – fuck you, allemaal! – ze Ziek is. Geen toestand waar je naar believen in en uit fladdert. Het is een staat van zijn, net zo concreet als ras of bouw.

Rookte je? Volgde je een uitgebalanceerd dieet? Dronk je stevig? Hield je veel woede vast?

Maar wat het echte verhaal betreft, het werkelijke narratief, een poging om het échte waarom aan de orde te stellen (wat absoluut geen gespreksonderwerp voor een feestje was), merkte Dahlia dat ze zich niet met een kluitje in het riet liet sturen. Blijkt ze toch echt Margalits dochter te zijn, tot het einde.

Waarom?

Een paar dingen die voor de hand liggen: deodorant, de pil, voorbewerkt voedsel, lood, sigaretten, smog, haar mobiele telefoon. Elke of alle van bovengenoemde.

Stoneder dan ooit (wat zat er in die shit, hadden Kat en Steph de volgende dag nerveus gevraagd?) was ze er ooit van overtuigd geraakt dat de moedervlek onder op haar linkerwang (vaak genoemd als een van haar mooiste eigenschappen, maar is een moedervlek eigenlijk wel een eigenschap?) groter werd. Elke seconde groter werd, langzaam maar zeker, met als doel haar gezicht op te slokken, en vervolgens haar hele wezen.

'Het is een van mijn mooiste eigenschappen,' had ze haar vrienden huilerig meegedeeld, lurkend aan een joint en zwelgend in de tragische oneerlijkheid van het hele verhaal (want het was eerlijk gezegd wel degelijk haar mooiste eigenschap, ondanks de drie stugge zwarte haren die eraan ontsproten).

Het broeikaseffect, smerige politici, sociale onrechtvaardigheid, oorlog. Ze was hebberig. Het kon niet op.

En dan was er het minder tastbare. Het gevoel gaar te stoven in nederigheid wanneer iets stoms dat ze had gezegd of gedaan in een flits terugkwam: tegen die onenightstand zeggen dat ze van hem hield, ongeduldig op een voetpad langs iemand heen lopen om nog geen drie seconden later als een idioot te struikelen over haar eigen voeten.

De manier waarop ze haar hele verdomde leven tientallen keren per dag haar naam verkeerd had horen uitspreken. Dah-la? Duh-lia? Da-ha-la? *Is dat Spaans? O, als in De Zwarte Dahlia? Als in de bloem? Is dat Joods? Wat is dat?* De manier waarop ze tegen gastvrouwen in restaurants zei dat ze 'Doll' heette om er maar vanaf te zijn. De manier waarop ze dan met toegeknepen ogen naar haar keken en zich afvroegen wat dat nou weer voor naam was.

Margalit die haar kinderen achterliet en ervandoor ging naar Israël om 'alleen' te zijn, om 'na te denken', om 'zichzelf te vinden'. Je zou maar de dochter zijn van een moeder die haar eigen kinderen in de steek liet! En die ook nog verzuimd had borstvoeding te geven. O, biologische onontkoombaarheid; vind je het gek?

Een patroon van vijftien jaar lang heen en weer getrokken worden tussen twee ouders in twee landen op verschillende continenten. De qualitytime die ze had doorgebracht met Bruce, gevangen en alleen in een huis met haar vader toen hij een afgewezen, sullig, verloederd wrak van een alcoholist was.

Daniel. Belabberdste broer sinds Kaïn, geloof het maar, die haar al die jaren aan haar lot had overgelaten, en of dat nu kwam door achterlijke onbekwaamheid of kwaadaardigheid of een combinatie van de twee deed er uiteindelijk helemaal niets toe. Hij had haar hieraan overgeleverd, hoewel het natuurlijk al die tijd al roofzuchtig op de loer had gelegen. Ze hadden haar er allemaal aan overgeleverd. Kat. Steph. Mara. Jacob. Clark. Iedereen. Steun, liefde en toewijding onherroepelijk, bestraffend ingetrokken, vernietigd. Nietig verklaard.

Die clichématige puberale liefdesverhouding met scheermesjes, de nauwelijks verhulde dreiging zelfmoord te plegen. Een handjevol gescheurde of niet-bestaande condooms, zaad van waardeloze mannen die niets om haar gaven opgenomen in haar lichaam, microscopisch kleine indringers. (Baarmoederhalskanker zou nog enigszins logisch zijn geweest! Maar in haar hérsens? Wat de fuck?)

En wat dacht je van mensen die je hun baby niet lieten vasthouden, die met smoesjes kwamen over bacteriën of hechting of wat dan ook?

Daklozen recht aankijken en ze vervolgens geen kleingeld geven, helemaal niks.

In de krant lezen over een leraar in China die tientallen meisjes uit groep zes en zeven had verkracht. Het seksuele geweld in Sudan, waarvan de slachtoffers de schuld kregen. Een tienermoeder in Queens die haar dochtertje doelbewust had vermoord door haar in de magnetron te stoppen. In een wereld leven waar zulke dingen mogelijk waren. Stuk voor stuk stormwolken die zich samenpakten, winnend aan kracht, dreigende donderslagen die energie verzamelden voor wat er nu vernietigend op haar neerstortte.

Waarom!?

Dahlia's neiging om wrok te koesteren. Of beter: Dahlia's onvermogen om iets ánders te doen dan wrok koesteren. Dahlia's onvermogen om iets anders te doen dan alles op te kroppen.

Waarom!?

Vraag je je ooit af waar de opeenstapeling van al die shit, van álles opkroppen, en maar opkroppen en opkroppen, heen gaat? De alledaagse shit die ze had geslikt, zogezegd, heeft gevólgen, mensen.

Al die foute dingen hadden zich opgestapeld, een clusterfuck aan foute dingen. In haar hersenen.

De klank van je eigen naam verminkt, luchtvervuiling, de rotsvaste overtuiging als je tien bent dat je geen thuis hebt: allemaal fascinerend en complex, maar het heeft toch niet de urgentie van een eenvoudig 'En toen werd ik wakker in het ziekenhuis!' Nou ja, hé: ik heb tegen een of andere corpsbal van wie ik de achternaam niet wist en die ik openlijk (lees: in nuchtere toestand) verafschuwde, gezegd dat ik van hem hield. Ik heb hem nooit meer gezien, maar hij draagt een restant van mijn gezondheid met zich mee, want een fractie van een seconde stond ik mezelf toe te geloven in de mogelijkheid dat we iets moois hadden, en *poef!*, een puur, heilig, gezónd stukje van me – weg. In de plaats ervan iets fouts, vreselijk fouts, iets wat vernederend en treurig en stom en verkwistend was, wat als een gek muteerde, de boel overnam en alles naar zijn eigen beeld herschiep.

Je had geen niet-biologische bosvruchten – frambozen, aardbeien – moeten eten, want hun enorme buitenkant zou pesticiden beter vasthouden dan bijvoorbeeld een appel. Elke zure, koude bosvrucht die ze ooit had genuttigd: doem.

En Dahlia zelf die zo op de bloem leek: laag over laag, met een enorm oppervlak. Doem.

Oorzaak, mag ik je voorstellen aan gevolg. Gevolg, dit is oorzaak. Jullie twee hebben veel te bespreken.

Ze had de Twin Towers vanuit haar vrijgezellenflat in de East Village met donderend geraas horen vallen en was de straat op gegaan met duizenden anderen die starend naar adem hapten. En niets – in New York, of sterker nog, in Amerika, of sterker nog, in de cellulaire opbouw van Dahlia's hersenen – was Ooit Nog Hetzelfde. Had ze wellicht een cocktail van verpulverd staal met asbest ingeademd, een uitermate ranzig en corrupt stofdeeltje van de financiële markt, een spikkeltje vlees van een bankier die zijn vrouw sloeg, kinderen misbruikte, hoeren verkrachtte, de belasting ontdook? Vermengd met een vleugje vliegtuigbrandstof en het verdampte zweet van een van haat doortrokken suïcidale fundamentalist? Maar nee, dan zou heel Lower Manhattan en het hele door yuppen bewoonde Brooklyn ook kanker hebben. Dan zouden alle boetieks aan Park Slope, die onbeschilderd houten speelgoed en kinderwagens van tweeduizend dollar sleten, nu allemaal vervangen zijn door pruikenwinkels en kruidenhandelaars. (En zouden de terroristen gewonnen hebben.)

Ook was er de nasmaak die ze kreeg wanneer ze sacharine in haar koffie deed. Metaalachtig, flauw, vettig, gevaarlijk. Parabenen in shampoo! suv's, koolstof die in de atmosfeer was opgehoopt, haar negatieve houding, antibiotica! Het loden schort dat haar tandarts over haar lichaam legde wanneer het röntgenapparaat voor de dag werd gehaald! De gerecyclede lucht in hotels en vliegtuigen! Vastgoedmakelaars! Pessimisme! Chips!

Mensen die je hardop voorlazen uit hun dagboek; nuchter zijn in een ruimte vol dronkenlappen; dronken zijn in een ruimte vol nuchtere mensen; mannen moeten afwijzen die aardig leken maar onaantrekkelijk waren en de moed hadden gehad haar om haar nummer te vragen.

Op eigen houtje naar een concert gaan en je aanvankelijk onafhankelijk en blij voelen en vervolgens heel subtiel en stilletjes moeten vechten om ruimte met een potige klootzak met een niet ingestopt overhemd en een honkbalpet die uitgebreid heen en weer deint, met zijn armen om een match.com-trut met een staart. In zo'n geval zette Dahlia haar handen in haar zij, maakte zich breder, te nederig om gewoon 'Hé, gast, ga effe een stukje opzij, ik sta hier' te zeggen, te kwaad om haar ruimte zomaar te laten inpikken. De show ging vrolijk verder terwijl zij elke minieme beweging registreerde, elke kans benutte om tegen de eikel aan te stoten, voorbijgangers tegen hem aan te duwen, de hele strijd uitvechtend zonder zelfs maar oogcontact te maken.

Haar mobiele telefoon die halverwege een yogales afging omdat ze vergeten was hem uit te zetten. 'Iemands telefoon gaat', en Dahlia, als de dood, rolde eenvoudigweg met haar ogen en schudde haar hoofd: hoe halen sommige mensen het in hun hoofd om tijdens yoga hun telefoon aan te laten staan? Waarop ze de rest van de les ongerust is, een leugenaar die wacht tot hij opnieuw overgaat en haar ontmaskert als het onverschillige stuk vreten met de rinkelende telefoon.

Roddels. Sommige mensen zeggen dat je oren opgloeien of je neus jeukt als er over je gepraat wordt, maar Dahlia zegt dat je dan een verdomde tumor krijgt: alomtegenwoordige kwaadaardige cellen die zich en masse vermenigvuldigen om elk greintje waarheid, goedheid, verfijnde, uitzonderlijke schoonheid en licht over te nemen dat zich anders zou mogen vermenigvuldigen om zo je hele bestaan te vormen.

O, en dat ze eind juni was geboren! Gretig naar de laatste pagina's van tijdschriften en kranten bladeren voor je emotionele/financiële/romantische vooruitzichten, om die aan te treffen onder het woord zelf, een pentekening van die langzame maar zekere krab: *cancer*, de Latijnse naam van Kreeft.

Nog geen drie weken geleden was een vrouw op een parkeerplaats woedend uitgevaren tegen Dahlia toen ze haar per ongeluk had afgesneden, en Dahlia had iets gemompeld met de strekking van 'rustig maar, freak, straks krijg je kanker'. Vanwege het idee dat zo makkelijk was om aan te nemen: dat negativisme, haat, lelijkheid en rancune zich in het lichaam van zulke mensen manifesteren en ze van binnenuit wegvreten. Je krijgt kanker als je niet gauw een beetje relaxed gaat doen. Je krijgt kanker als je er energie in steekt om een klootzak te zijn. Je krijgt kanker als je iedereen om je heen veroordeelt en aanvalt, wreed en meedogenloos, woedend over vermeende sufheid, dwaasheid en algemene waardeloosheid. Je krijgt kanker als je je het gelukkigst voelt wanneer je jezelf definieert als het tegenovergestelde van anderen. Je krijgt kanker als je niet in staat bent alles 'van de zonnige kant te bekijken'. Je krijgt kanker als je in je hart, midden in je daadwerkelijke hart, een speciaal plekje reserveert voor haat voor je klootzak van een broer. Je krijgt kanker als je de hele nacht opblijft en de hele dag slaapt. Masturbeert. Je creditcard niet afbetaalt. Suiker eet. Nepsuiker eet. Je krijgt kanker als je anderen je laat teleurstellen door zo godvergeten doorsnee te zijn. Je krijgt kanker als je te veel verwacht. Ad nauseam. Ad infinitum. Ad mortem.

En het was precies zoals je altijd hoort, haar leven flitste aan haar voorbij. Dit is Dahlia Finger: emotionele vliegenstrip, leeddweil, pijnspons.

De zonnige kant

Er zal iets goeds voortkomen uit deze onverwachte gebeurtenis.
Geloof daarin en je zult de kracht hebben die je nodig hebt voor
de reis die in het verschiet ligt.

Na haar ontslag uit het ziekenhuis op de achtste dag, gingen ze regelrecht naar de boekwinkel. Dat doen joden als er stront aan de knikker is: boeken zoeken. Bruce en Margalit leefden op door de zoektocht, hun tred iets kwieker, ondernemingszin die wanhoop wegdrukte. Met behulp van Barnes & Noble zouden ze die kanker eens goed op zijn flikker geven.

Ze hadden het over Dahlia in de gevreesde derde persoon, alsof ze al dood was, of op zijn minst niet langer echt aanwezig.

'Ze loopt niet goed.'

'Het gaat prima met haar, we moeten het gewoon rustig aan doen.'

'Gaat het wel goed met haar?'

'Ze moet alleen rustig aan doen.'

In werkelijkheid voelde Dahlia zich een beetje duizelig (ooit een piepklein gaatje in je schedel laten boren?), maar Bruce had gelijk dat rustig aan doen het belangrijkst was. Bruce! Haar vader. Papa Bruce had ze hem genoemd toen ze klein was, die vreemde tweede naam herhalend waarmee ze over hem had horen praten. Daar waar hij onder normale omstandigheden soms kleurloos, saai en sullig kon overkomen, openbaarde hij zich nu als het standvastige soort vent op wie je echt kon vertrouwen en bouwen wanneer je het zwaar had. Het soort man met wie je zou moeten trouwen (en niet later achterlaten met je kinderen wanneer je rusteloos werd). Dahlia observeerde haar vader aandachtig, op zoek naar tekenen dat hij genoot van dit nauwe, langdurige, intieme contact met Margalit. Hij was duidelijk nog steeds een beetje verliefd op haar. Dahlia kon het hem niet misgunnen. Ze wist dat een gebroken hart nooit helemaal herstelde. Godsamme, ze wist het net zo goed als ze wist dat ze kanker had. Gun Bruce zijn kans om Margalit te troosten. Om haar stevig te omhelzen en gerust te stellen en haar haar te strelen en tegen haar te zeggen dat het allemaal goed zou komen. Dat was het minste wat hij verdiende, de arme man. Vooral nu hij zijn geliefde dochter zou kwijtraken. Verdomme, en we zijn weer terug bij de golven van verdriet die opkomen bij de gedachte aan Julie Grielsheimers ouders die nu kinderloos zijn en er in de tien jaar sinds haar dood niet in waren geslaagd een steen uit te zoeken voor hun dochters graf, dat zich op de begraafplaats bevond waar ook Dahlia's oma Alice lag, vlak bij het vliegveld.

Bruce' het-gaat-prima-met-haar leek bijna te weergalmen in het microscopisch kleine plekje dat zojuist uit Dahlia's hersenen was gehold. Je bent jong, het had op een slechtere plek kunnen zitten! Haar vader lachte haar stralend toe, stak zijn hoofd schuin omhoog naar de zon. Hij was tenslotte een briljant zakenman, en problemen oplossen was wat elke succesvolle zakenman deed.

'Een prachtige dag!' zei hij, en dat was het ook. Geen waarneembare smog, ruim twintig graden, perfect. Verkeer en weer: de twee veiligste gespreksonderwerpen die de postmoderne mens ter beschikking staan.

Dahlia hield haar blik resoluut op de grond gericht. De ene voet voor de andere. Telkens opnieuw.

'Gaat het, *motek*?' vroeg Margalit.

'Het gaat prima met haar,' snauwde Dahlia. 'Ze is jong! Het had op een slechtere plek kunnen zitten! Er is geen reden waarom ze niet lang en gezond kan leven!'

De afdeling Lichaam en Gezondheid was alfabetisch gerangschikt op ziekte: Aids, Allergieën, Diabetes en Kanker, en Ziektes (overige): Artritis, Astma, Eczeem, Epilepsie, Hart, Migraine, MS, Reuma, Slaapstoornissen. En vervolgens de Geschiedenis van de Geneeskunde, Volksgezondheid en Medische Naslagwerken. Dahlia hield van het woord 'Hart' in het lijstje, hoe het afstak tegen de rest als iets wat wees op zaken die duisterder, complexer waren, en zowel beter als slechter dan al het andere dat er aan je kon mankeren. Alsof überhaupt een hart hebben – gevuld, bloederig, pompend, smachtend – misschien wel de kern van het probleem was.

Binnen Kanker waren er onderverdelingen: Borst, Eierstok, Prostaat, Schildklier. De hele sectie was vergeven van de opvallende gele en zwarte ruggen van de reeks voor Dummies. *Prostaatkanker voor Dummies, Eierstokkanker voor Dummies, Longkanker voor Dummies.* Kregen *Dummy's* een heel ander soort kanker? Was het maar zo.

Margalit staarde met open mond naar het festijn van ziektes. Er waren een paar hartverscheurend misplaatste boeken: *Wat je kunt verwachten als je in verwachting bent; Het plakboek voor dierbare herinneringen.* Had iemand daarmee rondgelopen toen ze erachter kwam dat ze ziek was? Was ze vervolgens als verdoofd hierheen gedwaald, naar Lichaam en Gezondheid, om geconfronteerd te worden met ziekte en sterfelijkheid? Waarna ze de boeken over het leven onbesuisd had weggesmeten en naar de dichtstbijzijnde uitgang was gebeend?

Bruce ging op zijn knieën aan de slag en trok het ene na het andere boek tevoorschijn. Dahlia liet zich op de grond zakken, leunde tegen de kast en zag moedig alle ziektes onder ogen. Ze wierp een blik op de groeiende stapel van Bruce. *Genees jezelf. Waarom ik? Een gids voor badgirls om kanker te verslaan. De bronnengids voor kanker. Het antwoord op kanker. Eet gezond en leef. De natuurlijke behandeling.*

'Jullie beseffen toch wel dat dit allemaal bullshit is, hè?' Wat waren de alternatieven? *Omdat je zuigt? Vragen zonder antwoorden? Eet ongezond en sterf?*

Margalit rechtte haar schouders. 'Je kunt ervoor kiezen hier op een positieve manier mee om te gaan. Of je kunt daar niet voor kiezen.' Je moest wel van Margalits zinsbouw houden.

'O,' zei Dahlia zacht. 'Kan ik daaruit kiezen?' Ze pakte *Wat je kunt verwachten als je in verwachting bent* en zocht in de index 'borstvoeding' op.

'Ja,' zei Margalit. 'Dat zijn je mogelijkheden.' Het boek in haar handen: *Een leven lang positief denken*.

Natuurlijk, de situatie was erg, maar Dahlia voelde zich vrij, vrijer dan ooit, om te doen waar ze het beste in was: rondklooien in de afschuwelijke werkelijkheid. Ze was onaantastbaar. Ze kon zeggen, denken en voelen wat ze maar wilde. Ze had kanker! Bruce en Margalit hadden in de voorgaande dagen heel wat afgehuild en waren flink tekeergegaan, en dat zou de komende dagen nog wel even zo doorgaan, maar Dahlia kreeg er weinig van mee. Op de een of andere manier was ze bijna een bijkomstigheid; dit *ding*, deze tumor, deze kanker, deze ziekte was waar het om draaide. Margalit en Bruce waren verwikkeld in hun eigen paringsdans van wanhoop en fluisterden gespannen, grepen handen, omhelsden elkaar. Drama op niveau. Wanneer ze zich rechtstreeks tot Dahlia richtten waren ze een en al zakelijkheid, een en al nadrukkelijke blijheid. Ze hadden al besloten dat dat hun plicht was. Het zou allemaal goed komen. Ze was jong, ze was gezond. Het had zich op een slechtere plek kunnen bevinden. Bruce bladerde door *Het groene dieet*, Margalit door *Schildklierkanker voor Dummies*. 'Dat heb ik niet,' merkte Dahlia op.

Maar toen Dahlia's blik op Het Boek viel – *Je hebt het zelf in de hand: de checklist voor kanker* – was ze even overdonderd. Het was dun en stond helemaal verderop in Ziektes (overige). Het had een soort amusante, onschuldige, charmante waardigheid, als een yorkshireterriër in een gigantische kooi met een bordje PAS OP.

Het Boek beloofde – een belofte die in tegenstelling tot een woord als *behandeling* of een woord als *antwoord* smaakvol en neutraal leek – Dahlia te helpen *deze schokkende gebeurtenis te verwerken* (flaptekst). De omslag van Het Boek was een prachtig blauwig groen, dat kennelijk ook de kleur was van helende krachten die ze kon leren visualiseren en die je zo vaak je maar wilde in stelling kon brengen tegen een grote hoeveelheid kwaadaardige cellen (achterplat).

Gene Orenstein – ha die Gene! – grijnsde haar toe vanaf de auteursfoto, grote, diepliggende ogen in een lang, mager gezicht. Hij leek verdacht veel op die eikel die twintig jaar geleden het Scars - daledieet had losgelaten op nietsvermoedende vrouwen uit de westerse bovenklasse, voordat hij werd doodgeschoten door zijn minnares. De grijns grensde aan zelfvoldaanheid: breed, met veel tanden en vastberaden positief, onder zijn grote, suffe joodse afro. Uit zijn biografie van twee hele pagina's stak Dahlia op dat er longkanker met uitzaaiingen bij hem was geconstateerd, met nog twee maanden te leven, maar *zesentwintig jaar later woont hij met zijn vrouw en drie kinderen in Elkins Park, Pennsylvania* en wijdde hij zijn leven aan *het helpen van anderen met wat hij geleerd had in zijn eigen strijd tegen kanker.* Het was haat-liefde, de enige soort die ze kende, zoals in die uitzinnige comedy's uit de jaren dertig en Broadwaymusicals: ze haatte Gene hartstochtelijk en ze zou Gene genadeloos op zijn flikker geven, maar hier waren ze dan, een paar dat in voor- en tegenspoed tot het einde der tijden oeverloos moest discussiëren (of tot een van hen stierf aan kanker, welk van de twee zich ook maar als eerste zou aandienen). Flirterige duetten kwamen bij haar boven, dansduels, hatelijk gekibbel, allemaal met een whisky-soda in de ene hand en een glamoureus dampende (hoewel kankerverwekkende) sigarettenhouder in de andere.

'Orenstein heeft duizenden mensen de kracht gegeven om hun ziekte onder ogen te zien en te vechten voor hun leven,' dweepte een nieuwslezer op de omslag. 'Het is écht aan jou!'

'Gene Orenstein heeft zo'n krachtig boek geschreven dat hij alle lof verdient,' schreef ene Howard Sellars, een doctor in de geneeskunde, op de pagina voor de titelpagina.

'Ik weet niet wat ik gedaan zou hebben zonder mijn checklist voor kanker. Hij heeft mijn leven gered, en ik hoop dat hij ook het jouwe redt.' Een tijdloze soapactrice van wie Dahlia de naam kende door haar merkwaardige passie voor het roddelblad *People.*

'Iedereen heeft deze checklist nodig, of ze nu kanker hebben of niet,' aldus J.T. Fortunato, de beroemde atleet van wie de overwinning op teelbalkanker zijn gouden turnmedailles tijdens de laatste vier Olympische Spelen bijna had overschaduwd. Fortunato was zo'n bikkel, wilde de logica, dat hij de kanker moeiteloos op zijn lazer had gegeven. Zo sterk was hij nu eenmaal, zo goed getraind. Een tijdlang was het chic geweest om de bandjes van zwart rubber en zilver met de tekst LIFELIFELIFE te dragen die voor twee dollar te koop waren op zijn website en waarmee onderzoek zou worden gefinancierd. Ze waren keer op keer uitverkocht geraakt, stonden nu voor veertig dollar per stuk op eBay, hingen in dikke lagen op het sleutelbeen van zowel sterretjes en *socialites* als poedelpermanentjes in een winkelcentrum.

Hallo, schreef Gene in zijn inleiding. *Je hebt dit boek uitgekozen omdat je zojuist te horen hebt gekregen dat je kanker hebt.*

Hallo, Gene. Ja, dat is waar.

In hoofdstuk één, *Foute boel*, beschreef Gene zichzelf vóór de kanker: twee kleine kinderen, een veeleisende baan als echtscheidingsadvocaat, zijn dikwijls problematische huwelijk, een angstaanjagend hoge hypotheek. Zijn jeugdige ambitie om patissier te worden op de lange baan geschoven. *Ik was diep, diep ongelukkig en kanker schudde me wakker. Kanker bood een mogelijkheid om mijn leven een nieuwe wending te geven. Jij hebt nu dezelfde kans. Wat zit je dwars in je eigen leven?*

Hoe lang heb je?

Kanker maakt definitief een einde aan al die problemen.

Mooi.

Sterker nog: ik moet je feliciteren.

Bedankt!

Je bent zojuist opnieuw aan je leven begonnen. Niets uit het verleden doet er nog toe.

Vertel dat maar aan Visa.

Dahlia staarde naar Het Boek terwijl ze in de rij stonden om te betalen, ronduit betoverd door het blauwgroen, dat echt heel mooi en bijzonder was: niet walgelijk pastelkleurig en ook niet overdreven fel. Het kon geen kwaad. Ze voelde zich al bijna wat beter.

Bruce had een armvol andere boeken, zelfs een *voor Dummies*, ('*Kanker…*', lekker breed). Dit was echt iets voor Bruce: smijt maar genoeg geld tegen een probleem aan en alles komt goed. Zie het huis in Venice. Zie zijn ongelooflijke gulheid wat betreft de scheiding. Hij had niets aangevochten, gewoon de helft overgedragen (meer dan de helft zelfs, waarmee hij eigenlijk Margalits uiteenlopende hobby's van de afgelopen twintig jaar had bekostigd). Hij wilde maar één ding: problemen uit de weg ruimen. Ga weg problemen, hier!

In dat opzicht was hij een mysterie voor Dahlia: eindeloos vergevingsgezind, gul, geduldig. Hij was opgegroeid in armoede. Dahlia's opa Saul had in de jaren vijftig in Van Nuys een zaak voor herenkleding geopend. Oma Alice had geholpen met de boekhouding, en de jonge Brucie werkte samen met zijn vader: hij nam de maat en hielp de klanten. Arbeiders, ex-gevangenen. Het was een probleemwijk destijds. Ze waren één keer beroofd, een angstaanjagende ervaring die Bruce Dahlia slechts eenmaal uitvoerig had beschreven, rozig van de rode wijn op een avond in een Italiaans restaurant in de East Village.

'Eén vent duwde een pistool in opa's ribben en wilde weten waar de kluis was. Nou, we hadden geen kluis, dus dat was vreselijk. Opa wist niet wat hij moest zeggen en die vent begon hem te slaan met zijn pistool. De andere vent hield mijn armen vast en drukte een pistool tegen mijn rug. Hij bracht zijn gezicht tot vlak voor het mijne. Ik kon de alcohol in zijn adem ruiken.' Bruce' gezicht werd steeds treuriger naarmate het verhaal vorderde. Hij had zijn hoofd geschud en zijn ossobuco links laten liggen. 'Een paar weken later overvielen ze een winkel een paar straten verderop en hebben ze een kerel vermoord.'

'Was je bang?'

'Natuurlijk.'

'Wat ging er door je heen?'

'Dat weet ik niet. De tijd vertraagde. Mijn hart ging tekeer. Ik kon bijna niet ademhalen. Ik hield hem heel goed in de gaten. Het was net alsof wij de enige twee mensen op aarde waren. "Waar is de kluis? Waar is de kluis?" We hádden geen kluis.'

Dahlia had bedroefd geglimlacht, inmiddels aan haar derde glas wijn. 'Dus ik heb zeg maar mijn hele leven te danken aan de impuls van een of andere dronken crimineel in 1957 om je níét dood te schieten?'

'Ja,' had Bruce gezegd. 'Eigenlijk wel. En ik het mijne ook.'

Dus deze hele gotspe was bijna verhinderd, vernietigd, afgetroefd door een eerdere.

De gedrongen tiener bij de kassa, uitgedost met indrukwekkende boekhandelsbadges en het onvermijdelijke naamspeldje ('Holden', hoewel het een meisje was), staarde hen droefgeestig aan, medelijden – daar had je het! Dat was het nou! – vermengd met verbazing. Ze keek hen alle drie aan. Margalit die zoveel mogelijk impulsaankopen bijeengriste: ze legde een tijdschrift, een cd en een doosje dure chocoladetruffels op de stapel naast de kassa. Bruce die naar de zware geldclip van Tiffany in zijn zak greep en er in afwachting van het verschuldigde bedrag plichtsgetrouw drie verse briefjes van twintig uit trok, vier, vijf, bereid om uit te geven wat er ook maar uitgegeven moest worden. Dahlia, die tegen een display met bestsellers leunde, was hondsmoe en had zoals verwacht een beetje hoofdpijn.

Holden nam hen op terwijl ze de boeken scande en weer op een stapel legde, en probeerde de aanwijzingen te duiden. Ze was in de aanwezigheid van iemand met k! Wie van hen kon het zijn? De kittige vijftiger met ravenzwart haar, rinkelende oorbellen, te veel eyeliner en een cape? Het stoïcijnse burgermannetje met het horloge van twaalfduizend dollar, een lief, jongensachtig gezicht en een kaki plooibroek? Of de twintiger met de treurige blik en het groezelige haar, een neusring en een rafelig t-shirt van Old Navy? Iemand hier was duidelijk de lul, en hoe. Holdens cystische acne verdubbelde bijna het oppervlak van haar gezicht, als een bosvrucht, als een dahlia, wat betekende dat haar gezicht het medelijden beter en langer vasthield. Het medelijden: hier begon het dus.

'Honderdnegenenveertig drieënnegentig,' zei ze, en haar blik kwam uit bij Dahlia. O ja, het was Dahlia. Het kaalgeschoren plekje. Natuurlijk. Tragisch.

'Hier!' zei Margalit, en ze duwde een *Vogue* in haar richting, alsof daarmee alles weer normaal werd. 'Doe deze er maar bij.'

'En deze,' zei Dahlia, die besefte dat ze Het Boek in haar armen had verstopt. Haar vingers, zweterig en stram, deden pijn toen ze het losliet. Het ontbrak haar aan de gebruikelijke energie om het te stelen.

Op de terugweg naar de auto haalde Dahlia Het Boek uit de plastic zak – Hé hallo daar, Gene! – en hield het stevig tegen haar borst geklemd. Ze hoopte min of meer, en verafschuwde vervolgens die hoop, dat dat blauwgroen op de een of andere manier door haar heen zou stralen, haar de chemo en de rest zou besparen. Wat zou er gebeuren als ze zoiets durfde te hopen en het in de verste verte niet mogelijk bleek? Zou je hart kunnen breken, boven op en zelfs na de dood, door verijdelde hoop? Dit was een legitieme angst.

'Ik ga voorin,' zei ze tegen haar moeder. De kleine geneugten.

Bruce hield haar vast terwijl ze liepen, alsof hij vastberaden was haar te behoeden, alsof hij zijn kleine meisje niets, maar dan ook niets, zou laten overkomen. Een beetje laat en suf, maar toch lief.

In de auto bladerde Margalit door *De gids voor badgirls om kanker te verslaan* en begon weer met haar gesnotter. Op de omslag van het boek stond een cartoonversie van een kranige chick zonder haar, één ontbrekende borst, stoere laarzen en in de hand die ze daadkrachtig uitstak een wortel met het loof er nog aan, als een wapen.

'Dit is niets voor haar,' wist Margalit uit te brengen op de achterbank. 'Dit is niets voor haar.'

Inderdaad, nee, want met 'haar' kwam alles goed.

Bruce hield zijn blik op de weg, zijn gezicht (Dahlia hoefde er niet eens naar te kijken om het te weten) dat unieke masker van onverstoorbare verdraagzaamheid.

'Laten we naar de Plum Core gaan,' zei Dahlia dictatoriaal: ze was de eregast aan de tafel van hoe lang ze ook nog had. 'Ik heb honger.'

Margalit pakte *Genees jezelf* op, waarvan de omslag een overdaad aan bladgroenten toonde. 'Ze moet geen rotzooi eten.'

'Ze mag godsamme eten waar ze zin in heeft,' snauwde Dahlia.

De Plum Core was een vervallen hamburgertent verstopt in de schaduw van een monolithisch winkelcentrum in West-LA, de inspiratie voor Aaron Spellings beroemde pleisterplaats op tv, de

Peach Pit. Het bevond zich al een jaar of dertig op dezelfde plek toen de mythische bouwers van winkelcentra het hele blok begin jaren tachtig hadden opgekocht. Het hele blok, dat wil zeggen op het kleine hoekje na waar de populaire hamburgertent was gevestigd.

Het gerucht ging dat er jarenlang op allerlei manieren druk was uitgeoefend op de Plum Core – juridisch en in andere opzichten, vriendelijk en anderszins. De mythische bouwers van winkelcentra hadden dat hoekpand nodig, en wel dringend. Hun mythische winkelcentrum dat een heel blok besloeg werd slechts belemmerd door de koppigheid van de legendarische hamburgertent. Er werden opiniestukken geschreven, absurd hoge prijzen geboden, de Plum Core kreeg een 'moordplek' aangeboden in het toekomstige restaurantgedeelte van het winkelcentrum, pachtvrij, zo'n beetje tot het einde der tijden. Die winkelbouwers trokken zich de mythische haren uit het hoofd. In de tussentijd lag de rest van het blok braak; het winkelcentrum bleef een mythe.

De eigenaren van de Plum Core – broers van middelbare leeftijd wier vader, een voormalige rekwisiteur in Hollywood, een levenslange droom had verwezenlijkt toen hij de zaak had geopend – speelden het niet hard. Ze onderhandelden niet, ze hoopten niet op een betere deal. Ze wilden gewoon op hun plek blijven zitten, in hun vervallen hoekje met de rechthoekige counter en krukken met rode zittingen en vier antieke, piepkleine jukeboxen. Ze hadden een goed leven en een goedlopende zaak, en dat was alles wat ze nodig hadden en wilden.

En dus waren ze onvermurwbaar. Het winkelcentrum werd uiteindelijk toch gebouwd, minus het kleine hoekpand waar je nu nog steeds een heerlijke (kankerverwekkende), vettige, puur Amerikaanse hap kon krijgen. De serveerders, Latijns-Amerikanen van middelbare leeftijd die al sinds hun tienerjaren in de tent werkten, waren beroemd om hun norsheid. Ze namen je bestelling op, schreeuwden naar elkaar met gespeelde animositeit, en verbijsterend snel en nauwkeurig zetten ze precies wat je wilde voor je neus, precies op de manier waarop je het wilde.

En gezien de recente ontwikkelingen was dit precies wat Dahlia wilde: met korzelige welwillendheid behandeld worden door oude mannen met papieren hoedjes die moedig stand hadden gehouden tegen corporatieve bouwers van winkelcentra die met geld wapperden, en die hun zaak in de schaduw van voornoemd winkelcentrum nog net zo runden als voorheen en dat altijd zouden blijven doen, daar kon je op rekenen. Het was een kleine overwinning, een pijler van rechtvaardigheid in een wereld die onvermijdelijk, blok voor blok, werd overgenomen door winkelcentra. Maar niet dit blok. Niet vandaag. Geen sprake van, Gene.

Ze had in geen jaren vlees gegeten (roken: tuurlijk; alcohol: tuurlijk; psychedelica: tuurlijk; vlees: nóóit!), maar vandaag wilde ze een cheeseburger met augurk en speciale rode saus en een stuk bananenroomtaart. Ze zette haar afkeer voor de sissende, vettige burgers op de open grill opzij: het was tijd om helemaal los te gaan. Dit was het dieptepunt. Of het hoogste punt, als je aan de voedselketen denkt. Eet op, droeg ze zichzelf op. Anders word je opgegeten, toch? Ze maakte smerige, woeste geluiden toen ze haar tanden erin zette, als het beest dat ze was. Ze vond het grappig, de eerste voorzichtige, oprechte giechel in wat aanvoelde als een eeuwigheid.

'Mmmmmrgh,' zei ze.

Bruce en Margalit aten niet. Ze waren verstijfd in een tableau van shock: Stilleven met Onaangeroerde Cheeseburger en Naderende Dood. Een serveerder zette zwierig een bord friet voor hen neer, trok een fles ketchup tevoorschijn en liet na drie keer resoluut en elegant geschud te hebben een keurige krul saus achter om in te dippen. Toen was hij weer weg. Bruce en Margalit volgden zijn bewegingen met een wezenloze blik.

Dahlia propte een handvol friet in haar mond, de hele tijd grrrrrommend, lachend om hoe raar ze was, haar eigen gekke geluidseffecten. De friet was te heet, verbrandde haar tong en haar verhemelte. Ze slikte het evengoed door, pakte er meer, blij om op deze manier te eten, blij om überhaupt te leven en te eten, en ze liet haar mond verbranden. Ze nam het er eens goed van.

'Eet op,' zei ze tegen haar ouders.

Plichtsgetrouw pakten ze hun burger op, brachten de burger omhoog, en leken toen prompt te vergeten waarnaar de burger op weg was.

'Eet!'

Ze namen kleine hapjes.

'We hebben een second opinion nodig,' zei Bruce.

Margalit kikkerde op. 'Ja, dat is precies wat we gaan doen. Die klootzak' – ze bedoelde dokter Cracker – 'weet niks.'

'Ik bel Barry Kantrowitz wel,' deelde Bruce Dahlia mee. 'Hij weet wel met wie we moeten praten.'

En opeens was de burger te veel voor Dahlia. Hij was te machtig, te zout, te sappig, scherp, dood. Het was een stuk vlees. Ze at geen vlees. Ze had al sinds de middelbare school geen vlees meer gegeten, vanaf het moment dat Uri haar met veel overredingskracht had overgehaald vegetariër te worden (onder andere). Ze vond het fijn om geen vlees te eten. Geen vlees eten was deel gaan uitmaken van wie ze was, van waar ze tijdens afspraakjes over praatte. Ze kokhalsde.

'*Motek*!' Margalit sprong van haar kruk om zo dicht mogelijk bij Dahlia te komen en haar een papieren bekertje met water aan te reiken. 'O, *habibi*, het komt wel goed. Je wordt weer beter. Het komt wel goed.' Ze wreef over Dahlia's rug en drukte haar in een vreemde, ongemakkelijke hoek tegen zich aan. Margalit bood alleen aan wat ongemakkelijk was om aan te nemen.

'Hou op,' zei Dahlia, terwijl ze haar moeder wegduwde en op een afstandje hield. Ze moest gewoon even op adem komen, meer niet. Ze had alleen wat frisse lucht nodig. Uit een gammele jukebox: *Did you ever see a dream, walking? Did you ever hear a dream, talking?*

'Oké,' zei Margalit. 'Het komt allemaal wel goed, *motek*. Het komt helemaal goed met je.'

Bruce knikte instemmend.

Dit had wel iets van toen ze uit elkaar gingen, de rotzakken die alles maar wat graag ontkenden: alles onder de tafel, alles weggeveegd, de mogelijkheid om moeilijkheden onder ogen te komen zo angstaanjagend, zo onvoorstelbaar voor deze mensen dat ze liever een verschrikkelijke stilte uitzaten, hoe lang die ook duurde. Hadden zij daarom geen kanker? Omdat ze een leven hadden opgebouwd waarin ze zo fervent níéts aanpakten, alles van de ogenschijnlijk zonnige kant bekeken, koste wat kost verdergingen? Doordat ze op de een of andere manier voor zichzelf en hun kinderen verzuimd hadden te erkennen dat ze gingen scheiden (bijvoorbeeld)? Omdat wanneer puntje bij paaltje kwam, zij het niet steeds opnieuw onder ogen hoefden te zien? (Om het vervolgens steeds opnieuw binnen te houden?) Omdat ze in staat waren op deze andere manier te leven? Dahlia was er tot nu toe van overtuigd geweest dat ze beter was: het type dat ellende onder ogen kan zien, het net zo lang aan kan staren tot het wegkijkt en het kan benoemen, ermee kan leven, regelmatig rondtast in haar zak om de scherpe randjes ervan te voelen. Maar de hele tijd had het zich alleen maar opgehoopt, zich verzameld als pluis in het stoffilter van het zelf. En nu liep de metaforische emmer over. Met stront. Dankzij haar fundamentele bereidheid zaken aan te pakken.

'Nee,' zei Dahlia koeltjes. 'Nee, het komt niet goed met me.' En op dat moment was ze in de verleiding om haar tanden weer in de burger te zetten om ánder vlees aan stukken te scheuren. 'Het komt niet goed met me,' zei ze nogmaals, om de pure opluchting die ze voelde bij Margalits gezicht dat helemaal uiteenviel, onherstelbaar. 'Het gaat niet goed met me.' *Goed* was geen leugen waarmee ze kon leven. Het ging duidelijk niet goed met haar, vroeger niet, op dit moment niet en nooit meer.

Moeizaam ging Margalit weer op haar kruk zitten. De serveerders keken hen even bezorgd aan. Een van hen kwam op hen af.

'De burgers is oké?'

'Top,' zei Dahlia tegen hem. Hij keek naar het verbonden plekje op haar schedel. Hij keek naar haar gezicht, naar haar ouders en liep toen weer weg.

'Laten we positief blijven,' mompelde Bruce. 'Ik zie geen reden waarom je dit niet te boven kunt komen… niet de slechtste… een second opinion.' Margalit depte haar ogen met stijve, papierachtige servetten uit de houder.

De serveerder kwam dansend terug met een stuk taart. 'Banaan,' zei hij, 'van de zaak! Mooi meisje! Niet verdrietig zijn!'

'Bedankt,' zei Dahlia tegen hem, en ze dacht: ja. Misschien, wellicht was bananenroomtaart van de zaak wel heilzaam. Gene? Wat zeg jij?

Vraag om een second opinion

Je moet een second opinion eisen. Je oplettendheid en door - zettingsvermogen zijn erg belangrijk voor hoe je behandeld wordt, waar je behandeld wordt, en hoe goed je behandeling de bestaande problemen aanpakt.

Bruce Finger en Margalit Finger (geboren Shuker) waren getrouwd en gingen zij aan zij wonen en werken op haar geliefde kibboets Dalia, waar ze een prille, geïmproviseerde vorm van schijnbaar huiselijk geluk creëerden dat uiteindelijk verslechterde door onbeduidende factoren als realiteit en tijd. Een oud verhaal.

De wortels van de familie Shuker gingen wijdvertakt en diep terug tot de Joden van Babylon. Ze waren in 1951 weggevlucht uit Irak naar de bloeiende woestijn van Erets Jisraël, het Joodse land, onderdeel van een massale ballingschap van meer dan 120.000 Joden die Irak tussen 1948 en 1952 verlieten, nadat het krijgsrecht was afgekondigd en de opkomst van het Arabische nationalisme een directe bedreiging begon te vormen voor het welzijn van elke Joodse man, vrouw en kind. Uit alle verhalen bleek dat Margalits familie welvarend was en een gevestigde reputatie genoot; haar vader dreef handel met het buitenland en haar moeder was een gerespecteerd kunstenaar. 'Ik had tweeënzeventig neven en nichten,' mocht ze graag vertellen. Net als veel van wat er uit haar mond kwam, was dat een overdrijving. 'We lieten alles achter. We werden gedwongen onze huizen te verlaten.' Dat was geen overdrijving. Margalit was in Israël terechtgekomen met vijf broers en zussen en hun ouders, die er nooit meer bovenop kwamen en inmiddels allang gestorven zijn. Politiek gezien was ze nog iets zionistischer dan de meest militante zionisten, wat wil zeggen: volkomen krankzinnig. Israël had een goddelijk bestaansrecht. Niets anders, níémand anders, deed ertoe zoals Israël ertoe deed. Ze hadden nergens anders naartoe gekund. Dankzij hen bloeide de woestijn.

En daar was dan Bruce, een typisch Amerikaanse Jood van de derde generatie: betoverd door het zionisme en midden in wat vandaag de dag wellicht een 'quarterlife-crisis' zou heten. Margalit was onstuimig, humeurig, heetgebakerd en 'hartstochtelijk'. Bruce: stabiel en duidelijk als een juridisch tijdschrift. Hij hield ervan hoe ze, niet om een speciale reden, tegen hem uitbarstte, vond het sexy, interessant. Ze maakte hem aan het lachen. Haar gebrek aan perspectief, haar weigering zich kalm te gedragen. Ze was zo... *Israëlisch!* Zo *Sefardisch.* Ze leek in niets op de muizige, materialistische Joodse meisjes die hij gekend had.

Margalit was bijna direct zwanger van Danny, en men was het erover eens dat Danny vanaf het begin verschrikkelijk moeilijk was geweest. Weigerde een nacht door te slapen, zei godsamme niks tot hij bijna drie was, en had gewoon zoveel nodig, hij straalde zo'n defensieve, gekwetste, peilloze behoeftigheid uit, dat Margalit en Bruce volkomen uitgeput waren. Tot ruim in Danny's peuterjaren waren ze jonge ouders die in shock waren, en op dat moment waren alle volkswijsheden al lang en breed ontoereikend gebleken; het waren geen krampjes, het waren geen groeistuipen, het was niet een soort achterstand in de ontwikkeling (zoals ze even vreesden), het was niet *gewoon de leeftijd,* hun zoon was eenvoudigweg een ongelooflijke eikel. In een vorig leven een nazigeneraal, of een echtgenoot met losse handjes, of een woekeraar, een of andere oplichter, een dierenmishandelaar misschien, een fascist. Hoe dan ook: een echte eikel, dat kind. Altijd chagrijnig, altijd aan het bijten en slaan, altijd een norse blik. Heel grappig: tot ruim na de kleutertijd zo kaal als een biljartbal. Ze tapeten zijn luier vast om te verhinderen dat hij zich wijdde aan zijn favoriete tijdverdrijf: zijn hand in zijn broek steken en vingerverven met zijn stront. Ze moesten hem overal heen dragen, hij weigerde te leren lopen. Ze moesten hem voortdurend bezighouden, hij weigerde zichzelf ook maar een minuut te

61

vermaken. Hij schreeuwde moord en brand als ze hem ergens achterlieten, met wie of hoe lang dan ook. Hem onderbrengen in het huis voor kinderen op de kibboets was uitgesloten.

De meeste kinderen die je bezighoudt, toelacht of genegenheid/aandacht toont, zullen uiteindelijk reageren: ze lachen terug, blozen of verschuilen zich achter een vertrouwd paar benen. Danny was niet van zijn stuk te brengen. Hij had maar een paar berekenende glimlachjes te vergeven. Tante Orly, Margalits jongste en dierbaarste zus, zong, in haar handen klappend en rondspringend, liedjes voor hem, zonder succes. De kok van de kibboets, Itamar, gaf hem de bijnaam 'De *miëskeit*' (droevig gezicht) en probeerde de knul een reactie te ontlokken. Itamar maakte etenspoppetjes voor Danny – lichamen van selderij, rozijnen op tandenstokers als ogen, borsten van bietjes en schijven sinaasappel als schoenen, en wachtte verbijsterd op een reactie, wat dan ook. Danny keek er alleen maar naar, schonk hem soms een zuinig lachje en zei ten slotte eenvoudigweg: '*Toda*', bedankt.

(Was het eigenlijk niet veel eerder Danny die k zou moeten hebben? Danny die het verdiende om Ziek te zijn? Danny, aan wie zijn ouders vrijwel direct na zijn geboorte heimelijk en vervolgens niet zo heimelijk en vervolgens schaapachtig en beschaamd een oprechte afkeer hadden? Echt, het was Danny bij wie het vanbinnen en -buiten mis zou moeten zijn, weggerot en ten dode opgeschreven. Was dat niet net als het leven? Danny was zo gezond als een vis, Danny zou blijven leven en zich voortplanten, Danny zou hen allemaal overleven. Godsamme, de gedachte maakte haar nog kwader dan gewoonlijk, wat natuurlijk min of meer een sneeuwbaleffect had: hoe bozer ze werd hoe zieker ze zou worden, en hoe bozer dat haar weer zou maken. Dit was, volgens Het Boek en alles wat je in het algemeen hoorde, niet goed.)

Margalit en Bruce hadden gewacht tot hun plaaggeest bijna zes was en hij zich eindelijk leek aan te passen aan het kibboetssysteem – kinderen naar leeftijd bij elkaar, gescheiden van hun ouders – voor het ook maar bij één van hen opkwam om nog een kind te nemen. Ze hadden godbetert nauwelijks kans gehad na te denken over nog een conceptie, zo stevig klampte Danny zich aan hen vast. Misschien was het de schroom die kwam kijken bij hun verlangen naar Dahlia, misschien lag het aan de manier waarop ze nog een kind wilden, een broertje of zusje voor het kleine stuk stront, maar als de dood waren dat ze opgescheept zouden raken met nog een Danny. Misschien had Bruce zich op het moment van ejaculatie bedacht, had hij geprobeerd hem eruit te trekken. (Dit is moeilijk, je je ouders voorstellen die copuleren en vervolgens de conceptie, het gebruik van een spreektalig begrip als 'eruit trekken' met betrekking tot de genitaliën van je ouders, maar dit is verplichte kost, we kunnen niet wegkijken, het vermijden, negeren. Is dat voldoende, of moeten we ons gekreun, gezichten, voeten in de lucht inbeelden? Want als er iemand wegkijkt, terugdeinst of denkt: dit is smakeloos, gaan we er zéker op door. We gaan er op door en door en door en door, woordverkrachting, tot jij ook kanker hebt. Gesnopen? Ja? Oké.)

Of misschien was het een voorgevoel dat postvatte bij Margalit, net zoals de vermenigvuldigende cellen van Dahlia postvatten (elkaar overlappend en veelkantig als een bloem), dat dit leven op de kibboets met een conventionele echtgenoot en niet één etter van een hummel maar twéé, toch niet iets voor haar was. Misschien had Margalit op het exacte moment dat ze zwanger raakte een oprecht en onuitwisbaar moment van: o nee. Misschien was dat genoeg om de ontwikkeling van Dahlia te verstoren, haar embryonale celdeling als een dolle voortrazend, uit balans.

Margalit was ontroostbaar geweest toen ze besefte dat ze zwanger was. Ze wilde toch niet nog een kind. Danny voelde aan als een kei die de rest van haar leven op haar rug zat gebonden. Ze kon zich niet nog een Danny voorstellen. Tante Orly stond op het punt te trouwen en naar Tel Aviv te verhuizen. De kibboets, tot dat moment een bron van trots en geluk, begon beklemmend en slopend aan te voelen, het werk eindeloos en het gemeenschappelijke karakter opdringerig. Bruce begon zijn mogelijkheden in de States te verkennen en zocht naar een concrete reden – een baan – om terug te verhuizen. Hij meldde zich weer aan bij de orde van advocaten van Californië. Dit nieuws leek Margalit een beetje op te vrolijken: een huis, privacy, een tuin. De States: oké!

Toen Margalit zesenhalve maand zwanger was pakten ze hun vreselijke zesjarige zoon op en verhuisden naar Los Angeles, waar een projectontwikkelaar Bruce een juridische functie had aangeboden. Danny schudde Itamar de kok ernstig de hand voor ze vertrokken.

Het was een slechte zet. Het einde van de zwangerschap was moeilijk, moeilijker dan bij de eerste – zwellingen, humeurig, rugpijn – en Margalit merkte dat ze depressief en eenzaam was en hartstochtelijk naar Orly en de kibboets verlangde en niet in staat was zich aan te passen aan haar nieuwe omgeving. Bruce stond onder grote druk om de overgang en, zodoende, het leven voor iedereen oké te maken. Hij bracht enorm veel tijd door op kantoor, en liet zijn opgeblazen, doodongelukkige vrouw die heimwee had achter met hun stugge zoon. Akelig. En Dahlia die in dit alles tot rijping kwam.

Maar toch: Dahlia was ter wereld gekomen als een op het eerste gezicht mooi, volmaakt, ongerept wezentje, het licht van hun leven, het lieve kleine meisje dat ze gewild en nodig hadden, waarnaar ze verlangd hadden. 27 juni 1978. Voor Bruce was het liefde op het eerste gezicht, alle gebruikelijke clichés, de obligate rimram. Een charmante, mollige, lachende, gemakkelijke baby: de anti-Danny. Ze kopieerde al snel gezichtsuitdrukkingen, ze grinnikte en kirde, wond voorbijgangers om haar vingers. Ze kon zich heel goed urenlang vermaken met een mobile of een ratel of een bergje Cheerios. Ze was Danny's tegengif, het heelal dat duidelijk maakte dat het voor Margalit en Bruce misschien wel mogelijk was om samen een leuk leven te hebben.

Ze noemden haar Dahlia, naar de kibboets waar ze zo naar verlangd hadden, met de toegevoegde aanstellerige 'h' die Margalit had voorgesteld, omdat ze het vrouwelijk, mooi en fleurig vond. Alsof ze wellicht zouden terugkeren. Alsof hun band helemaal niets te lijden zou hebben onder een langdurig verblijf in zuidelijk Californië. Ver weg van Dalia, een plek die Margalit maar al te graag achter zich had gelaten, idealiseerde ze het, smachtte ze ernaar, praatte erover met de saaie vrouwen in Mommy and Me-winkels alsof het de hemel op aarde was.

Maar toch: Dahlia's geboorte was een soort wedergeboorte voor hen allemaal. Margalits enorme ontevredenheid kwam een tijdje op een laag pitje te staan, haar zucht naar avontuur en vrijheid en haar familie en Israël en de kibboets en *sabra*-kinderen die vloeiend Hebreeuws spraken, tijdelijk bevredigd. En zelfs Danny leek op te kikkeren, een beetje te veranderen. Hij was gefascineerd door deze nieuwe persoon, hij was gek op de cadeautjes die ze kreeg, en hij vatte regelmatig post bij haar wieg om te kijken hoe ze sliep. Margalit dacht na over de mogelijkheid haar baby mee te nemen op een bezoek aan Israël, over Danny's ogenschijnlijke rijpheid en positieve ontwikkeling in zijn nieuwe rol als grote broer, over haar slimme echtgenoot, die met zijn gewichtige, belangrijke baan geld als water verdiende, haar aangename leven. Ze kochten een huis in de Pacific Palisades, een enorm huis. Ze maakten veel foto's, ze lachten naar hun lieftallige dochter. Een tijdje leek het allemaal te werken. Ja, het was echt een moeilijke overgang geweest. Maar nu zou alles goed komen. Danny vond zijn roeping in het opbeuren en vermaken van zijn zusje. Het ging zelfs zo ver dat Dahlia niet in bed gelegd kon worden voor een dutje of een bad kon nemen of opgebeurd kon worden na een ongelukje tenzij het door Danny was. Bruce en Margalit keken ongelovig toe hoe hun schoft van een ventje in de liefdevolle verzorger van zijn zus veranderde. Urenlang speelde hij met Dahlia en haar poppen. Hij las haar voor, maakte eigen woordloze grapjes met haar, haastte zich van huis naar school om bij haar te zijn. En zij op haar beurt aanbad hem.

Als volwassene zou Dahlia verbitterd terugkijken op die vroege band, die ze zich nauwelijks kon herinneren, als een duidelijk bijverschijnsel van Danny's opgeschorte prepuberale woede: hij was allergisch voor honden, dus maakte hij Dahlia tot zijn huisdier. Hij wilde gewoon een excuus om met haar verdomde poppen te spelen, het stuk stront. Hij probeerde zich aan te passen aan een nieuw leven in een nieuwe omgeving en stortte zich instinctief op Dahlia als een soort tussenpersoon. Ze was de enige die hij kende die nog hulpelozer was dan hijzelf (en, in de zeldzame gevallen dat ze de hele nacht huilde, banger en ogenschijnlijk nog woedender).

Maar nee: vergeet wat er later gebeurde. Er waren ook positieve kanten, of niet soms? Een kind dat uiteindelijk gewenst was, een voorspoedige geboorte, een gelukkige vroege jeugd in een gezin dat weer opleefde in een veelbelovende nieuwe omgeving? Een grote broer die haar aanbad, en die zij op haar beurt ook aanbad?

Ze noemde zichzelf 'La La', de eerste en duidelijkste versie van 'Dahlia' die ze kon uitspreken, en de naam bleef hangen. Danny kortte hem af tot eenvoudigweg 'La': een compacte bouwsteen van een liedje met Dahlia als vreugdevolle kern. 'La!' riep hij naar haar. 'La, La, La, La!' Dan lachte ze tot ze een hikaanval kreeg, en bleef vervolgens lachen.

Dahlia hield van hem. Eerlijk gezegd was ze gewoon verliefd op hem, haar mooie, slimme, aardige en zorgzame grote broer. Hij gaf haar natte kinderzoenen en speelde eindeloos lang en liefdevol met haar. Wanneer ze verdrietig was, deed hij een zingende Italiaan uit een pizzareclame na: *Whatsa matter you? Why-a you look-a so sad? It's-a not so bad!* Ze hield van hem. (Daar. Daar heb heb je het: gedoemd.)

In haar favoriet van de vele homemovies uit die tijd had Bruce de camera gewoon bijna een uur op Danny en Dahlia gericht laten staan terwijl ze samen *Sesamstraat* keken. Een metafilm: een film van twee kinderen die televisiekijken (was dat al gedaan of had Bruce nieuw mediaterrein ontgonnen?). Technisch gezien was Danny te oud om *Sesamstraat* te kijken, maar met Dahlia genoot hij er duidelijk met volle teugen van, zo graag deden ze samen dingen. Als je niet beter wist was het een tamelijk saaie video: de achtjarige Daniel en de tweejarige Dahlia in hun pyjama opgekruld op de bank – Dahlia met een gigantische speen in haar mond (geen wonder dat ze later uitgebreide orthodontie nodig had) – die af en toe samen giechelden, de geluiden van die malle Pino, het domme Koekiemonster en de agressieve Oscar en zo nu en dan een intermezzo van een xylofoon als commentaar. Maar er was nog iets anders, als je wist waarnaar je moest kijken: Dahlia die haar blik heel af en toe even van het scherm haalde om naar Danny op te kijken, haar grote bruine ogen slaperig, dromerig, een en al aanbidding en vertrouwen, zo vol blinde liefde, zo dankbaar, op tweejarige leeftijd, voor het warme lichaam van haar grote broer naast het hare, voor de manier waarop hij vast en zeker de rest van haar leven van haar zou houden en haar zou beschermen en haar vriend zou zijn.

Je kon Margalit, die met een glas sinaasappelsap en een boek door de kamer liep, tegen Bruce horen mompelen (vlak voor de tape knetterde en het beeld op zwart ging): 'Wie wil er nou naar dit saaie gedoe kijken? Godsamme, zet die camera uit! Idioot!'

Naarmate Dahlia ouder werd en het leven kwalijker begon te rieken, keek ze met een soort obsessie terug op dat gezin, bekeek hartverscheurend vaak die foto's en films: het was alsof ze een kindsterretje was geweest, deel had uitgemaakt van iets wat ongelooflijk interessant en volmaakt was, gladgewreven tot het glansde. Het leek alsof ze zichzelf bekeek in een parallel universum, een heel ander bestaan. Het zag eruit als een sprookje. Dat was het natuurlijk niet geweest: Margalit was een chagrijnig kreng en werd met de minuut ongelukkiger over haar keuzes en haar leven, snauwde Bruce voortdurend af, snauwde de kinderen voortdurend af, stormde zonder waarschuwing vooraf door het huis en bekte iedereen af, met als enige reden dat ze er wáren: ze leefden en maakten onderdeel uit van een leven dat haar niet gelukkig maakte.

De drugs die Dahlia als eerste koos waren de gezinsvideo's en de foto's in de albums die zo nauwgezet en liefdevol werden gevuld door (wie anders?) Bruce. Ze had ze allemaal in haar hoofd geprent, jaar na jaar, in haar hersenen verankerde beelden, dus het was bijna alsof ze erbij was geweest, echt bewust aanwezig was geweest. Dat was zij! Dat kleine meisje was zij! Kon dat kleine meisje haar echt geweest zijn? Ja. Ja, ze was het echt.

Ze was geobsedeerd door die foto's, door het prachtige kind dat ze geweest was in de context van dat prachtige gezin. Margalit met haar dikke, zwartrode hennahaar, een enorme zonnebril en klassieke, Babylonische trekken en zandloperfiguur – ze moest, wat, eenendertig? tweeëndertig? geweest zijn – en Bruce, lang en breed, buitengewoon trots op zijn gezin. Hij stond niet op veel foto's; meestal bediende hij de camera. De albums hadden bijna een stop-motion-effect. Bruce zat minuten, uren achter de lens gehurkt plaatjes, plaatjes en nog meer plaatjes te schieten van zijn mooie kinderen die in hun uitgestrekte achtertuin speelden. Hij was net zo betoverd door de vrucht van zijn lendenen als zijn state-of-the-art-fotoapparatuur. De combinatie van de twee was voldoende om elk jaar minstens vijf albums te vullen.

De aanblik van het hele gezin, gezond en echt en (ogenschijnlijk) normaal, riep een merkwaardig gevoel van trots bij haar op: dat was ík. Dat waren wíj. Kijk eens wat we hadden/ik had. Kijk eens hoe ongedwongen en gewoon het was, hoe goed. Dahlia had er daadwerkelijk deel van uitgemaakt, en dat leek een soort zegen, een benedictie. Hier was het bewijs dat ze een fatsoenlijk mens was, alles was goed geweest. Genoeg. En ja: dat was zíj. Ze kon niet genoeg krijgen van de babyfoto's, een inconsistentie tijdens haar puberteit en erna die botste met de drugs en overdaad aan mascara en kistjes en het recreatieve snijden in haar armen. Zij had de enige studentenkamer waarin posters van Ani DiFranco, een hasjpijp, ansichtkaarten van Barbara Kruger en misantropische bumperstickers heel gemoedelijk de ruimte deelden met fotolijstjes, fotolijstjes en nog meer fotolijstjes met de idyllische familie Finger, rond 1980.

Het ging zelfs zo ver dat de volwassen Dahlia naar bed ging met iedereen die zelfs maar interesse veinsde in haar babyfoto's. Ze ging uit met een jongen – Will? Bill? Nee, Will – die het heerlijk vond om haar homevideo's te zien, nee, écht.

Wat was er in godsnaam mis met Will/Bill? Hij zat met haar voor de flatscreen van Kat en Steph en kirde hoe verrukkelijk die allang vervlogen familie van haar was, over het voorlijke spraakvermogen van de kleine Dahlia, die ondanks enige moeite met de 'r' op haar tweede al uit haar hoofd alle vijftienduizend coupletten van *Itsy Bitsy Spider* kon zingen. Will/Bill, een hippe gast uit Greenpoint met skinny jeans en een fucking krulsnor, vróég er zelfs om de oude video's te zien: 'Laten we die ene kijken waarin jullie tikkertje spelen en dan begin jij te huilen en je broertje geeft een zoentje op het plekje, en dan is het weer goed.' Er was geen andere reden voor Dahlia geweest om in de relatie te blijven, maar óf ze bleef. Voor hoe lang ook alweer? Twee maanden? Drie? En dat allemaal omdat ze zo via de blik van iemand anders de schim van haar lang verloren familie en haar lang verloren zelf kon zien.

Dahlia was een onstuimig, grappig kind, levendig, zich altijd bewust van haar eigen gevoelens, die ze altijd voor 115 procent ervoer. De aanleg voor vreugde en verdriet en angst en stoutmoedigheid van hun kleine meisje was een openbaring voor Bruce en Margalit. Ze waren gewend geraakt aan de botte, vreugdeloze Danny, die op zijn eigen manier wel gevoelig was, maar wiens stemmingen niet voortkwamen uit oprechte gevoelens maar een gebrek aan oprechte gevoelens.

Dahlia was doodsbang voor de carrousel in Disneyland, dus drie keer raden waaruit het fotoalbum over Disneyland bestond? Kiekjes van de kleine La La natuurlijk die rondje na rondje hartverscheurend huilde. ('Ik kan het niet meer aanzien,' had Margalit gezegd, zelf ook in tranen.) Het was bijna alsof Dahlia per se bang, boos en van de kaart wílde zijn. Alsof ze nog een rondje vol angst en tranen wílde.

Dahlia eiste dat *Zeg maar dag tegen oma*, een overdreven prentenboek dat, jawel, over dag zeggen tegen oma ging, haar keer op keer werd voorgelezen. Elke keer snikte ze het uit, begroef haar hoofdje in Bruce' schoot en liet zich met elke vezel van haar lichaam gaan, maar steevast greep ze rond bedtijd juist naar dat boek, alléén naar dat boek. Ze probeerden het te vervangen door *Rupsje Nooitgenoeg*, *Pieter Konijn*, *Dag dag, dag nacht*, noem maar op, maar Dahlia wilde alleen maar *Zeg maar dag tegen oma*. Ze kende het uit haar hoofd.

'Zeg dag oma,' klonk het na een bad, als eerste 's ochtends, als laatste voor bedtijd. 'Oma gelukkig leven, oma tijd om te gaan,' zei ze zangerig tegen zichzelf terwijl ze met blokken speelde. 'Bloem, hondje, poesje, vogeltje, oma, opa ook,' somde ze op, alle dingen waarvan je in het leven afscheid moest nemen.

'Dag oma!' riep ze als begroeting wanneer ze haar oma Alice zag, die net in de zeventig was en, tussen haakjes, nog zo gezond als een vis.

'Hallo meisje,' zei oma Alice dan stralend. 'Waar denk je dat ik heen ga?'

Waarom zou Dahlia erop staan zoiets onplezierigs voorgelezen te krijgen? Waarom zou ze er instinctief voor kiezen om een ervaring als die van de carrousel te herhalen, waarbij ze zich zo bang en ongemakkelijk had gevoeld? Waarom zou ze bij elke gelegenheid teruggrijpen op haar engste en meest verontrustende ervaring? Een tijdje had ze 'hallo' vervangen door 'dag'. Dag papa! Dag *ima*! Dag, ijscowagen!

Waarom zei ze zo gretig gedag, waarom zou ze zich verzoenen met dit geheimzinnige en pijnlijke afscheid? Waar kwamen deze kinderen in godsnaam vandaan, vroegen Bruce en Margalit zich af. Het eerste was emotioneel afgestompt en zijn vermogen ook maar íéts te voelen leek achtergebleven te zijn in de baarmoeder, als een derde arm geënt op het tweede kind, zijn zusje die hij korte tijd aanbeden had. Als je de twee samenvoegde, vormden ze bijna een normaal, gezond persoon. *Zeg maar dag tegen oma* was het enige boek dat Danny weigerde voor te lezen aan Dahlia, hij scheet ervan in zijn broek.

'Ik schrap je uit het testament als je daar niet mee ophoudt, meisje,' berispte Bruce zijn vrolijke, door afscheid geobsedeerde dochter plagerig op de terugweg van een bezoekje aan oma Alice.

Ze kon het net zo goed ook nu proberen: Dag kanker! Dag ziekte! Dag dokter Cracker! Dag dood! Maar zonder succes.

En dus: een second opinion. Bruce had zijn oude studievriend gebeld, de verachte Barry Kantrowitz (Cornell Medical School, '68). Die goeie ouwe Barry (een vervloekte dermatolóóg, maar goed) was het eens met dokter Cracker: het was inderdaad kanker. Godsamme, dit waren geen overgevoelige darmen. Een kwaadaardig gezwel in de linkerslaapkwab van haar hersenen was een kwaadaardig gezwel in de linkerslaapkwab van haar hersenen was een kwaadaardig gezwel in de linkerslaapkwab van haar hersenen, om Gertrude Stein te parafraseren.

In de marges van Dahlia's herinneringen waren de families Finger en Kantrowitz jarenlang vakantievrienden geweest die elk jaar van kerst tot en met oud en nieuw hun luizenleventje opgaven en naar de keurig verzorgde heuvels van Aspen trokken. De twee-eiige tweeling van de Kantrowitzes, Christianne en Rochelle, waren twee jaar jonger dan Danny en drie jaar ouder dan Dahlia. Ze vonden zichzelf helemaal te gek – 'Natuurlijk verwekt!' ging het refrein, altijd ongevraagd, door iedereen in de familie, alsof dit geen prestatie van Jane Kantrowitz' (geboren McManus) hyperactieve eierstokken was, maar een gevolg van de algehele genetische superioriteit van de Kantrowitzes.

De enige die de Kantrowitzes meer haatte dan Dahlia de Kantrowitzes haatte, was Margalit. Dahlia haatte hen om hun zelfgenoegzaamheid, hun geaffecteerde hechtheid, het feit dat Danny uiteindelijk hun gezelschap boven dat van haar leek te verkiezen; Margalit haatte hen om waar zij voor stonden: banale Amerikaanse Joden zonder echte band met of begrip voor wat het betekende om *deel uit te maken van het Joodse volk*. ('Laat hem gaan vechten voor het recht om te bestaan. Laat hem het land gaan bewerken. Laat hem die lelijke meiden aan het werk zetten op het land. Walgelijk, die mensen. Zo worden onze kinderen als we hier blijven, Bruti. "Christy"! *Chaval*.')

Margalits ontevredenheid over het leven uitte zich destijds al snel in een gelijkstelling/vergelijking die niet zou misstaan in een GRE-test: de Verenigde Staten staan tot slecht als Israël staat tot goed. Ze probeerde alleen Hebreeuws te spreken met Danny en Dahlia, maar haar houding dienaangaande was zo drammerig en agressief dat beide kinderen er wel voor moesten zorgen dat ze niet veel verstonden. In de slaapkamer uit Dahlia's jeugd hing een grote, kleurrijke, ingelijste poster van fruit en groente, gerangschikt als het periodiek systeem, met de Hebreeuwse namen er in zwierige letters naast.

Barry Kantrowitz zat in de raad van Cornell University, en beide tweelingzusjes gingen er al sinds hun geboorte heen, gehuld in sweaters, enz. (*Go, Big Red!*). Een van de twee, Christy, had er haar echtgenoot leren kennen. De arme ondermaatse Rochelle was heel rebels vrijgezel gebleven tot ze – slik! – eenendertig was. Er was reden om aan te nemen dat Danny hen allebei had genaaid, hoewel waarschijnlijk niet tegelijkertijd.

Kantrowitz maakte een afspraak voor ze met zijn golfmaatje, een gerenommeerd internist, die ze doorverwees naar een neuroloog, die zich op zijn beurt ook weer in de diagnostische strijd wierp: ja hoor, het was inderdaad kanker. Bij wijze van gunst vroegen ze her en der omslachtig in het rond, en ze kwamen terug met het volgende: dokter Cracker stond tamelijk goed aangeschreven op zijn vakgebied. Dahlia was in goede handen. En inderdaad, trouwens: het was kanker. Ja, en of dat het was. Hadden we dat al gezegd? Kanker.

Dokter C. had een 'agressieve' bestralingsronde voorgeschreven, gevolgd door chemo, maar de neuroloog vond dat het andersom moest: éérst agressieve chemo, dan bestraling.

'Anders is het weefsel niet gevoelig meer voor de chemo. Het is zaak dat je eerst chemo doet.'

'Nee, nee, nee,' zei dokter C. toen ze hem belden om deze verwarrende strijdige mening te bespreken. 'Hij heeft geen idee waar hij het over heeft. Eerst bestraling is echt het beste. Ik doe dit al heel lang.'

De internist wierp zich vervolgens echter in de strijd op een manier die dokter C. niet aandurfde, door te erkennen dat het er niet veel toe deed welke volgorde ze kozen: 'Behandelingen kunnen hoogstens de levensduur verlengen. Maar de meeste kwaadaardige hersentumoren zijn niet te genezen,' vertelde hij hun.

(Margalit en Bruce nog dagenlang in koor: 'De meeste! Hij zei niet "geen enkele"! Hij zei alleen "de meeste"!')

We worden al te vaak geïntimideerd door de besluitvaardigheid en kennis van medici en nemen aan dat hun woord wet is. Neem het geval van Melinda, een vijfenveertigjarige moeder van drie. Melinda kreeg te horen dat ze eierstokkanker en nog drie maanden te leven had. Toen ze een second opinion vroeg had ze het geluk terecht te komen bij een oncoloog van wie de experimentele behandeling wonderbaarlijk goed aansloeg. Melinda is onlangs op haar drieënvijftigste een trotse grootmoeder geworden.

De meningen konden Dahlia gestolen worden. Luister: twee ervaren dokters, twee afwijkende meningen. Wat betekende dat eigenlijk niemand iets wist. Dokter C. had dat mooie plaatje van haar hersenen deskundig van tekst en uitleg voorzien (een bloemkoolroos, een *kroeviet* volgens haar oude Hebreeuwse poster) met zijn verschrompelde puist ter grootte van een dadel in de linkerslaapkwab (een *tamar*). Ze volgden dokter C. Eerste gedachte, beste gedachte. Een tumor was een tumor was een tumor. Een *tamar*. In haar *kroeviet*.

Ze hadden elk zo hun redenen om verder proactief gedrag te vermijden: Margalit omdat ze een onverantwoordelijke hysterica was (goed fatsoen belemmerde haar om zich huilend op Bruce, Dahlia en verscheidene meubelstukken te storten), Bruce omdat hij zich in een merkwaardige mengstemming van de wil om problemen op te lossen en ontkenning bevond ('Goed dan, we behandelen dit ding gewoon en dan komt alles goed!') en Dahlia omdat, luister: Het Boek kon ze aan, het was mooi en blauwgroen, eindig. Laat haar ouders ouders zijn. Ze wilde geen keuzes. Ze wilde dat dit achter de rug was, linksom of rechtsom. Ze zou chillen met Gene, de zaken op hun beloop laten. Tralala, whatever.

Bruce en Margalit konden hun gang gaan: de beslissingen en het gejakker en de verantwoordelijkheid goede hoop te houden. Hoe vervelend dat in theorie ook was – Dahlia die bijna dertig was en er niet in geslaagd was haar plekje te vinden, onafhankelijk te worden van die godverlaten ouders of hun financiële steun – eigenlijk was het een opluchting. Ze wilde niet echt haar huiswerk doen. De mogelijke behandelingen, de second opinions, de alternatieve therapieën, de nieuwe diëten en het najagen van hoop en nog meer hoop dat die allemaal met zich mee zouden brengen. Geen wensdromen hier, bedankt. Het was over en uit voor haar.

Wanneer het allemaal achter de rug was, konden ze ter nagedachtenis van haar een auditorium bouwen. Godsamme, Julia G. had een hele kunsthal. Dahlia had vluchtig door het tijdschrift voor oud-leerlingen gebladerd met nieuws over de eerste werkzaamheden, de kinderloze Grielsheimers die halfhartig een schop in de ste-

vige grond staken, en een paar jaar later de beschrijving van een ce-
remonie waarbij een lint werd doorgeknipt en de nog immer kinderloze Grielsheimers op hun paasbest vertelden dat Julia's geest
voortleefde in de keramiekwerkplaatsen en de ongelijkvloerse gale-
rij met wanden van glas. Het Julia Grielsheimer Memorial Art
Complex.

Dahlia krabbelde in de marges van Het Boek: Het Dahlia Finger-
centrum voor Nieuwe Media. De D. Finger-beurs voor Culturele
Consumptie. Het Finger-archief over de Vroege Jeugd.

Jij bent de baas

Wil je leven? Stroop dan je mouwen maar op. Jij, beste lezer, be-
schikt over je eigen lot. Je moet in grote lijnen je eigen avontuur
kiezen. Jij hebt de leiding. Dit is de belangrijkste klus van je leven.

Het nieuws, over tijdschriften voor oud-leerlingen gesproken, vond
als een lopend vuurtje zijn weg naar iedereen die ze min of meer
kende en iedereen die zij kenden, een roddel van het hoogste niveau.
    'Een hersentumor!?'
    'Een hersentumor!?'
    'Een hersentumor!?'
    (Ja, ze had een hersentumor.)
    Heb jij het al gehoord van Dahlia Finger? Weet je wat er met Dah-
lia Finger aan de hand is? Jezus. Gekkenwerk. Gestoord. Dat geloof
je toch niet? Jezus *christus*. Vreselijk. De zus van rabbijn Dan. De
dochter van Bruce Finger. Ze zat het eerste jaar met ons op kamers.
Mara's vriendin. Dat meisje dat iets met Aaron/Clark/Jacob had.
Ze heeft hier nog gewerkt. Dat meisje. Je weet wel. Ik weet het. Shit.
Niet te geloven. Ze woonde bij Kat en Steph. Klote, hè? Ik weet het.
Een hersentumor!?
    Een hersentumor.
    Ze dacht dat ze het mensen zou moeten vertellen, het nieuws aan
iedereen meedelen, maar dat bleek niet nodig. A) ze had de meeste
schepen toch al achter zich verbrand, en B) er bleek al een mecha-
nisme in werking getreden te zijn dat dit nieuws verspreidde, een
eindeloze morbide telefoonboom die fijnmazig uitgroeide en zich
vertakte, met Dahlia in het midden. Onmiddellijk leek iedereen
het gewoon te wéten. Hoe in godsnaam? Hadden ze dit zien aanko-

men? Het kon in elk geval geen kwaad dat rabbijn Dan de spil van verscheidene concentrische sociale kringen was: de kring van de jeugdgroep van de synagoge, de kring van de confessionele school, de kring van het zomerkamp, en ga zo maar door (en door!). Het deed er niet toe dat Dahlia Finger doodziek was, de zus van rabbijn Dan was doodziek! Was dat een gotspe of niet?

Grappig dat dit de enige keer was dat je er zeker van kon zijn dat niemand ook maar iets veroordeelde: ze dachten het misschien wel, of niet, maar dit was de zeldzame en enige keer in je leven dat je er zeker van kon zijn dat ze hun hoogdravende oordelen voor zich hielden. Ze was onaantastbaar. Ze zou doodgaan.

Keer op keer herhaalde ze haar deel van de conversatie.

'Jezus.'

'Ja.'

'Jezus.'

'Ja.'

'Dat is absurd.'

'Ik weet het.'

'Wauw.'

'Ja.'

'Jezus christus.'

Het onderliggende sentiment was simpel: medelijden in zijn puurste vorm. Shock, ontzag, verbijstering, afgrijzen, allemaal gecondenseerd tot harde, elementaire deeltjes: Medelijden.

Deze gesprekken waren afstompend en brachten niets over. Mensen wisten niet wat ze moesten zeggen. Veel goden aangeroepen, veel vervloekingen, wagonladingen aan stilte.

Dahlia's neven in Israël belden, maar na zessen, wanneer het daltarief voor mobiel bellen inging. Rafi en Eitan, norse, chauvinistische lieverds. En hun vrouwen, Talia en Neshama. Snikkend. Tante Orly, snikkend. Het was als een vooruitblik op Dahlia's begrafenis. Om eerlijk te zijn was het opwindend. Moest ze dit ijzingwekkende hoogtepunt evenaren? Moest ze de geschokte toeschouwers de verplichte achtergrond van hysterie verschaffen? Zouden ze zich dan allemaal beter voelen?

Uit New York belde niemand, ze had de banden verbroken. Misschien zou ze een massamail versturen, zoals ze die in haar vroegere leven om de haverklap kreeg: *Mijn film wordt vertoond op dit of dat festival! Ik treed dinsdag op in Hank's. Mijn verhaal over Whatever staat in het nieuwste nummer van bladibla. Ik heb een expositie in de Harry Balls Gallery!* Sorry voor de massamail, zou Dahlia zeggen, maar ik wilde jullie allemaal even meedelen dat ik een hersentumor heb en een slechte instelling en het wel kan shaken.

'Wat zeiden ze?' vroeg Mara aangeslagen, zachtjes. Ze liep een assistentschap in een prestigieus opleidingsziekenhuis in Boston.

'Het is kanker.'

'Welke soort?'

'De geweldige soort.'

Er viel een stilte. Een doodse stilte, dacht Dahlia. *Dood, dood, dood.*

'Welke behandelingen zijn er mogelijk?'

'Ik weet het niet, Mara. Bel m'n vader maar. Hij kan je alles vertellen. Ik weet het niet. Het is een hersentumor. Ik kan het wel shaken.'

'D.'

'Ja.'

'Je houding is heel belangrijk voor hoe het allemaal loopt. Daar zijn onderzoeken over.'

Dan waren er de gesprekken die buiten haar om gingen. Dahlia kon zich deze gesprekken heel makkelijk voorstellen, en bracht een groot deel van haar tijd – hoeveel tijd ze ook nog had – door met zich een voorstelling maken van deze gesprekken. Gesprekken die mensen over haar voerden. Niemand zou de woorden 'prognose' of 'dood' gebruiken, maar ze zouden ze allebei denken, of iets wat erop duidde: het was gedaan met haar. 'De lul', in de woorden van de verdomd weinig mensen die bereid waren samen met haar rond te wroeten in de dampende stinkzooi. Het was af te lezen van hun gezicht, hun ingecalculeerde grimas. Arme Dahlia, wat vreselijk, o god, o nee, et cetera. Mensen konden de waarheid over haar – dat ze ten dode was opgeschreven – pas uitpakken wanneer ze er niet bij was. In andere gevallen waren het ontsteltenis en medelijden en het quasi tegenstrijdige uitvloeisel van medelijden: geforceerd optimisme. *Het komt wel weer goed met haar, toch? Natuurlijk! Ze is zo jong!*

In besloten kring zou iedereen het in zijn broek doen van opluchting: bliksem die vlakbij inslaat stemt nederig en het is eng natuurlijk, maar zij die niet getroffen zijn, worden in elk geval gespaard. Op die manier waren ze haar allemaal enorm veel verschuldigd. Hun thee zou beter smaken dan gewoonlijk. Hun bier zou kouder zijn, hun bioscoopbezoek leuker, hun burrito's pikanter, hun orgasmes heftiger. Ze zouden wat of wie ze ook geloofden bedanken: bedankt God, bedankt Jezus, Mohammed, Boeddha, bedankt John Lennon dat ik het niet ben.

Ze verafschuwde en genoot van de gedachte aan deze gesprekken, haar verhaal dat zich ergens anders afspeelde. Ze verafschuwde het dat haar lot rondzweefde in de ether, buiten haar macht. Dachten deze mensen dat ze haar kenden? Ze konden de tering krijgen. Maar ze voelde zich ook een beetje beroemd, een soort van ster. Wat wel weer leuk was. Hielden roddels niet in dat het mensen interesseerde, al was het maar een beetje?

Herinner je je dat meisje nog met wie ik vroeger woonde? Dahlia? Ze heeft kanker. God, nee. Hé, herinner je je Dahlia Finger nog? Die een jaar of zes geleden iets met Jenny's broer had? Ze heeft kanker. Ze had kanker. Ze gaat dood of zo. Ze is dood.

Iedereen met stomheid geslagen. Bij Dahlia was de bliksem ingeslagen, en iedereen om haar heen was met stomheid geslagen. Maar, dacht ze, liever kanker dan stom in de betekenis van dom. Alles beter dan dom. Tijdens de bezoekjes die ongetwijfeld zouden volgen, met de ballonnen en de beren en het onvermijdelijke drama (dat een zekere vooraf vastgestelde hoeveelheid actie, goeie zin en optimistische onzin vereiste), zouden ze met stomheid geslagen worden. Wat slaat het leven ons toch om de oren met grappige, totaal verschillende zaken. Welke zou jij kiezen, kanker of dom? Moeilijk. Neem je tijd. Waar was in godsnaam de o zo noodzakelijke *Omgaan met de kanker van* anderen *voor Dummies*?

Luister, er zijn ergere dingen op de wereld. Ze ademt nog. Elk moment van ons bewustzijn kan net zo goed een onbestendig soort dagdroom zijn, toch? Wat dan nog als ze doodging? Ze kon morgen onder een bus lopen en omkomen. Ze kon alles en iedereen overleven. De stokoude man op het bankje in het winkelcentrum gaat absoluut eerder de pijp uit dan Dahlia, en kijk hem nou, met grote pret likt hij zijn ijsje dat razendsnel smelt.

Het is ronduit bizar wanneer het allerergste je overkomt en je merkt dat je nog steeds bij bewustzijn bent, nog steeds ademhaalt. Ze knipperde nog steeds met haar ogen, slikte nog steeds, krabde nog steeds aan het plekje in haar nek, sprak zichzelf nog steeds toe dat ze rechter moest zitten, vroeg zich nog steeds af wat er die middag te eten zou zijn, begeerde nog steeds de mooie oorbellen van het meisje dat weken daarvoor haar caffè latte had klaargemaakt. *O, maar ze ging dood.* Maar dan nog: wat aten ze die middag?

Men was veel representatiever 'van streek' als het iemand anders overkwam. Zie Julia G.: tot op de dag van vandaag spreekt Dahlia over haar op eerbiedige toon (en zo denkt ze zelfs ook), met doodstil respect en volkomen paniek bij de gedachte enige deelneming te betuigen, het verkeerde te doen of te zeggen, het op de een of andere manier erger te maken. Hoe benader je de gotspe van iemand anders? Maar die van jezelf… met die van jezelf kon je wel lol hebben.

Eén ding staat vast: met de juiste houding kun je veel langer leven. Misschien denk je dat alles hopeloos is, en dat is begrijpelijk. Maar probeer, zelfs wanneer de nood het hoogst is, te onthouden dat je het verloop van je ziekte kunt veranderen. Het is aan jou.

Je komt er al snel achter dat er drie soorten mensen zijn.

Ten eerste zijn er de mensen die uit alle macht terugdeinzen voor trauma's, verlies en dood. Deze mensen zeggen niets. Ze houden zich op afstand.

Dan zijn er degenen die niets van de dood moeten hebben maar toch blijkbaar nog een min of meer functionerende ziel bezitten. Die mensen zoeken behoedzaam en angstig toenadering, op een volledig ontoereikende manier. Ze mompelen, stamelen en stotteren en verzuimen vervolgens volledig om troost te bieden. Sterker nog: ze maken het erger. Ze zullen zo onbeholpen proberen de gapende leegte waarin je staart bespreekbaar te maken dat je uiteindelijk hén moet troosten. Dat heeft iets grappigs en iets tragisch, maar hoe dan ook is het beter dan het eerste soort mensen, die bijeengedreven en doodgeschoten moeten worden, of op zijn allerminst kanker moeten krijgen.

Ten slotte zijn er mensen, uiterst zeldzame mensen, die pal naast je in het eenzame, geheimzinnige oneindige kunnen staren, die je hand vast kunnen houden, en die voor geen enkele verschrikkelijke beproeving terugschrikken. Zulke mensen zijn kostbaar en waardevol. Laten we hopen dat ze geen kanker krijgen (in elk geval nog heel lang niet).

Gelukkig voor haar had Dahlia in haar eigen naaste familie van elk prototype één exemplaar voorhanden.

Het eerste: Danny, een laf stuk stront. Als schaamte door osmose kon worden overgebracht, zou hij er nu in een brandende ketel in gaar stomen, de klotemongool. (Maar er is een werkelijkheid, ergens in de ether, die niet tegen te houden is: Ook Jij Gaat Dood. Let maar op.)

Het tweede: Margalit. Die rondhing en theatraal en zo kon doen zolang het nog een beetje vermakelijk was. Waarvoor ze een halfhartig schouderklopje krijgt en de opdracht om alsjeblieft, alsjeblieft op te zouten.

Een van de uitzonderingen: Bruce. God zegene hem en houde hem verre van ziekte.

Maar aan de andere kant voelde Dahlia zich slechter – eenzamer, gefrustreerder, wanhopiger en verdrietiger – wanneer ze bedacht dat mensen het misschien wel níét over haar hadden. Dat uit het oog verloren klasgenootje van de lagere school, mensen met wie ze na de universiteit gefeest had, mensen met wie ze hier en daar een uitzendbaantje had gehad, kennissen, wisten het misschien niet, of kon het niets schelen. Dahlia wíé?

Want: wat als niemand het over haar had? Wat als niemand het wist? Wat als ze zou sterven en nauwelijks een rimpeling zou veroorzaken in het leven van iedereen die ze ooit had gekend? Wat als de zogenaamd betekenisvolle verbintenissen die ze gedurende haar leven had opgebouwd eigenlijk alleen maar onverschillige pseudorelaties waren? Was het mogelijk dat deze hele verschrikking iedereen verder koud liet? Had ze maar een wederhelft gehad, een hond, een eigen appartement. Wat dan ook! Maar ze had alleen maar een negatief saldo, exen en een kleine hypotheek op een huis dat haar in de schoot was geworpen. Dus nu heeft ze kanker en moet ze terug naar huis, naar papa. Kut, dacht ze. Steeds opnieuw: kut. De enige gedachte die nog iets van logica had: kut. (Waarom zo grof, vragen de leeskringers. Omdat we het hier over de dood hebben, en als het je niet zint: donder dan maar op, ook jij gaat dood. Dit is *serieus*. Kut kut kut.)

Ze twijfelde tussen woede over het feit dat haar lot voer voor roddels was en woede om de mogelijkheid dat er zelfs geen roddels over haar de ronde deden, dat het niemand ook maar een reet kon schelen of Dahlia Finger leefde of doodging, dat het erop neerkwam dat het in haar bestaan had ontbroken aan iets waardoor iemand haar zou missen. Dit was het moment waarop mensen opeens weer tevoorschijn moesten komen uit het weefsel van haar bestaan dat ze voor lief had genomen, en haar omringen met liefde en steun en haar beloven om straks gebroken van verdriet een grafrede recht uit het hart te houden. In werkelijkheid was er alleen maar stilte. Doodse stilte. Tik tok.

Hier was Dahlia, meer dan tien jaar later, en ze dacht godsamme nog steeds aan Julia Grielsheimer. Wie zou er over tien jaar nog aan Dahlia denken? Het was toch de bedoeling je leven tot de rand te vullen met mensen die heel erg van streek zouden zijn wanneer je stierf. Dahlia bedacht dat dat – dat! – het hele punt was.

Ze wilde dat decorum het raam uit werd gesmeten, fatsoen werd vertrapt, alle weddenschappen werden ingetrokken. Ze wilde dat mensen onlogisch waren, ongelukkig, niet in staat zonder haar verder te gaan.

Heel even en tot haar schaamte stond Dahlia zichzelf toe te wensen dat rabbijn Zakkenwasser hiervoor wel zou komen opdraven, om de rol van geliefde grote broer, die hij allang had opgegeven, te hervatten. Ze wilde hem terug, weer zoals hij was voordat ze zich hem echt kon herinneren in elk geval. Voordat hij bestond in zijn huidige vorm. Heel lang geleden.

'Weet Danny het?' vroeg Dahlia aan haar vader.

'Natuurlijk,' antwoordde Bruce.

'Wat weet hij?' drong ze aan.

'Dat je ziek bent.'

'Wat nog meer?'

'Dat we gaan verzinnen wat we moeten doen. Dat het... op een slechtere plek had kunnen zitten.'

'Heb je hem alles verteld?'

'Ja.'

'En wat zei hij?'

'Dat we hem op de hoogte moesten houden.'

'Meer niet?'

Bruce knikte.

Toen Dahlia zes jaar was, had Danny haar leven gered. Bruce was zoals gewoonlijk op reis voor zaken, en Margalit had de kinderen achtergelaten met de zoveelste onbekwame, apathische studente van de Universiteit van Californië.

Het ging op dat moment al heel slecht tussen haar vader en moeder, maar Danny en Dahlia deden net of ze het niet merkten, of ze merkten het écht niet, of een ongelukkige combinatie van de twee. Misschien voelden ze aan dat hun wereld die ze voor lief hadden genomen ten einde liep: een moeder die het middelpunt van elk feest vormde en vermaard was om haar verlichtheid, een robuuste, liefhebbende vader, elkaar. Misschien telden ze het echt niet allemaal bij elkaar op: Bruce weg en toen nog vaker weg, Margalit die elke dinsdag en donderdag Israëlisch ging dansen, *ima* en *abba* die nauwelijks bij elkaar in de buurt waren, elkaar nauwelijks spraken.

Margalit viel dat jaar ten prooi aan steeds vreselijker stemmingswisselingen. Dahlia, Daniel en Bruce kwamen met buikpijn van onzekerheid thuis van school en werk. Zou Margalit het eten hebben klaargemaakt en lachend en lief vragen hoe hun dag was geweest? Of zou ze met lades slaan en in zichzelf mompelen dat ze overal alleen voor stond? Of zou er een delicaat evenwicht zijn waarbij iedereen op hete kolen zat in een poging de balans niet door te laten slaan door bijvoorbeeld niet te helpen de tafel te dekken? Het was doorgaans moeilijk te zeggen. De enige constante was inconsistentie. *Ima*'s stemmingen waren grillig en angstaanjagend.

Ze zaten die avond schuin aan een hoek van de keukentafel en de babysitter zat aan het einde van de tafel verveeld de *Cosmo* te lezen, met op haar paarse sweater in het goud een delta, een phi en een epsilon geborduurd. Ze waren nu zes jaar in de States en Dahlia ging net naar de lagere school, nog niet gepromoveerd van lunchtrommel tot rugzak.

Danny schoof het eten op zijn bord heen en weer om Dahlia te vermaken, en deed een uitstekende imitatie van de Zweedse kok uit de Muppets ('*Dur-die-dur-die, froe-gloegle, ar-gloe, darf-die-darf*') en Dahlia kon niet ophouden met giechelen. Ze bleef tegelijkertijd eten terwijl ze steeds harder moest lachen, en toen ze een mondvol rijst met doperwten had doorgeslikt, merkte ze opeens dat ze niet kon ademhalen.

Ze kon niet ademhalen. Niet in, niet uit. Ze kon niet ademhalen. Ze probeerde een geluid te maken. Het lukte haar niet. Adem. Ze raakte in paniek, merkwaardig genoeg nog steeds lachend. Ze raakte nog meer in paniek, opgelaten nu, en probeerde te lachen (zonder lucht) om hoe dom ze wel niet was. Ze schopte en haar ogen puilden uit terwijl ze lucht binnen probeerde te krijgen. Ze kon niet ademhalen. Instinctief begreep ze dat ze iets stoms had gedaan, iets verkeerds, en dat het ('het': dít) haar eigen schuld was.

De babysitter keek op uit de *Cosmo*.

Danny strekte zijn arm, sloeg haar op de rug, zei 'Kom op' en rolde met zijn ogen. Zijn mededogen kende al grenzen, vage lijntjes, als van een Etch-a-Sketch, die steeds duidelijker werden. Het jaar ervoor was Dahlia weggeglipt uit het klaslokaal van de kleuterschool en had zich met heimwee gemeld bij de deur van de zesde klas. Danny had haar ongedurig en geïrriteerd teruggeduwd naar haar eigen klaslokaal en haar een harde kus op haar kruin gegeven, waar ze het de rest van de dag mee moest doen.

Ze kon niet ademhalen.

'Shit,' zei de babysitter.

Na wat aanvoelde als een eeuwigheid, liep Danny om de tafel en omhelsde haar stevig van achteren. Ze kon nog steeds niet ademhalen, maar ze voelde zich nu kalm: Danny hield van haar, Danny was bij haar. Alles was goed nu, het deed er niet toe of ze weer lucht zou krijgen of niet. Dank je, zou ze gezegd hebben als ze ertoe in staat was geweest.

Later zou ze de naam horen voor wat Danny gedaan had: de heimlichmanoeuvre.

Een papperige klont rijst met bonen vloog op de tafel, en er stroomde weer lucht, zalige lucht in Dahlia's lichaam. Het was het heerlijkste wat ze ooit had ervaren. Hemels. De gouden standaard waartegen ze elk toekomstige hoogtepunt zou afzetten.

'Getver,' zei de babysitter.

Met haar ouders en Danny keurig geordend in de woonkamer, voerde Dahlia later een speciale act voor hen op, een heldenontvangst waarbij ze playbackte en haar eigen choreografie uitvoerde op 'Holding Out for a Hero' van Bonnie Tyler, dat onlangs te horen was geweest in *Footloose* en werd grijsgedraaid op de radio. *He's gotta be strong and he's gotta be fast and he's gotta be fresh from the fight!* Ze overhandigde Danny een tekening van zichzelf, stikkend (compleet met enorme groene erwten die voor haar gezicht zweefden), en hij die achter haar stond en haar redde.

'Hij heeft me gered!' kraaide ze tegen Bruce en Margalit, die ver van elkaar op de bank zaten, even nijdig als bedrukt, en ze voelden zich zowel individueel als gezamenlijk de slechtste ouders ter wereld. Ze wisselden een enkele blik vol mededogen, en streefden er kortstondig naar hun best te doen samen gelukkig te zijn.

Hoe dan ook, nogmaals: deze huidige gotspe bijna verdrongen door een eerdere.

Volgens Gene was Dahlia de CEO van haar eigen welzijn. De GRE kon de klere krijgen, man: zij begon aan de top.

Een goede CEO *onderscheidt zich van een slechte door leiderschap en het vermogen te delegeren. Je oncoloog is je vicepresident, je rechterhand, het mannetje voor al je problemen. Je familie en vrienden zijn je vertegenwoordigers, je tussenpersonen. Vergeet niet dat jij de leiding hebt. Inspireer jezelf en je team tot aanpakken.*

Een goede CEO zou ongetwijfeld haar pr-manager bellen en een circulaire met slechts een paar duidelijke punten doen rondgaan: het had op een ergere plek kunnen zitten, ze is jong, ze is gezond en ze gaat het eens goed op zijn flikker geven. Geef er een draai aan. Zorg dat mensen erover praten. Creëer een buzz.

Ze had over een of andere sukkel gehoord die onlangs twintigduizend dollar had aangenomen van een suf internetbedrijf om de naam van het bedrijf op zijn voorhoofd te laten tatoeëren. Daar zouden haar reclamelui zich eens in moeten verdiepen, iemand vinden die nog triester is dan Dahlia zelf om op een zichtbare plek 'Dahlia Finger – 1978-?' te laten zetten. In marketing moet je creatief zijn. Kom op, luitjes!

Dahlia liep haar 'team' eens af. Margalit laveerde tussen hysterie en stomme verbazing, haar gezicht rauw van het huilen, haar ogen onnatuurlijk gezwollen.

'*Doda* stuurt je een dikke, dikke zoen!' riep Margalit (ze was positief, Gene) voordat ze ophing na een gesprek met tante Orly in Tel Aviv.

'Ik geloof gewoon niet wat er gebeurt,' zei ze.

'Het komt wel goed, *ima*,' zei Dahlia tegen haar.

Margalit staarde slechts voor zich uit, volledig uit het veld geslagen. Het was ongelooflijk om Margalit sprakeloos te zien. Het waren Dahlia's lievelingsmomenten. Dát was er dus voor nodig om die vrouw haar mond te laten houden. Ze had een leven lang moeten aanhoren hoe haar moeder dooremmerde, een leven lang toegekeken hoe ze druk gebaarde en alles opblies en absoluut *de meeste overdrijving van wie dan ook en aller tijden* gebruikte, en wat bleek: er was maar een vleugje dodelijke ziekte voor nodig om haar eindelijk haar bek te laten houden.

Bruce was praktisch en betrouwbaar, zoals altijd. Hij sjouwde rond met brochures, een multomap, knipsels, printjes van websites.

Ze besloten dat ze 'voorlopig weer thuis zou komen wonen', wat grappig was, zowel het deel over 'thuis' als het deel over 'voorlopig'.

'Wat denk je dat dat inhoudt?' vroeg ze aan Bruce.

'Gewoon tot je weer op de been bent,' zei hij. De behandeling zou bar en boos zijn, daar viel niets tegen in te brengen. Reëel beschouwd kon ze niet alleen zijn.

'Thuis' was het huis van Bruce. Nadat Margalit ervandoor was gegaan om zichzelf te verwezenlijken of zoiets, hadden ze het huis in de Palisades verkocht en was Bruce met Danny en Dahlia naar Brentwood verhuisd, terwijl Margalit bij Orly verbleef, in Jaffa oorbellen maakte en zich een weg door de Israëlische verdedigingslinies naaide.

'Bedoel je m'n kosmische been, pa? Want misschien heb jij iets anders gehoord, maar ik ga dood.'

Margalit reageerde met een woedende snauw. 'Dat ga je niet. HOU DAARMEE OP.'

Ze gingen naar opa Saul. Saul was vastbesloten de honderd te halen en had het nauwelijks over iets anders. Dahlia vroeg zich af hoe hij zou reageren op het nieuws dat zijn kleinkind eerder dan hij door de poort des hemels zou gaan, als hij het überhaupt zou meekrijgen.

Het bejaardentehuis rook alsof het vol ranzige baby's zat, wat in feite ook zo was. Opa Saul had er al zo lang als Dahlia zich kon herinneren gewoond, eerst met oma Alice en nu alleen. Het was geen vrolijke plek.

Tot haar verbazing wilde ze hem – achtennegentig jaar en rondschuifelend achter zijn looprek, zwaar hijgend en puffend – nu ze hem zag lens slaan. Oké, ouderdom was geen makkie. Oké, het moest vreselijk zijn om weer luiers te dragen en buiten adem te raken op de reis naar en van de eetzaal. Maar wat verwachtte je dan? Het leven duurde maar even en dan ging je dood. Was dat niet de ultieme waarheid? Was opa Saul echt beklagenswaardig omdat hij het einde van een heel lang leven had bereikt?

Ze zaten rond zijn overvolle tafel. Volop groteletterbiografieën van presidenten.

'Papa,' zei Bruce tegen zijn vader. 'We zijn gekomen om je iets te vertellen over wat er met Dahlia aan de hand is.'

'Wat doet zij hier?' Hij wees naar Margalit. Saul had zijn voormalige schoondochter nooit vergeven dat ze zijn zoon en kleinkinderen had verlaten, voor haar onverschilligheid. Dahlia vond dat heerlijk aan hem.

'Hallo Saul,' zei Margalit.

'Papa,' zei Bruce, luider nu, hij schreeuwde bijna. Saul hoorde zogoed als niets meer. 'We moeten het met je over Dahlia hebben!'

'Ha, opa!' riep Dahlia. 'Hoe gaat-ie?'

Saul balde een vuist vol levervlekken, deed alsof hij hem opstak naar Dahlia en grijnsde. 'Ik zou je...'

'Ik ben heel erg ziék, opa!' riep Dahlia.

'Dahlia heeft een probléémpje!' schreeuwde Bruce. 'Maar alles komt goed.'

'Mooi,' zei Saul.

'Opa,' riep Dahlia, 'ik heb –'

'Niet doen,' fluisterde Margalit woedend. 'Dat is niet aardig.'

'Hij is geen kind meer,' zei Bruce.

'Hij hoort me toch niet,' merkte Dahlia op.

'Hoe gaat het, mijn lieveling? Heb je al een vriend?'

'Dit is belachelijk,' zei Dahlia tegen haar vader. Ze wendde zich weer tot Saul, en deelde de feiten zo goed als ze kon mee. 'Ik heb een hersentumor. Verneukt.'

'Ik ben er bijna!' ging Saul verder over zijn favoriete onderwerp: een lang leven. 'Ik ga de honderd halen! Blijf je voor het middageten?' Schaamteloos eigenlijk, gezien de recente gebeurtenissen, dat hij dat nummertje van ik-ga-de-honderd-halen! bleef afdraaien.

Het middageten bestond uit borrelzoutjes en kippensoep. Ze zaten met Saul tussen de rinkelende lepels en het geslurp in de eetzaal.

Die avond gingen Bruce en Dahlia naar het huis in Venice om

wat van haar spullen te halen. Tandenborstel (moest ze nu nog steeds blijven flossen?), een extra large T-shirt van de Lemonheads dat ze gestolen had als aandenken aan Jacob, de roman die ze aan het lezen was (geloof het of niet: *De Toverberg*. Of nou, nee, sorry, eerlijk? *De dood van Ivan Iljitsj*) en het blikje met haar wiet.

Op weg naar 'huis' vroeg Dahlia of hij even kon stoppen. Het was een lange, uitputtende dag geweest, ze had hoofdpijn, haar ogen jeukten en ze was gevloerd. Maar ze wilde iets normaals. Ze wilde een kop thee. Ze wilde deel uitmaken van de wereld en wist daarvoor geen betere manier dan even naar een bar te gaan. Haar bar.

Bruce zou wachten in de auto. 'Wil je iets?' vroeg ze voordat ze uitstapte.

'Ja hoor,' zei Bruce. 'Wat jij neemt. Thee, toch? Thee klinkt goed.' Het was zo'n banaal moment, zo'n normaal, alledaags moment, dat ze allebei even doordrongen waren van een verfrissend gevoel dat alles oké was. Toen was het weer weg.

De jongen achter de bar, die al weken schaamteloos met Dahlia flirtte en met wie ze besloten had naar bed te gaan als het juiste moment zou aanbreken wanneer hij haar gratis hapjes bleef voorzetten, zei: 'Hé.'

'Hé,' zei ze terug. 'Mag ik twee groene thee? Hoe gaat-ie?' Godsamme, een retorische vraag.

'O, het gaat wel. Ik probeer een script te schrijven met m'n schrijfmaatje en zijn vrouw kan elk moment bevallen of zo, dus dat script is ruk. Maar goed. Er is toch nooit tijd. Ik word zo onrustig als ik niet schrijf.' Hij was een echte tobber. Zo iemand voor wie alles een enorme worsteling is, een lagedrukgebied, alle strontvervelende dingen die het leven je voor de voeten wierp. Een beetje zoals Dahlia tot vorige week. (Goed: een beetje zoals Dahlia nog steeds was.) Hij vervolgde niet met: 'Hoe gaat-ie met jou?', maar ze vertelde het toch maar.

'Ja, nou ja, ik heb een hersentumor.' Ze legde drie dollar op de toonbank en glimlachte, liet hem daar achter met zijn tobberige mond opengevallen. 'Ik zie je.'

Je leven is een trein die wordt omgeleid. Waar zou je willen dat hij

nu heen ging? Beschouw je lei als schoongeveegd. Je hebt de mogelijk-
heid helemaal opnieuw te beginnen. Niets van vroeger doet er nog toe.
Je bent vrij.

Gene zei dat ze een lijst moest maken. Dat was blijkbaar het aller-
beste, wat ze meteen kon doen. Want als ze eenmaal een lijst had gemaakt – een lijst met goede dingen, dingen waarvoor ze dankbaar
is, een lijst met dingen die ze in het leven wilde doen – dan zou ze
iets hebben om voor te leven! En dan zou ze leven! Zo makkelijk?

Een lijst. Lijst, lijst, lijst. Een la-la-la-lijst. Ze hield van het huis in
Venice. Ze hield van haar televisie, haar kabelabonnement. Ze
hield van haar babyfoto's, met name de gekkere, waarop ze de slappe lach krijgt door in haar eentje verstoppertje te spelen in een stuk
van de tuin overspoeld met gouden namiddagzonlicht. Ze hield ervan om over Abbot Kinney te kuieren, de manier waarop de opge-
knapte wijk aanschurkte tegen de levendige aanwezigheid van
gangs, zodat ze er vrij zeker van kon zijn niemand tegen het lijf te
lopen die ze kende. Ze hield van het windorgel dat ze zou ophangen wanneer ze eraan toekwam. Ze hield van het lijstje met geweldige kindernamen dat ze al in haar hoofd bijhield sinds ze menstru-
eerde (Rafi, Asjer, Chaja; als een van jullie kloterige geluksvogels
die zich wél voortplanten die steelt, zal ze voorgoed rondspoken in
jullie dromen). Ze dacht graag na over de mogelijkheid dat iemand
alles over haar te weten zou komen en toch van haar zou houden,
niet met zijn ogen zou knipperen wanneer ze in haar neus pulkte of
iets gemeens zei over iemand die ze nauwelijks kende. Ze hield van
het briesje bij het water. Ze hield er heel erg van hartige hapjes uit
de broodrooster te eten, systematisch, in vieren gesneden. Ze hield
van de gedachte een bekwame professional te zijn, iemand die weer
was teruggevallen op heroïne ervan af te praten, de enige persoon
te zijn die niet terugdeinsde voor de diepste, duisterste krochten
van anderen. Ze hield ervan keer op keer en dan nog eens naar
Thelma and Louise te kijken en elke keer weer ontroerd te zijn.
Idem dito voor *National Lampoon's Vacation*. Idem dito voor *The
Shawshank Redemption*. Idem dito voor *Pretty Woman*.

En als ze ook maar even beide kanten op kon kijken en zich heel geniepig en onnozel kon ontspannen, al was het maar een kortstondig moment en in afzondering (maar wen er niet aan), was er het leven zelf: gewoon in leven zijn, meer niet, wat het enige was wat ze kende en dus heel kostbaar was. De vertrouwdheid ervan, zelfs van de ontelbare beproevingen: dierbaar. Wat er ook maar zou volgen en wat er ook maar aan vooraf was gegaan, was op zijn minst anders. Beter? Slechter? Geen van beide? Je kon het niet weten, en hoe dan ook: het deed er niet toe.

Ze hield niet van de gedachte dat ze waarschijnlijk benedenmaats had gepresteerd op het GRE-examen. Ook dacht ze niet graag aan het leven dat ze tot op heden had geleid: New York, Kat, Steph, de mannen, het geld dat ze verkwist had, o jezus. Haar waardeloze krediet, de nachten die ze doorgedronken had hoewel ze al dronken was, vervolgens op de grond kotste en het de volgende dag zelf moest schoonmaken, de mensen met wie ze was opgegroeid en die een baan hadden als advocaat en internetbankier en fungeerden als bruidsmeisjes op elkaars bruiloften en elk jaar een kaart met 'Fijne feestdagen' stuurden met mierzoete foto's van hun steeds groter wordende gezin, de onvermijdelijke mededeling die elk moment kon komen van rabbijn Klootzak en zijn vrouw, de angstaanjagende Velociraptor, dat ze in blijde verwachting waren.

Shit, Gene! Zie je hoe het werkte? Zie je hoe de lijst met dingen die ze met beide handen moest grijpen, waaraan ze zich uit alle macht moest vastklampen en waarmee ze zich weg moest trekken van de afgrond overloopt in de andere lijst, de antilijst? Zie je hoe dat betekent dat het allemaal onderwerp voor discussie is? Er was geen eerste lijst zonder de tweede lijst, er was geen tweede lijst zonder kanker. En er was geen kanker zonder deze godverdommese lijstjes, leek het wel.

Deze reeks ontvouwde zich dwingend, zo werkten haar hersenen nu eenmaal. Snap je? En dus maakte ze andere lijstjes.

Naast wat voor de hand ligt (oud worden) volgt hier een onvolledige lijst met dingen die Dahlia in dit leven niet zou doen: naar India gaan. In een band spelen. Nuchter in een goed humeur zijn. Een triootje. Een kind baren.

Vooral over dat laatste is ze pisnijdig. Sterven nadat je de kans hebt gehad je voort te planten, oké. Tot op zekere hoogte is dat niet onredelijk.

Ze stelde die lijst niet op zodat ze de maanden die ze nog had, hoeveel of hoe weinig het er ook waren (deze prognose verschilde misschien wel van arts tot arts, dag tot dag, leugen tot leugen, en haar ouders zouden maar blijven dooremmeren over de mogelijkheid dat ze 'het zou redden', waarop ze 'Ha!' antwoordt), als een gek rond kon rennen om ze af te vinken zodat ze met een zekere mate van tevredenheid en waardigheid kon sterven, met een soort denkbeeldige controle over wat er allemaal gebeurde. Dat zou een heel ander boek zijn (en eentje waar godsamme misschien wél een film in zat). Dit was geen kladje voor de Make-A-Wish Foundation. Hoewel ze zich wel afvraagt wat er zou gebeuren als ze zou schrijven dat ze een triootje wilde. Willigden ze zulke wensen ook in? Zouden er dan misschien op een dag twee werkeloze pornosterren met enorme pikken bij haar op de stoep staan, slechts gehuld in een gigantische strik en cowboylaarzen? En zouden ze haar dan wellicht neuken alsof ze gezond was? Zonder het medelijden, het godsgruwelijke medelijden?

Ze stelde de lijst op zodat ze iedereen voor zou zijn. Het was alsof je jezelf lelijk, stom of dik noemde, een kwestie van ervoor zorgen dat je de eerste bent, de angel uit de vreselijke waarheid te halen. Ziek zijn was al moeilijk genoeg, het verdomde medelijden zou haar fataal worden. Medelijden was de keerzijde van de bullshit over je-moet-ertegen-vechten. Ze klopten geen van beide. Geen van beide kwamen ze ook maar in de buurt van de werkelijkheid, dat haar leven op deze aarde voorbij zal zijn en niets betekend zal hebben, niets achtergelaten, dat ze niets gecreëerd heeft, en dat ze intussen nooit twee mannen tegelijk zou hebben gehad.

Wat een cliché. Een kwelling. Ze wilde iets nieuws voelen, iets organisch en origineels, iets unieks. Het Boek droeg haar ook op een lijst op te stellen met wat ze wél heeft gedaan, wat het meeste heeft betekend. En vergeleken bij Julia G. heeft ze natuurlijk geluk gehad. In die extra tien jaar of zo had ze het in elk geval goed gehad, een paar middagen met een lekkere caffè latte, momenten van inzicht als ze naar haar lievelingsmuziek luisterde en die kostbare minuten dat iemand – wie dan ook – in een schone kamer lepeltje lepeltje met haar lag onder een donzig dekbed en haar kuste waar haar hals overging in haar schouder en haar vertelde dat ze mooi was (wat neerkwam op misschien zeven minuten in negenentwintig jaar, schatte ze), enkele oprechte lachbuien, hoe het voelde om voor het eerst ecstasy te proberen, en enkele mogelijkheden die destijds prachtig hadden geleken.

Oké, goed, een andere lijst.

Ze heeft vrijstelling van het leven. Ze is vrij! Geen zorgen over hoe ze de GRE-test heeft gemaakt!

Maar wacht even. Nee. Haar hart is een keer of vijf gebroken, en dan hebben we het ook over gebróken, man. Verbrijzeld. Ze heeft een vorm van minachting ontwikkeld voor haar enige broer die gewoonlijk ten deel valt aan tirannieke politieke regimes en plegers van genocide. Ze heeft geen doel, ze is blut. Ben was allesbehalve haar verloofde, en trouwens: hij had haar geneukt als een op hol geslagen konijn. Pas nog had een vrouw die achteruit van een parkeerplek reed om geen enkele reden een keel tegen haar opgezet ('Ga aan de kant, stomme trut!'). De wereld was een vreselijke plek. Ze had Julia G. niet leren kennen toen ze de kans had gehad en nu was Julia G. dood. Ze was ervan uitgegaan dat er genoeg tijd zou zijn waarin haar leven op z'n pootjes terecht zou komen, dat ze zou eindigen als een van die excentrieke, kordate oudere vrouwen met een verstrooide partner die overdreven dol op haar was, met op late leeftijd nog een kind of twee en een mooi afgebakend plekje op de wereld.

Geen businessplan? Geen strijdplan? Ze was ontslagen.

Geloof in je behandeling

Hoe meer je gelooft in het helende vermogen van je behandeling,
hoe effectiever je behandeling zal zijn. Raak er enthousiast over!
Omarm het! Chemo is je vriend, bestraling je maatje, een opera-
tie niets minder dan een kans.

Ze haalde ze steeds door elkaar. Er was het probleem van haar linkerslaapkwab die snel achteruitging. Maar ze was ook, om te beginnen, onnauwkeurig en afwezig, en vond het dus moeilijk zich te focussen op een coherent verhaal over wat er gebeurde, wat er stond
te gebeuren. Ze liep achter de feiten aan, herhaalde kort dingen
voor zichzelf, maar zelfs die waren ruw van opzet en vaag, woorden
die losgezongen waren van een realiteit die ze kon bevatten: een
hooggradige astrocytoma, glioblastoma multiforme. Biopsie, neurologische symptomen, behandeling. Bestraling. Chemotherapie.
Alternatieven. Vecht ertegen! Laat los. Vecht. Laat het los. Ze was
voornamelijk murw en stond zichzelf toe dagelijks gewoon maar
heen en weer gereden te worden naar bestraling, zich passief voort
te laten drijven. Vervolgens chemo er direct achteraan, op aandringen van dokter C. Maar Dahlia leefde van minuut tot minuut, en
richtte zich op de afzonderlijke momenten waaruit haar dag bestond. Als een goede CEO had ze gedelegeerd. Bruce had de leiding
over de multomap. Hij droeg hem bij zich en werkte hem voortdurend bij. Margalit had de leiding over huilen en tieren. Danny had
de leiding over ontkenning en ontwijking. Eenieder naar zijn kunnen, om een stukje oude wijsheid te lenen.
De ritjes naar het ziekenhuis. De tussenstops in Starbucks, een-
vormig en troostend, de dvd's die voorhanden waren (Margalit

had ook de leiding over entertainment en kwam altijd meteen als
ze binnenkwam aanzetten met nieuwe titels), de tochtjes naar
Whole Foods voor de dure, biologische ingrediënten voor de eenvoudige maaltijden die ze 's avonds bereidden. Het afgietsel dat ze
hadden gemaakt van haar hoofd, bedoeld om het op zijn plek te
houden terwijl de straling onder precies de juiste hoek, op precies
de juiste plek naar binnen ging. De verschillende verpleegsters die
ze op verschillende dagen zag – Reba, Shelli, Sharlene en Archie, bij
toerbeurt – met hun verschillende tenues en klompen. Ze gaf zich
weer over aan de zorg van haar ouders en liet zich meevoeren met
de stroom, liet zich heen en weer rijden, elke avond ingestopt en 's
ochtends gewekt worden. Het was eigenlijk een soort vakantie:
nieuw en vreemd en ver verwijderd van het dagelijks leven.

Ze vroeg zich af of ze dit allemaal zelf veroorzaakt had omdat ze
het zelf zo graag wilde. Waren haar onbeholpen pogingen een onaf-
hankelijke volwassene te zijn zo keurig, zo machteloos tot een eind
gebracht? Het was zalig (los van wat voor de hand lag) om het eenvoudige feit dat haar leven haar uit handen werd genomen. Ze was
er nooit goed in geweest – in haar leven dus – en nu had iets wat
groter was dan zijzelf haar kennelijk haar congé gegeven. Ze reed
nu als het ware in zijn achteruit, de kilometers vlogen van haar leven en ze ging steeds verder terug.

De autoritjes naar en van bestraling deden haar denken aan naar
school gebracht en weer opgehaald worden. Ze zat onderuitgezakt
op de achterbank met Bruce en/of Margalit achter het stuur. Twee
keer per dag meerijdend, heen en terug, passief en nukkig, kon
Dahlia zich de carpools herinneren, verscheidene combinaties van
achterbankvriendjes, Margalit ontevreden achter het stuur die
reed als een bezetene (of een Israëli), en vervolgens Bruce een tijdje,
en dan ontelbaar veel sympathieke carpoolmoeders. ('Die arme
man doet het allemaal in zijn eentje', hadden ze ongetwijfeld gezegd, en ze besloten de kleine, moederloze Dahlia Finger te brengen en halen zonder haar lieve, sullige, vrijgezelle vader te dwingen
ook zijn steentje bij te dragen aan de ritjes.)

Ze leunde met haar hoofd tegen het raampje en stelde zich voor dat ze naar de Temple Israel Day School gebracht en gehaald werd, de plek waar ze gedegen, niet-confessioneel, vormend joods onderwijs had genoten. Ze probeerde een tijdsprong af te dwingen, vastbesloten dat wanneer ze aan het einde van de rit haar ogen zou openen, haar vader zijn mosgroene Jaguar zou parkeren en haar op de knie zou tikken: 'Oké, La La, we zijn er. Veel plezier vandaag! Ik zie je om drie uur.'

Net als destijds zag ze nu op tegen de momenten in de auto dat ze alleen was met haar moeder. Dagen met Bruce als chauffeur waren oneindig veel beter dan het alternatief. Margalit kon op elk moment een meltdown à la Tsjernobil hebben. Het was geen pretje om haar passagier te zijn. Op sommige dagen kreeg je vrolijkheid en de beste wensen voor een geweldige dag, op andere dagen kreeg je *rotop-uit-m'n-auto* en stond het voertuig net lang genoeg stil om uit te stappen, waarna het direct weer wegscheurde en het verbrande rubber verbijsterende blikken opleverde van een hele reeks van kleuters tot zesdeklassers en hun gruwende verzorgers.

Maar wanneer Bruce haar naar bestraling reed, voelde Dahlia zich, net als vroeger naar school, kalm en veilig. Hij nam thee mee en hielp haar in de auto, las een boek en stelde vrolijk voor waar ze op de terugrit langs konden gaan: de Plum Core, de Novel, Baskin-Robbins. Hij wist hoe hij moest zwijgen, hoe hij af en toe een blik op Dahlia moest werpen, glimlachend op een manier die ze aan de zijkant van haar hoofd bijna kon voelen.

Margalit daarentegen was een lastpost die stress veroorzaakte: het doorlopende commentaar, het voortdurende geklets, de stemmingswisselingen.

'Ze kunnen ongelooflijk veel met acupunctuur. Daar moet je werk van maken. Heb je dat boek over grassap al gelezen?'

En: 'Sjosjanna kent een vrouw die hypnotherapie doet. Waarom interesseert dit je niet? Dit is je leven, Dahlia. Je léven. Dit is echt! Echter wordt het niet! Wat is er aan de hand met je?' (Eh, kanker, *ima*.)

En: 'Je moet je ontspannen, Dahlia. Ontspán! Dat is het allerbelangrijkste: ontspan!'

En vervolgens natuurlijk de favoriete riedel, steeds opnieuw: 'Heb je enig idee hoeveel geluk je hebt?'

Het was ongelooflijk stom dat Dahlia zo onverantwoordelijk was geweest om rond te lopen *sans* ziektekostenverzekering, maar Dahlia had inderdaad sinds de universiteit rondgelopen *sans* ziektekostenverzekering.

'Ja, inderdaad, *ima*, ik geloof niet dat ik iemand ken die zoveel geluk heeft als ik!' Ze had nooit een baantje met secundaire arbeidsvoorwaarden gehad, en ze had nooit de moeite genomen zich te verzekeren. Wie wel? In ieder geval niemand uit Dahlia's kennissenkring. Net als veel mensen die alles op een presenteerblaadje kregen aangeboden ('waarden' daargelaten), kon Dahlia niet zo inzitten over geld. Ze 'gaf' niet om geld. Ze stond er nooit bij stil. Het bestond. Het was haar probleem niet.

Bruce bleek, zonder dat iemand het wist, geregeld te hebben dat Dahlia volledig verzekerd was – uitvoerig verzekerd, veilig. Wat gezien de hele situatie met kanker een verdomd goeie zaak was. Zij het een beetje ontmoedigend. Ze was bijna trots geweest op haar onverzekerde status. Ziektekostenverzekering was voor mietjes. Ze stond achter de bar, ze gebruikte drugs, ze ging uit met verkeerde mannen, ze kocht dure, prachtige Italiaanse leren laarzen in plaats van de huur te betalen, ze bouwde creditcardschulden op die ze vergat af te lossen. Ze was niet iemand met een pensioen of een verrekte ziektekostenverzekering. Een ziektekostenverzekering zou Dahlia's pogingen ondermijnd hebben iets anders te zijn dan de verwende lemming die ze diep vanbinnen koortsachtig vreesde te zijn. Een ziektekostenverzekering hebben zou zijn alsof ze het opgaf. Geen ziektekostenverzekering: de enige manier om te leven. (Zolang papa in het geheim garant stond, voor het geval dat.)

'Je hebt ongelooflijk veel mazzel,' snauwde Margalit, een en al aandoenlijke Sefardische razernij. 'Mazzel, mazzel, mazzel! Dit is niet grappig! Waarom vind je dit grappig?'

'Ja *ima*, ik voel me echt heel erg gezegend,' zei Dahlia met een poeslieve glimlach. Er is niemand die zoveel geluk heeft!' Opgestoken duimen.

'Wie is er nou niet verzekerd? Wie denkt er nou zo? Vind je dit een grap?'

'Je bent heel sexy als je pissig bent, *ima*. Heeft iemand je dat ooit verteld?'

'Maar ze is wel verzekerd,' zei Bruce heen en weer schuivend op een ziekenhuisstoel van vinyl, met zijn laten-we-onze-stem-voor-binnen-gebruiken-stem. 'Alles is gedekt. Het is in orde.'

'Zo onverantwoordelijk.'

'Margalit.'

'Zoals gewoonlijk is je abba er weer om je toeches te redden.'

En die van jou, dacht Dahlia. Want wie financierde Margalit tenslotte? Zijn éigen toeches redden was meer aan de orde. Want Dahlia zou uiteindelijk dood zijn en die goeie ouwe pa zou toch de rekening hebben moeten betalen. De spoedeisende hulp en het eerste ziekenhuisverblijf en bestraling en chemo en God mocht weten wat er nog bij kwam zou Bruce tientallen (zo niet honderd) duizenden hebben gekost. Hij was in elk geval tot het bittere eind een slimme zakenman: de vooruitziende blik om Dahlia te verzekeren, zonder trompetgeschal, zonder het zelfs maar te zeggen, zou hem uiteindelijk flink wat besparen. Een goede investering. CEO Dahlia was zeer in haar nopjes. Bruce zou zeker promotie krijgen in het krakkemikkige metaforische kantoor van Help Dahlia Overleven NV. Het was best grappig dat hij goed had aangevoeld dat ze überhaupt niet verzekerd was. Natuurlijk was ze niet verzekerd. Hij kende haar zo goed en hield evengoed van haar. Wat een mazzelpik was ze toch.

Ze wist best hoeveel mazzel ze had. Mazzel! Het was geen kwestie van dat denkbeeldige auto-ongeluk überhaupt niet krijgen, het was een kwestie van je gordel dragen wanneer je dat denkbeeldige auto-ongeluk kreeg, snap je? Want het denkbeeldige auto-ongeluk bleef niemand bespaard.

Drie weken lang werd Dahlia van maandag tot vrijdag naar bestraling gereden, waar ze aan een tafel werd gebonden, in haar hoofdstel gehesen en gebombardeerd (nou ja, bestraald) met een machine die wist waar hij precies op haar hoofd moest richten. De bijwerkingen vielen mee. Volkomen uitputting en het ontbrekende plukje haar, waar de kale huid gevoelig en geïrriteerd raakte, rood en rauw, meer niet.

Bestralingen zijn pijnloos. Van uitwendige bestraling word je niet radioactief. Het is belangrijk veel rust te nemen en gezond te eten tijdens je radiotherapie.

Elke dag maakte een van de verpleegsters Dahlia vakkundig klaar voor haar bestraling. Ze waren zakelijk, vriendelijk en afstandelijk. Elke dag vroegen ze haar hoe het ging.

'Ben je misselijk?'

'Hoe slaap je?'

'Hoe voelen we ons vandaag, mevrouw Finger?'

Sharlene was haar favoriet: een zwarte vrouw met zware boezem die nooit de lievige ziekenhuiskleding droeg. Het was altijd gewoon effen blauw of lavendelblauw. Hier geen dansende hondjes, niks ervan, dame.

'Sharlene, het is gewoon Dahlia hoor. En ik ben niet getrouwd.'

'Uh-hmm,' zei Sharlene dan, een aantekening op een klembord makend, en dan ging ze weer verder. Reba was de ergste: een en al dansende hondjes, de hele tijd, een en al geveinsde vrolijkheid. 'Hallo, lieverd! Hoe vóélen we ons?'

Dahlia voelde zich zo'n eeuwenoud Grieks beeld: verweerd, vreedzaam ondanks (of misschien wel dankzij?) de ontbrekende armen en neuzen en wat er verder nog uitstak, en de toeristen stilletjes smekend of ze als-je-blieft hun godvergeten camera's wilden opbergen om gewoon even naar haar te kíjken. Ophouden met foto's maken en gewoon aanwezig zijn in de kamer met haar. Even maar.

In de eerder genoemde idyllische tijd gingen de Fingers elke zomer terug naar Israël, en verbleven in de kibboets Dalia of in Tel Aviv, waar ze werkten, zich vermaakten, rondhingen en bijna vergaten dat ze daar niet woonden. Hun albums barstten van de kiekjes met sandalen en mediterrane zandstranden. Dahlia herinnerde zich de tantes en ooms, kibboetsfamilies, hele drommen, luidkeels roepend. De jonge, ondertussen gescheiden, beeldschone tante Orly. In de States hadden ze slechts enkele willekeurige plukjes droesem van de familie Finger, achter- en achterachterneven en -nichten, de familiebanden die niet volledig waren uitgeroeid door een paar generaties van assimilatie en apathie en diasporische verplaatsing, maar hier in Israël waren er volle neven en nichten in overvloed, en oudooms en oudtantes, achterneven en -nichten, en nog verder. En iedereen was hartelijk, iedereen had z'n plaats binnen de grenzen van een familie-identiteit, iedereen omhelsde je, plantte dikke zoenen op je wang, was blij wanneer je aankwam en treurig wanneer je vertrok. Die zomers waren als reddingsvlotten, onwerkelijk, waardevol en veerkrachtig, gevuld met de bevrediging van elke primitieve fantasie die ze ooit had gehad over familie, over gemeenschap, over liefde en groepsgevoel. Dan keerden ze terug naar LA, waar alles in hoog tempo naar de kloten ging.

Dahlia herinnerde zich nog hoe zelfvoldaan ze zich voelde dat ze dat gelukkige leven in Israël had gehad, wanneer de school weer was begonnen en haar 'echte' leven zich voor haar uitstrekte, zo dun dat het elk moment kon breken. Met haar moeder sprak ze elementair Hebreeuws alsof het een privétaal was om in te roddelen, in het openbaar waar het maar kon, het liefst bij mensen die hen niet konden verstaan. Tijdens de carpool stelde ze Margalit nietszeggende vragen over het eten, over het weer, alleen maar opdat de andere kinderen het niet zouden begrijpen. Ze maakte deel uit van iets wat anders en exclusief was! Zij wist iets wat zij niet wisten!

'*Kama zè olee?*' (Hoeveel kost dat?), zei ze wanneer ze een mooi groot huis passeerden, of '*Ma kara?*' (Wat is er aan de hand?), wanneer een andere chauffeur toeterde. Margalit keek haar slechts met toegeknepen ogen aan en mompelde terug in het Engels, als ze al antwoordde.

Op een avond in augustus, vlak voordat Labor Day de heerlijke lei van Israël schoonveegde ten gunste van het vreselijke schrikbeeld van weer-naar-school, had Dahlia meegedaan met Margalit en geweigerd op te staan voor het volkslied.

'Het is niet mijn volkslied,' papegaaide de zevenjarige Dahlia, en ze zette verontwaardigd een hoge, kleine borst op. 'Dit is niet mijn land.'

Ze voelde dat het Foute Boel was tussen Bruce en Margalit en in hun gezin als geheel, iets wat nauwelijks waarneembaar en ernstig was, traag naderde tot het er opeens was, als het smelten en uiteenvallen van gletsjers. Halverwege Dahlia's tweede schooljaar ging Margalit naar Israël om alleen te zijn, wat ongekend was: om 'na te denken', tante Orly te bezoeken, waarbij ze Danny en Dahlia achterliet bij Bruce, die verdwaalde in zijn eigen vlucht uit de werkelijkheid van werk en wijn uit een kartonnen doos.

Een hele tijd was Dahlia eigenlijk wel opgelucht dat haar moeder weg was. Al die onvoorspelbaarheid, al die woede. Al die keren dat Margalit een ontroostbare orkaan van razernij was, van leer trok tegen haar echtgenoot, haar zoon, haar dochter. Poeh: daarbij vergeleken was alles heel kalm nu ze weg was. Adem uit: al die intensiteit, al dat vitriool. En natuurlijk, Bruce leek heel erg radeloos en afstandelijk, maar hij was in elk geval áárdig.

Van zijn kantoor had Bruce een enorme, lege maandkalender meegenomen, en hij gaf Dahlia speciale stickers om op elke dag die voorbij was te plakken en zo de tijd te markeren tot haar *ima* weer naar huis kwam. Al snel waren alle stickers op en was de kalender vol, maar nog steeds kwam *ima* niet thuis. Ze kregen brieven terwijl haar reis overging in een 'lang bezoek', vervolgens in een nog langer, en toen in een verblijf voor onbepaalde tijd.

Ima houdt heel heel veel van je! Ik moet nu hier zijn. Doda heeft me nodig en het is zo heerlijk om terug te zijn. Misschien kun je me komen opzoeken als school voorbij is! Deze zomer zullen we een heerlijke tijd hebben!

Alle brieven waren min of meer hetzelfde. Dahlia speurde ze gretig af, op zoek naar aanwijzingen voor wat er echt aan de hand was; ze was dan misschien wel een kind, ze was niet gek. Haar vader dronk elke avond en zag er verloren en doodsbang uit. Hij had het nooit over het verlies van een kwart aan warme lichamen in hun huishouden.

Dahlia staarde lang en uitvoerig naar de woorden in haar brieven van *ima*: Houdt van. Nodig. Heerlijk. Misschien. Heerlijke. Die woorden, ontdaan van betekenis, maakten haar verdrietig. Haar bestickerde kalender, irrelevant, leek de spot met haar te drijven.

Danny hield zijn eigen brieven van Margalit jaloers voor zichzelf en deed zijn deur op slot, duwde Dahlia de kamer uit en weigerde met iemand te praten. Ze smachtte ernaar te zien wat er in zijn brieven stond. Kreeg hij andere informatie aangezien hij ouder was? Stond het antwoord in die brieven? Wist hij iets wat zij niet wist?

En dat was precies het moment waarop Danny verbitterd raakte, gistte en zuur werd alsof hij heel lang in een azijnbad had gelegen. Hij uitte alleen nog eenlettergrepige woorden, zeikerig. Waar was haar lieve maatje heen gegaan? Waarheen haar geliefde broertje?

'Hoe was je dag?' probeerde Bruce, die vaderlijke betrokkenheid veinsde.

'Goed.'

'Ik heb een boekverslag geschreven! Kijk!' zei Dahlia terwijl ze op Danny's permanent gesloten deur klopte.

'Rot op.'

'Tieners!' zei Bruce met quasi vrolijk opgetrokken schouders als Danny zijn eten meenam naar zijn kamer en de deur op slot deed.

'Tieners!' Het werd ook Dahlia's refrein, gecombineerd met de hoop dat dit slechts tijdelijk was, zoals Bruce monotoon zei: een fase. Prima, nog een obstakel. Ze zouden het wel overleven. En dan zouden ze gelukkig zijn.

Toen hij Dahlia het heerlijke geschenk van zijn verloving gaf, begon Danny's houding de vorm van pure kwelling aan te nemen. Hij liet zijn broek voor haar zakken en drukte haar stevig neer om op haar gezicht te zitten en een stortvloed van darmgassen op haar los te laten. Hij liep dampende hopen uitwerpselen achter in het toilet, zonder door te trekken, zodat een drol van epische proporties haar aanstaarde als ze het deksel oplichtte om te plassen in de badkamer die ze deelden.

Ze deed haar best om zich aan te passen aan deze situatie, maar ze was heel erg in de war. Wat was er gebéúrd? Niemand zei iets. Lag het aan haar?

Deze fase van je strijd zal misschien de makkelijkste zijn. Het harde werk is achter de rug: onder ogen zien en accepteren dat je ziek bent,

*de best mogelijke behandeling zoeken, jezelf omringen met het juiste
team. Nu moet je je harde werk je laten helen. Vertrouw erop dat dat
zal gebeuren.*

Als gevolg van Danny's ontluikende hufterigheid begon Dahlia
op haar beurt haar nietsvermoedende, zouteloze klasgenootjes uit
al die gelukkige gezinnetjes te behandelen met dezelfde gewelddadige minachting die ze thuis ervoer. Dit is wat psychologen soms
overdracht noemen, Gene.

Er waren problemen met de carpool. Dahlia veranderde in een
enorme pestkop, de Tony Soprano van de lagere school. Er werd
geïncasseerd tijdens de middagpauze. Op de een of andere manier
had ze verschillende kinderen gedwongen hun 'lekkernij' in te leveren: het lekkerste en zoetste in de lunch die ze bij zich hadden.
Fruitrolletjes, mueslirepen. Haar favoriet was een merk dat Dipps
heette, in wezen een mueslireep met een laag chocola. O, tot wat
voor leugens en manipulatie ze zich niet verlaagde voor een Dippsreep. Dahlia mocht geen junkfood eten. Het ontbrak in het huishouden van de Fingers aan de provisiekast met ongezonde kost die
in de keuken van al haar speelvriendjes stond. Er was geen snoep,
geen chips, er waren geen fruitrolletjes. Er waren al helemaal geen
Dipps.

'Zie je dat raampje?' had Dahlia ergens rond de derde klas gevraagd aan een carpoolvriendje, en ze had naar het open raampje
gewezen. 'Als je me nu niet je [Dipps/Rainbow Brite/stickerverzameling] geeft, gooi ik je eruit.'

'Ik hoorde een enorm gebrul op de achterbank, dat jongetje was
zo van streek dat hij nauwelijks een woord kon uitbrengen. En daar
zit La-la vrolijk met een pop in haar armen die niet van haar is! Ongelooflijk,' herinnerde Bruce zich liefdevol en geamuseerd. 'Ik zeg
het je meid, het is nog niet te laat om rechten te studeren.'

Een briefje van een van de vele babysitters die destijds werden ingeschakeld, dat in Dahlia's babyboek (!) zat gestoken: *Meneer Finger, het lijkt me het beste als u een andere babysitter voor Dahlia
zoekt. Ik heb te veel zelfrespect om mezelf te laten intimideren door
een kind van acht. Bedankt.*

'Ik schop je in je ballen', was haar favoriete weerwoord. En de goeie ouwe 'hou je bek'. En de topper van alle uitdrukkingen, gejat van Danny: 'Fuck you.' Ze werd een vreselijk kind. Je zou denken dat iemand weleens zou hebben gezegd dat het tijd werd voor een psycholoog, toch?

Maar de lagereschooljaren van Dahlia werden niet alleen gekenmerkt door intimidatie en geweldpleging, ze was ook de grootste expert van onder de tien met betrekking tot alles wat het volwassen lichaam betrof, met al zijn bijbehorende fascinerende manieren om de tijd te verdrijven.

Het onzegbare moment was aangebroken waarop ze heimelijk door Danny's spullen ging – na een schaamteloze schending van het NIET BINNENKOMEN dat in zijn deur was gegrift die vaak op slot zat (hé, alles was nu geoorloofd: anarchie!) – en op een nummer van *Hustler* en een stapel *Penthouses* stuitte. Het was het meest opwindende moment uit haar leven: acht of negen jaar en geconfronteerd met beelden die zo verboden waren, zo spannend, geheim en vies, dat ze gonsden van ongepastheid, net zo vals als de nagalm van een enorme, inwendige klok. Ze had zich opgelucht gevoeld: voor zover ze wist keek ze naar het laagste wat er bestond. Wat een vreugde. Ze had het doorgrond. Ze wist nu waar het allemaal op neerkwam. Haar hart bonkte maar en bonkte maar. Hier waren dan eindelijk een paar antwoorden. Ze had kippenvel. In *Penthouse* stonden vrouwen met gigantische, traanvormige borsten en zachte lichamen. Het was jarenzeventigporno, en godzijdank daarvoor – geen operaties of piercings of weggevaagd schaamhaar – gefotografeerd in zacht licht. Sommigen droegen jarretels en hoge hakken, sommigen bukten voorover of hurkten. Allemaal hadden ze dezelfde blik: ontzetting, doodsheid en schaamte die zich voordeden als verleiding. Ze mocht dan wel een kind zijn, maar nogmaals: ze was godverdomme niet achterlijk. Dahlia zag het in hun ogen, stuk voor stuk: er was iets aan de hand met deze vrouwen. Ze hield van ze.

Het echte doel van haar zoektochten door Danny's kamer vond ze nooit, het enige dat het gevaar rechtvaardigde om die sowieso te betreden: Margalits brieven aan hem. Maar ergens wist ze zeker dat de tijdschriften, en de basale inhoud ervan, gekoppeld waren aan de afwezigheid die zo'n grote rol speelde maar nog niet werd erkend. Haar moeder was verdwenen en in een heel andere wereld had ze met deze basaliteit te kampen. In Dahlia's fantasie was Margalits afwezigheid onlosmakelijk verbonden met de tijdschriften. Maar hoe? En waarom? Meer vragen helaas, en nauwelijks antwoorden. Maar toch. Het was een troost om die dingen onder ogen te zien, vooral in de donkere hoeken van Danny's kamer, waar hij elk moment binnen kon komen en in razernij uitbarsten. Het was beter deze dingen wel onder ogen te zien dan niet, begreep Dahlia uit zichzelf. Ze beschouwde zichzelf als een scherpe, betrokken detective: wat waren de regels van de volwassen wereld en hoe kon je het beste handelen naar die regels?

Dahlia was een vergevorderd, 'vroegrijp' kind (privéscholen gebruiken nogal wat eufemismen tijdens besprekingen met ouders die het volledige schoolgeld betalen), het meisje naar wie je toe ging als je iets over seks wilde weten.

'Weet je wat pijpen is?' las ze een nerveus, verrukt groepje de les, waarvan iedereen een Dipps-reep, een fruitrolletje of een pak koekjes had overhandigd in ruil voor informatie. 'Dat is piemels zoenen. De man likt de vrouw ook. Als ze het allebei tegelijk doen, is dat negenenzestig.'

'Waarom heet het zo?' vroeg een dappere ziel.

'Daarom.'

'Vrouwen hebben geen piemel.'

'Nee, hèhè.'

Ze deed trucjes op de rekenmachine, als een jongen en een meisje 103 keer 69 in 29 dagen (103 x 69 + 29). Wat waren ze dan? Wanneer je op het gelijkteken drukte en de rekenmachine op zijn kop hield, kon je de uitkomst (7136) lezen als GEIL. Er was ook een ingewikkelde manier om uit te komen op 50753078 (oftewel BLOESLOS).

'Wat is aftrekken?' vroeg een prepuberaal klasgenootje. Of: 'Wat is een orgie?'

'Geef me je Dipps,' antwoordde Dahlia dan met een stalen gezicht.

In de vijfde klas was de schoolrabbijn komen opdagen om de beginselen van seks uit te leggen, en hij gaf de officiële versie van zaken die Dahlia maar al te graag wilde beschrijven, zij het zo nu en dan met verkeerde details (voor een klein bedrag en in ruil voor iets). Wat Dahlia het meest bijbleef was zijn beschrijving van een orgasme, waar ze tot dat moment nog niet eens over had nagedacht: 'Het is alsof je niest,' zei hij, een gangbare vergelijking die haar vreemd genoeg de rest van haar leven zou bijblijven. 'Je loopt gewoon ergens en beng! Hatsjoe!'

Margalit was dus min of meer voorgoed in Tel Aviv, waar ze een heel ander leven leidde, en vergeten leek te zijn dat ze kinderen had. In de vierde klas had Dahlia haar al twee jaar niet gezien, ondanks de regelmatig herhaalde verzekering dat ze elkaar snel zouden zien, hier of daar. Bruce ging op in zijn werk en zijn supermarktalcohol. Brentwood was het toneel van verbijsterde pijn en stilte geworden. Het leven was als een staaltje postmodern theater: was Dahlia gewoon dom of was het niet te bevatten? Er waren geen praatjes over ima-en-abba-kunnen-niet-meer-samenwonen-maar-we-houden-heel-veel-van-jou-en-Daniel-en-van-elkaar. Oké, dus ima moest in Israël zijn. Dat kon toch niet voor altijd zijn? Uiteindelijk zou ze toch wel moeten thuiskomen, toch? Toch? Hallo? Is daar iemand?

Nu haar ouders onverschillig en zich nergens van bewust waren, wendde Dahlia zich tot Danny, klampte zich stevig aan hem vast. Heb je ooit geprobeerd een kat in bad te doen? Zo wanhopig klampte Dahlia zich aan Daniel vast. Ze vertrouwde hem, Gene. Ondanks alles wat erop wees dat vertrouwen helemaal niet aan de orde was. Dat was haar belangrijkste, oorspronkelijke, rampzalige vergissing: een blinde overtuiging, een bijna religieus geloof in iets wat in het gunstigste geval niet makkelijk te bewijzen was, en in het ongunstigste geval hoogstonwaarschijnlijk.

Maar ze pakte alles wat ze kon krijgen. Hij dreef de spot met haar, duwde haar, lachte haar uit, liet haar struikelen, dreef nog meer de spot met haar. Of negeerde haar gewoon. Opnieuw, overdracht: ze boette voor Margalits zonden.

In het begin kon het Dahlia weinig schelen. Ze werd gewoon heel erg goed in neervallen, zichzelf laten vallen. Ze liet de spot met zich drijven, zich genadeloos pesten, met zich sollen. Elke vorm van aandacht, elke interactie met Danny was beter dan helemaal niets. Ze werd een heuse Lucille Ball van negen jaar die als doel had te vermaken: dom en klunzig, maar ze maakte in elk geval deel uit van de grap. Zelfs toen al besefte ze dat het beter was dan een grap waar je niet aan meedeed. Alles was beter dan een grap waar je niet aan meedeed.

Ima kan je deze zomer niet komen opzoeken, want ik ga een grote reis maken met een nieuwe vriend! Hij is commandant in het leger! Misschien kunnen we elkaar allemaal snel zien. Ima mist je en houdt van je!

Vijf dagen per week, drie weken lang heen en weer naar bestraling, geen afleiding, niemand in de auto om te kwellen of chanteren. Ze miste die arme carpoolsukkels, die domme eikels die niet wisten hoe ze voor zichzelf moesten opkomen, die thuis niet waren voorbereid en gehard, die niet zo vergevorderd waren in de kunst van intimidatie als de kleine La.

De bestralingsritjes gingen gebukt onder de last van het verleden en het onvermijdelijke gewicht van het heden, de twijfelachtige aard van de toekomst. Zonder iemand om zich heen, iemand die zwakker of minder bijdehand was dan Dahlia, iemand bij wie ze al haar doodsangst en machteloosheid kon uiten, iemand die deze balans weer in evenwicht kon brengen en haar, nou ja, minder de lul kon laten voelen, droeg ze de last in haar eentje.

De zomer voor de zesde klas had Bruce 'werk' te doen waar nogal gestrest op gezinspeeld werd ('vergaderingen' en zo, hoewel hij waarschijnlijk gewoon niet langer dapper de schijn kon ophouden dat alles koek en ei was in hun uiteengevallen huishouden), ging Danny naar het meerdaagse kamp waar al zijn vrienden heen gingen, en bleef Margalit mysterieus en wispelturig weigeren Dahlia's zoveelste beloofde zomerreis naar Israël te plannen. En dus stuurde Bruce Dahlia ook op kamp.

Het kamp was ruk, een beproeving die ze zich tot dat moment

niet had kunnen indenken. Dahlia had heimwee. Heimwee naar huis en heimwee naar de werkelijkheid van thuis zijn, een zieke voorbode die, nu ze er achteraf over nadacht, volkomen logisch was. De eerste paar dagen had ze wanhopig naar Danny gezocht in de *sjetach* van de oudere jongens, hun tenten, een angstaanjagende enclave vol feromonen en gettoblasters aan de rand van het kamp, vlak bij de weg naar de stad. Haar hart bonkte in haar keel en pas toen ze in de sjetach van de jongens was, besefte ze dat ze geen idee had waar ze Daniel kon vinden. Dat ze daar was had iets verbodens en opwindends, als een schaap tussen de wolven.

'Weten jullie waar Danny Finger is?' vroeg ze verlegen aan een groepje jongens. Ze namen haar eens goed op. Ze was elf en begon te ontluiken, met opbollende tietjes.

'Als je wilt kan ik je wel Danny Vingeren,' zei er eentje. De jongens brulden het uit.

'Ja!' riep een ander. Hij greep naar haar en trok een vreselijk gezicht.

'Kom hier!' riepen ze haar lachend na toen ze wegstormde. 'Waar ga je naartoe?'

In de eetzaal die avond kreeg ze haar broer in het oog, en opluchting en aanbidding welden in haar op als antikanker.

'Danny!' riep ze, en ze rende op hem af. Ze greep hem beet alsof hij haar moeder was, omhelsde hem zoals ze ernaar smachtte omhelsd te worden. 'Danny!' Hij duwde haar weg en keek nonchalant rond.

'Wat moet je nou?'

Ze keek hem stralend aan. 'Hoi!'

'Hoi.'

Ze opende haar mond om hem te vertellen over haar heimwee, haar extreme eenzaamheid, haar verlangen om thuis te zijn, thuis, mag-ik-alsjeblieft-naar-huis (maar een huis, *bevakasja*, dat niet leek op het thuis van de laatste tijd), over het griezelige voorval in het tentgedeelte eerder. In plaats daarvan zei ze dat ze in slaapzaal vijf zat, zodat hij haar later kon komen opzoeken.

'Gefeliciteerd.'

'In welke zaal zit jij?'

Hij werd gadegeslagen door een stel vrienden, jongens die haar vervulden met nog meer onvervalst ongemak waarmee ze al snel vertrouwd zou raken, hetzelfde ongemak dat zich nog maar net een weg door haar leven en haar lichaam begon te banen.

'Ik zit in zaal Fuck You,' zei hij, duivels lachend, een blaffende lach, als geweerschoten, tot groot plezier van zijn vrienden. Toen legde hij zijn hand midden op haar gezicht, palm tegen neus, en duwde haar hard weg, waardoor ze achteroverviel, waarna hij zich liet wegvoeren in de misselijkmakende zwerm jongens.

Dahlia voelde tranen opwellen, een donderwolk die snel en duister boven haar kwam te hangen, maar ze kon nergens heen tot hij weer verdween, nergens om aan de hordes hongerige kinderen te ontsnappen, die zich opstelden naar leeftijd en geslacht om gevoerd te worden.

Kun je je dat voorstellen, Gene? Snap je nu wat voor klootzak Danny was? Goed, hij was zestien, prima. Jongens van zestien zijn beruchte klootzakken. Maar zij was elf. Hoe kon hij in vredesnaam zelfs niet een béétje zijn best doen voor haar te zorgen? Was het omdat er niemand voor hém zorgde? Zaten mensen op die manier in elkaar? Zo eenvoudig?

En trouwens! Nu had ze kanker.

Wees aardig voor jezelf, zei Gene, die het hoofd boven water probeerde te houden. *Laat je behandeling het werk doen. Vertrouw erop dat dat ook gebeurt.*

De volgende zomer had Dahlia ronduit geweigerd terug te keren naar het vreselijke kamp, en probeerde in plaats daarvan te eisen dat ze haar moeder mocht opzoeken in Israël, een plek die haar in de loop van die paar jaar net zo wezensvreemd was geworden als een ongebroken gezin. Margalits antwoord kwam snel, stellig en vertrouwd: *Ima houdt heel veel van je, maar ze moet hier nu alleen zijn.*

'Ze bedoelt dat je kunt doodvallen,' zei Danny, die de brief uit Dahlia's handen griste met alle boosaardigheid die hij kon opbrengen. Wat heel veel was.

Danny was in zijn eentje teruggegaan naar kamp, om kampleider-in-opleiding te worden en meisjes uit de tweede klas van de middelbare school te naaien. Als troostprijs, en omdat hij éíndelijk inzag dat zijn La La het 'zwaar' had, trakteerde Bruce haar op een speciaal uitje, alleen zij met zijn tweeën: tien dagen in New York, toneel van dromen en verwondering, Dahlia's voorouderlijke grond, Erets Jisraël kon de klere krijgen.

Het werd duidelijk dat Margalit voorgoed weg was, en Bruce wilde iets leuks doen voor Dahlia. Ze raasde nu zelf op haar adolescentie af. Ze zou snel genoeg ook verbitterd raken.

Ze verbleven in het Plaza, in een dubbele suite, en zagen acht Broadwayshows in zeven dagen (op zaterdag was er een middagén een avondvoorstelling). Bruce ging naar een paar zakelijke besprekingen, sliep uit, las de krant in zijn kamerjas, en gaf Dahlia carte blanche om gebruik te maken van roomservice. Ze bewezen eer aan het portret van Eloise in de lobby. Ze aten een dame blanche in Serendipity. Bruce gaf Dahlia zijn creditcard en liet haar vrij rondzwerven. Ze ging naar Bloomingdale's en kocht een flesje Chanel No. 5 voor zichzelf.

'Is dat voor je mama?' vroeg de verkoopster, niet onder de indruk van de goldcard die een twaalfjarige aanreikte.

'Ja,' had Dahlia geantwoord.

Ze kocht een sweater van Esprit voor zichzelf, het toppunt van mode.

Ze kocht een kastanjebruine lippenstift voor zichzelf in Barneys.

Ze kocht een zilveren armbandje met haar naam erin gegraveerd voor zichzelf in Tiffany.

Ze ging terug met een taxi en gaf een royale fooi. Ze voelde zich kalm en beheerst, veilig en hoopvol. De portiers van het Plaza glimlachten, knipoogden naar haar, bogen diep.

Bij *Sweeney Todd* waren er twee acteurs die in hun scène moesten vrijen in het gangpad, nog geen anderhalve meter van de plek waar Bruce en Dahlia zaten. Dahlia zag hoe haar vader naar die verstrengelde acteurs bleef kijken, ook toen de spotlights gedimd werden en de actie ergens anders in het theater verderging. Ze kon duidelijk zien dat hij 'hitsig' was (ooit in ruil voor een Pop Tart gedefinieerd als: 'als je heel, heel, heel erg graag seks wilt').

De details werden dan wel onder het tapijt geveegd, en de werkelijkheid van het huwelijk van haar ouders, de scheiding en de volwassen moeilijkheden die daarbij kwamen kijken bevonden zich dan wel net buiten Dahlia's bereik, dit begreep ze in elk geval wel. En aldus kwamen haar vormende jaren ten einde: *Hustler*, de vreselijke puber Danny, Margalit die verdwenen was, en nu haar geile vader, die helemaal opzij draaide in zijn stoel om de elkaar omhelzende, gretige acteurs in de theatrale mist van droogijs beter te kunnen zien, waarna hij zichzelf tot de orde riep en na afloop wezenloos naar Dahlia glimlachte, alsof er niets aan de hand was, en voorstelde ergens een toetje te gaan eten.

Kies voor het leven

Neem de beslissing dat je deze ziekte zult overwinnen. Neem de beslissing dat je een lang en gelukkig leven zult leiden. Zo een - voudig is het.

Val dood, Gene.

Zoek een sociaal netwerk

Sluit oude vrienden niet buiten en stel je open voor nieuwe. Laat je geliefden je steunen, je helpen en van je houden. Dit is het moment om mensen je tot steun te laten zijn, te helpen, van je te laten houden.

Leven Met Kanker kwam twee keer per week bij elkaar (één keer was nauwelijks genoeg voor mensen voor wie de weken geteld waren). Rick, hun onverschrokken leider, liet zien dat hij heel erg vertrouwd was met Het Boek. Dahlia vroeg zich af of er een soort partijlijn van kankerpraat was, een bron van pasklare bullshit waaruit iedereen putte. Hadden Rick en Gene trouw gezworen aan dezelfde broederschap van dodelijke-ziekte-zit-alleen-maar-tussen-je-oren? Ze praatten elkaar zozeer na dat het griezelig was.

'We zijn hier om elkaar te helpen met het zwaarste gevecht van ons leven,' begon Rick. Ze zaten op een gigantische l-vormige bank en verscheidene klapstoeltjes in wat overdag fungeerde als Ricks psychotherapiepraktijk. 'Thuis krijgen we misschien niet altijd wat we nodig hebben. Onze familieleden hebben zo hun eigen emoties. Hier kunnen we onze gevoelens de vrije loop laten zonder ons zorgen te maken over wat we de mensen van wie we houden aandoen, of wat zij misschien doorstaan.'

Leven Met Kanker was geen week hetzelfde (net als, nou ja, leven met kanker). Mensen kwamen en gingen, het ging beter of slechter met ze, ze werden zieker of minder ziek, verdwenen helemaal, verschenen weer en zagen er grimmig en grauw uit of gezonder en aangesterkt, brachten macrobiotische koekjes mee om een nieuwe mijlpaal te vieren, een nieuwe dag die aanbrak.

De regels waren duidelijk: alles mocht, zolang je het maar van de zonnige kant bleef bekijken. Je mocht je leed en je problemen onderkennen, natuurlijk, maar je moest niet op bittere toon eindigen. Je kon geen zielsverdriet tonen dat niet getemperd werd door optimisme. Je mocht bijvoorbeeld best zeggen dat je zo moe was dat je wilde dat je dood was, maar alleen als je er direct vrolijk aan toevoegde dat je wist dat je hard moest vechten om dit te overwinnen.

Dahlia was de jongste. Eierstok-Carol, -Ruth Ann en -Carlotta lieten foto's van hun kleinkinderen rondgaan en huilden om de mogelijkheid dat ze hen niet zouden zien opgroeien, maar dankten God voor de tijd die ze nog hadden. De zilverharige Long-Arlene en Dubbele Mastectomie-Francine beschreven symptomen en de stappen die zouden volgen in hun behandeling met een ijzige terughoudendheid en een aandoenlijk, begrijpelijk, onthutst ongeloof dat dit hun werkelijk overkwam. De gedrongen veertiger Zaadbal-Bart, de enige man, zei: 'Ik trek deze ziekte niet', wat grappig was, aangezien hij het over zijn genitaliën had. Hij wilde heel graag 'een gezinnetje beginnen'. Hij had het vaak over zijn onlangs ingevroren sperma – een stap die hij had moeten nemen voordat de chemo elke levende cel in zijn lichaam aan gort hielp – en dat hij 'de juiste vrouw' wilde vinden. Dahlia stelde zich roomkleurige ijsblokjes voor, vol met petieterige, tekenfilmachtige spermatozoïden, gevangen in een permanente staat van weigering en shock. Ze stelde zich Bart voor die opgelaten een huwelijksaanzoek deed met een zaadblokje in een doosje met fluwelen voering.

'Ik schop die kloteziekte helemaal lens,' zei hij. 'Ik maak die kanker godverdomme af!'

Wanneer alles achter de rug was, zou Dahlia hierover een hartverscheurend essay schrijven voor haar toelatingsexamen voor een vervolgopleiding.

Onderzoek heeft onomstotelijk aangetoond dat patiënten die tijdens de behandeling en het herstel regelmatig een hulpgroep bezoeken twee keer langer kunnen leven dan degenen die dat niet doen.

'En jij, Dahlia?' drong Rick aan het einde van elke sessie voorzichtig aan. De groep keek haar aan met een mengeling van medelijden (zo jong!), beschermende tederheid (zo jong!) en verwarring (zo jong!). Ze kon zich er zelden toe brengen veel in te brengen. *Ik hoor hier niet*, herhaalde Dahlia bij zichzelf. *Dit is een antropologische oefening, meer niet.*

'Ik ben bijna klaar met bestraling,' zei ze, het enige niet-negatieve dat ze kon bedenken. Een eenvoudig gegeven.

'En wil je ons iets over je ervaringen vertellen?'

'Het was ruk,' zei ze. 'Maar niet zo erg als chemo straks.'

Ze bleef komen omdat ze behoefte had de eentonigheid van het leven 'thuis' te doorbreken, van een leven dat onderbroken was, van tijd die stilstond. En ze moest toegeven dat ze het er fijn vond, ook al hield ze zich meestal gedeisd. Ze had gehoopt het onderwerp medische marihuana aan te snijden. En dan met name waar ze die zou kunnen krijgen. Alles in de geest van optimisme, natuurlijk.

Zes weken bestraling hadden haar tot op het bot uitgeput. Het was het toppunt van vermoeidheid, de gouden standaard van uitputting. Ze had dat kwaaiige kale roze plekje, ongeveer tweeënhalve centimeter in doorsnee, als een bewijs van behandeling aan de linkerkant van haar hoofd. Het was volmaakt glad en afgesleten, als kaalheid met het merkwaardigste patroon aller tijden. De radioactieve straal, die op weg naar de tumor altijd hetzelfde plekje aanviel, had haar getekend. O ja. Laten we de tumor niet vergeten. De losgeslagen rocker die de hotelkamer van Dahlia's bestaan vernielde.

'Je moet je kanker niet googelen,' zei Rick tegen ze. 'Luister naar je artsen, luister naar je lichaam, luister naar jezelf. Spaar je energie.'

Twaalf weken na het stoppen met de bestraling volgde chemo, in pilvorm, wat precies was zoals je altijd hoort: meedogenloos, ellendig. Ze werd er zieker dan ziek van. Ze moest dertig dagen lang elke dag een Temodal slikken, dan dertig dagen adempauze (een medicijnvakantie), dan weer dertig dagen wel. En dan? En dan, en dan, en dan? Ze zouden moeten afwachten. En dan. En dan.

Dahlia voelde zich vager worden. Vervuild, wazig, lethargisch, afgestompt: ze was moe. Ze had geen honger. Haar darmen waren een puinhoop.

Haar moeder spoorde Dahlia aan zich voor chemo mooi te kleden.

'Wat trekken we vandaag aan?' vroeg Margalit, alsof ze corpsmeisjes waren. *Een gids voor badgirls om kanker te verslaan* (het boek dat Margalit had uitverkozen) stond erop dat zelfs de ziekste badgirl werk maakte van haar uiterlijk ('Als je er goed uitziet, vóél je je ook goed!'). Zulke dingen beweerde Gene tenminste niet. Bedankt in elk geval daarvoor, Gene. Want jezus, nee, genderstudies was een van Dahlia's hoofdvakken geweest. Ze begreep maar al te goed wat 'Kleed je mooi aan voor chemo!' eigenlijk betekende: dat het niet genoeg was om je Diagnose te Begrijpen, alles van de Zonnige Kant te bekijken, om een Second Opinion te vragen, in je Behandeling te Geloven (ha!), voor het Leven te Kiezen én een vervloekt Sociaal Netwerk te zoeken, om te beginnen. Als je er niet leuk uitzag, had je geen recht van leven.

Je kon ook op Margalit rekenen voor de gestage aanvoer van verhalen over hoe anderen – mensen die op de een of andere manier béter waren, werd impliciet bedoeld – hun lot onder ogen zagen. Kennissen van de Fingers, Helene en Arnold Mendel, hadden een zoon gehad die kanker had gekregen. Dahlia kon zich Helene en Arnold slechts vaag herinneren. Hun zoon was een verlegen jongen geweest die op de joodse dagschool een klas hoger had gezeten en zijn handen niet van zijn piemel kon houden.

'Botkanker,' zei Margalit. 'Iets pijnlijkers kun je je niet voorstellen.'

'Ja, dat is kut,' zei Dahlia met gesloten ogen. Die chemopil hakte erin. Ze beeldde zich haar misselijkheid in als een mechanische stier die ze een keer had gezien in een lullige bar in Lower Manhattan: je moest je lichaam de andere kant op smijten en het ding tegelijkertijd volgen om erop te blijven.

'Weet je wat Helene en Arnold zeggen?' vroeg Margalit.

'Nee. Wat zeggen Helene en Arnold?' Je moest erop vooruitlopen, je weren tegen verrassingen, elke schok en golf voor lief nemen. Als je een bepaald type lijpe gast was kon je zelfs doen alsof je het leuk vond.

'Helene en Arnold zeggen dat Andrew niet één keer geklaagd heeft. Nooit.'

'Klinkt als een bikkel.' Zodra je het vat op je liet krijgen, zodra je 'Wo hé!' zei was je de klos, wat vervolgens een onvermijdelijkheid zou lijken waaraan je veel vernederende energie had verspild.

'Helemaal nooit.'

'Wil je dat ik met hem uitga of zo?'

'Hij is gestorven. Vorig jaar.'

'O.'

'Hij schreef gedichten over dat hij genoot van elke minuut van zijn leven, elke minuut die hem gegeven was. Helene en Arnold hebben me er een paar gestuurd toen ze over jou hoorden.' Margalit zwaaide met een bundel uitgeprinte mailtjes. 'Ze zijn heel mooi.'

Dahlia zag zichzelf wild zwaaien, haar tieten onbetamelijk heen en weer zwiepend, het gevaarte bokkend op zijn plek, een groep vreemdelingen juichend en joelend dat ze eraf moest vallen. Om, zoals ze dat zeiden, in het stof te bijten.

'Luister: "Ik leer van de hemel en de sterren. Ze weten niet hoeveel tijd er nog rest, maar ze blijven schijnen, schijnen, schijnen, hun schoonheid is voor iedereen, als juwelen bewolken ze de hemel. Herinneren ons eraan dat het leven kostbaar is."'

'Wat is dat voor bagger?' Als je je erdoor liet verrassen, was je de lul. Dan viel je eraf, en was iemand anders aan de beurt.

'Het is een gedícht, Dahlia.' Margalit fronste haar wenkbrauwen, haar kin naar voren gestoken alsof ze op het punt stond met haar diagnose te komen: negativisme! De verpleegsters zouden komen aanrennen om Dahlia's ziel een schok toe te dienen.

'Ik ben geen expert, maar het is geen gedicht alleen maar omdat de dode zoon van Helene en Arnold zegt dat het een gedicht is.'

'Ik vind het mooi. Het is een mooi gedicht.' Margalit had tranen in haar ogen. 'Deze jongeman is dóódgegaan, Dahlia. Toon een beetje respect.'

Dahlia zoog een overdaad een lucht in. 'Bullshit,' hoestte ze uit.

'Ik vind dat hij een mooie levenshouding had.'

'Het is ook geen gedicht omdat hij toevallig dood is.'

'Daar gaat het niet om! Het gaat erom dat hij een mooie levenshouding had.'

Margalit nam de vrijheid zich namens Dahlia mooi te kleden. Als Dahlia stond op een joggingbroek was dat haar probleem. Dahlia gaf blijkbaar 'te weinig om het leven om een beetje moeite te doen voor [haar] uiterlijk', en dat was pech voor haar. Margalit maakte het tot haar levenstaak om Dahlia's chemo met aplomb tegemoet te treden. Kanker was geen excuus om er slecht uit te zien. Ze droeg haar Turkse sieraden, haar met bergkristal bezette turkooizen vlinderleesbril aan een kralenkettinkje, omvangrijke kasjmieren poncho's, verfijnde, exorbitant dure suède schoenen met platte hak, donkerrode lippenstift (een tint van Chanel die – Dahlia kon het nauwelijks geloven – *Deadly* heette).

Dahlia voelde zich een beetje alsof ze loos alarm had geslagen, want chemo was wreed. Ook als ze eerder wel iets van dat stralende optimisme had gehad (en oké! Dat had ze niet!), zou dit een zware uitdaging voor haar geweest zijn. In elk geval was het een feit: ze had nu alle recht om zich kut te voelen. Wie kon het haar kwalijk nemen? Gene? Echt, wáág het eens, man.

Ze was uitgeput. Ze was misselijk. Ze had geen honger. Ze wilde dood. Haar haar viel in dikke plukken uit, haar huid was droog, jeukerig, schilferig, vervelde. Margalit kocht poepchique lotion van La Mer, met een roze en groen lint erom.

Dr. C., die elke week de behandelkamer binnen kwam waaien, vroeg haar naar de symptomen en keek nauwelijks op van haar behandelrapport. Toen ze duidelijk maakte wat ze bedoelde – eh, nee, het ging níét goed – liet hij het rapport eindelijk voor wat het was en keek op naar haar, zijn o-zo-waardevolle blik koel en vertroostend als lotion uit Frankrijk gemaakt van de moederkoek van minderheden zonder stemrecht.

'Ben je ertegen om marihuana te gebruiken?'

'Nee,' antwoordde ze, en inwendig klikte ze haar hakken tegen elkaar. 'Ik ben er niet tegen om marihuana te gebruiken.'

De wiet was ongelooflijk. Geen enkele klacht, Gene. Het was de beste shit aller tijden. Ze bleef maar roken. Thuis keken ze meerdere malen naar Dahlia's lievelingsfilms. Dahlia gaf haar joint door aan Bruce, die terugdeinsde en bedankte.

'Is het nooit bij je opgekomen dat ik misschien ook wel wil?' vroeg Margalit.

Dahlia gaf hem aan haar.

'Ik was hier vroeger gek op. Orly had een vriend die het verkocht. We zijn een keer met hem naar Amsterdam gegaan, maar hij leerde een Nederlandse sjikse kennen en is nooit meer weggegaan. Orly was er kapot van.' Ze hield hem onbeholpen vast, alsof het een sigaret was, met een irritant, schalks glimlachje, waarna ze te diep inhaleerde en de rook te snel weer uitblies. 'Maar volgens mij werkt het niet echt. Ik voel niks.'

Dahlia pakte de joint terug en stak haar hand weer uit naar haar vader. 'Pa.'

'Ik wil niet, La,' zei Bruce lachend.

'Kom op.' Ze wuifde hem heen en weer.

'Nee, dank je,' zei hij zwakjes.

'Hier,' zei Dahlia.

Bruce keek blozend naar Margalit, van zijn stuk maar geamuseerd. 'Ik geloof niet dat ik dat spul lekker vind.'

'Dat is waar,' zei Margalit, alsof ze het zich zojuist herinnerde, met een smalende glimlach. 'Dat is waar, hij vindt het niet lekker. Hij wilde het nooit met me doen.' Ze keken elkaar aan, de som van alle genegenheid, wrok en verraad die ooit tussen hen was bestendigd samengebald tot een moment. Ze had hem aangespoord wiet te proberen toen ze in 1971 kampeerden in Galilea. Hij had zijn bedenkingen gehad, zij was zonder hem high geworden en had urenlang geflirt met een andere man, waarna Bruce had toegegeven, een paar trekjes had genomen, en de rest van de nacht paranoïde had zitten flippen bij het uitdovende kampvuur en moest toekijken hoe zijn vrouw de andere man om haar vinger wond. En dat allemaal duizend jaar geleden, leek het wel.

'Probeer het,' zei Dahlia. 'Voor mij.' Ze zette haar beste ik-heb-kanker-gezicht op. 'Alsjeblieft?' Het was een belachelijke manipulatie, een van de vele absurditeiten. Maar echt: niemand 'houdt niet' van wiet. Iedereen die meent dat ie er niet van houdt moet gewoon chillen en er wel van houden. Ze keken *Crimes and Misde - meanors.* Jerry Orbach leek sprékend op Bruce, en Anjelica Huston heel erg op Margalit. Voor het eerst besefte Dahlia hoe Woody Allen de onbeholpen en vaak herhaalde metafoor van licht dat uitging gebruikt had om nadruk te leggen op morele tekortkomingen en moordlustige neigingen, levens waaraan een eind kwam.

Bruce pakte de joint aan. 'Hoe doe ik dit?' Hij glimlachte ongelukkig, bereidwillig. Dahlia wilde dit heel graag samen met hem doen. Raak Stoned met je Vader en Kijk Goeie Films, zou ze iedereen hebben aangeraden die nog steeds door Begrijp je Diagnose en Geloof in je Behandeling ploeterde. Ze wilde tot in de eeuwigheid stoned zijn en films kijken met haar lieve vader Bruce. Voeg hier een ongepast en onjuist citaat van Freud in.

Voorzichtig pakte ze de joint weer aan. 'Zo,' zei ze, en ze liet zien hoe ze hem tussen haar duim en wijsvinger vasthield. Met haar blik op hem gericht inhaleerde ze, hield de rook binnen, bracht de joint naar beneden, wachtte even en blies toen de lange grijze tunnel van welbehagen uit. Vervolgens knikte ze bemoedigend en gaf hem terug. Bruce nam een flinke hijs, als een prof.

'Goed zo!' zei Dahlia tegen hem. Hij lachte treurig, maar hield de rook manhaftig binnen, waarna hij hem heftig uithoestte. Maagdelijke longen.

'Het doet niks, *noe*?' zei Margalit. 'Ik voel niks. Ik voel níks.'

'Ja,' lachte Dahlia. 'Dat weten we.'

Twintig minuten later liepen ze om het kookeiland en plunderden de koelkast als een stel tieners. Dahlia danste min of meer op een dom melodietje dat alleen in haar hoofd werd afgespeeld. High voelde Dahlia zich normaal. Ze voelde zich zichzelf. Ze voelde zich sterk en klaar om alles te doen wat je moest doen om te overleven. Ach ja, dacht ze. Een sociaal netwerk. Oké.

'Ik wil hier wat van,' zei Margalit, en ze pakte een bakje met hummus en eentje met zwarte olijven uit het vriesvak. 'En wat van dit,' zei ze, en ze haalde de sluitstrip van een plastic zak met verse dikke zoute pitachips. 'Oooh, *jaffee meod!*'

Hoe Margalit van het leven genoot, het allemaal tot zich nam, zoveel ze maar kon, meer en meer: je moest je er wel over verwonderen. Ze had Dahlia en Bruce (en, oké, ook Danny) onnoemelijk veel pijn en leed bezorgd met die gulzigheid, die honger, het monomane najagen van wat ze ook maar wilde, wanneer ze maar wilde, maar toch moest je ook bewondering voor haar hebben. Hoe zou het leven zijn als je gewoon maar schaamteloos deed waar je maar zin in had? Geen verwijten, geen schaamte, geen reserve. Dahlia had bijna respect voor haar moeder. Wat een type.

Margalit schurkte tegen Bruce aan, die zich half opgelaten, half smoorverliefd voelde.

'Hier,' zei ze, en ze plukte een druif van de tros en bracht hem naar Bruce' lippen. 'Wil je een druif, *Bruti*? Hier, een druif.'

En net zo plotseling als ze zich oké had gevoeld (net zo plotseling als die lange, grijze tunnel van uitgeblazen welbehagen), bleef Dahlia met een mond vol koek stokstijf staan, en besefte ze dat a) ze een hersentumor had, en b) elke illusie van steun niet meer was dan dat. Een illusie. Haar vader lachte eigenaardig en week achteruit.

'Prima, dan neem je geen druif,' zei Margalit. 'Je bent saai. Jullie zijn allebei saai! Jullie vervelen me.'

Bruce haalde zijn schouders op – het zal wel – deed een stap naar voren en greep de druif met zijn mond. Daarna ging hij weer rechtop staan en kauwde er grijnzend op.

Dahlia keek ongelovig en geïrriteerd toe hoe hij nog een druif pakte en hem in Margalits mond mikte, en er vervolgens nog één in de lucht gooide en hem opving in zijn eigen mond. Ze giechelden en zagen er antiek en halfgaar uit. Bruce was wat afgevallen, en de onherbergzame valleien in zijn gezicht leken extra geprononceerd. Margalits handen begonnen er levervlekkerig en dooraderd uit te zien – hoe had Dahlia dat nooit kunnen opmerken? Maar daar stonden ze: giechelend. Dahlia voelde zich buitengesloten, alsof ze weer een kind was.

Danny (tegen die tijd had hij zichzelf omgevormd tot de monosyllabische, pissige, hatelijke 'Dan') was toen Dahlia twaalf was vertrokken naar de universiteit, maar hij was natuurlijk al jarenlang weg, verdwenen in zijn eigen wolk van puberale minachting voor alles en iedereen, een weerzinwekkende vreemdeling voor zijn ouders, zijn zus en waarschijnlijk ook voor zichzelf, hoewel dat absoluut geen troost was.

Arme Dahlia was net een stomme puppy, zo eentje die zich met grimmige loyaliteit en achterlijk optimisme keurig gedraagt voor een eigenaar die het heerlijk vindt hem af te ranselen. Ze schreef hem brieven. Ze stuurde hem collages en grappige nepdagboeken (*Een week uit het leven van een brugklasser*, door Dahlia Finger). Ze maakte cassettebandjes voor hem, waarmee ze probeerde te bewijzen dat ze cool was, dat ze slim was, dat ze misschien toch wel een béétje van zijn aandacht en liefde waard was. Waar waren al die aandacht en liefde gebleven? Ondanks alles geloofde ze er heilig in – ze wist zeker dat ze niet verdwenen waren, ze hadden zich gewoon verschanst achter een rots of een boom en lagen er vast en zeker nog voor een eerlijke vinder. Dat was ware overtuiging, oprecht en waarachtig religieus geloof: volharding hoewel er geen enkel bewijs was. Dahlia weigerde haar definitie van hun relatie te herzien. Ze was zijn lieveling, zijn kleine meisje, zijn favoriete persoon op aarde. Hij was haar beste vriend, ook al bleek in alles het tegendeel. Oké, de laatste jaren was hij een enorme sadist geworden en liet hij haar struikelen, waarna hij naar haar wees en blaffend lachte wanneer ze op de grond lag, zelfs wanneer ze pijn had. En natuurlijk, hij kwam nooit dichter bij genegenheid dan met het oude ik-raak-je-niet-aan-trucje, waarbij hij zijn handen een paar centimeter van haar gezicht en haar lichaam hield, en weigerde haar met rust te laten ('Ik raak je niet aan! Wat is er nou? Ik raak je niet aan!'). Goed, dus ja: hij genoot ervan haar zich stom te laten voelen/voor gek te zetten, haar in de hoek te drijven zodat ze haar eigen glazen ingooide. De methode die altijd slaagde – ze trapte er godverdomme elke keer in – ging ongeveer als volgt: 'Hé, sufkut, hoe vond je *Oorlog en vrede*?'

Dahlia had het natuurlijk niet gelezen – ze was twaalf! – maar ze wilde heel graag dat ze dat wel had gedaan. Danny begon niet elke dag een gesprek met haar. Ze zou alles doen wat nodig was om zijn aandacht vast te houden. Godsamme, hij was haar maatje! Haar bondgenoot! Haar geliefde grote broer!

'Ja.'

'Wat vond je het mooiste stuk?'

Shit.

'Ik weet het niet.'

'Vond je het leuk toen ze allemaal in de rivier sprongen en rond-spetterden?'

O, dank u, God.

'Ja!'

'Dat zit er helemaal niet in, lelijk stuk stront dat je d'r bent.' Ge-volgd door de hondsdolle lach. Het resultaat was dat Dahlia net zo voorlijk werd als elke jonge tiener die je ooit bent tegengekomen: ze las alles wat ze maar kon bedenken, werd een expert in het doorzoe-ken van Danny's kamer en maakte zich alles wat ze vond eigen – het muzikale oeuvre van U2, het verzamelde werk van John Knowles, god, zelfs de jaarboeken van Danny's middelbare school. Ze be-zwoer dat ze klaar zou zijn, klaar voor wat hij ook maar in petto had, klaar om de juiste antwoorden en referenties te geven om voor eens en altijd zijn genegenheid terug te winnen. Ze zou meer weten over wat hij wist, meer over zijn leven dan hijzelf. Dan zou hij toch zeker moeten ophouden haar te kwellen. Dan zou hij toch zeker weer haar maatje moeten worden.

Als ze zichzelf een mislukkeling noemde, dom, lelijk, stom, klun-zig, zou hij zich dan wellicht verwaardigen zijn grotebroerlicht weer op haar te laten schijnen, al was het maar een minuut? Als ze een cassettebandje voor hem maakte? Als er artiesten op het bandje stonden die ze zelf had opgeduikeld, ogenschijnlijk obscure muzi-kanten van wie zelfs Dan nooit had gehoord? Mark Knopfler, Taj Mahal, Brian Eno?

Margalit was teruggebracht tot haar naar links hellende hand-schrift op luchtpostpapier. Ze was een handjevol keren terugge-keerd naar LA, elk bezoek moeizamer dan het voorgaande. Ze kwam naar huis, walste hun leven weer in alsof ze nooit was wegge-weest, en werd vervolgens woedend als ze ambivalent of afstandelijk leken. 'Geen wonder dat ik niet bij jullie wil zijn! Jullie zijn vreselijke kinderen!' had ze de laatste keer in tranen uitgeroepen omdat Dahlia even had geaarzeld bij de welkomstomhelzing van haar moeder.

Bruce bleef er slecht aan toe. Het werd bijna een grap in de familie: aan het einde van Danny's laatste jaar op de middelbare school, in afwachting van een tafel in de Hamburger Hamlet met opa Saul en oma Alice, was Bruce zo afwezig dat hij even zijn eigen naam niet herkende.

'Finger?' had de gastvrouw gezegd. 'Bruce Finger? Tafel voor vijf?'

Het drong niet tot Bruce door.

'Pa,' zei Danny. Nog steeds niets. 'Pa,' zei Danny nogmaals.

'Finger?' herhaalde de gastvrouw. 'Een tafel voor Finger?'

'Pa!'

Bruce' ogen waren glazig, zijn gedachten ergens anders, opa Saul en oma Alice gelukzalig slechthorend en Dahlia was verward en bang.

'Pa. PA. PA-HAAAAA!'

Kalm kwam Bruce weer bij zinnen. 'O,' zei hij, en zijn blik werd weer helder. 'Ja. Finger.'

Danny ging naar de universiteit van Santa Barbara, waar hij vrienden bleef met dezelfde maatjes van kamp en de middelbare school, dezelfde jongens die jarenlang bij hen thuis waren langsgekomen: vreemde pubers, zijn teamgenoten van honkbal, zijn medebegeleiders van kamp. Ze kon nog steeds horen hoe ze hun favoriete zegening riepen: wanneer iets ook maar enigszins positief was, was het niet gewoon 'heftig' of 'gaaf' of 'cool'. Het was 'wreed!'

Hun stemmen weerkaatsten spookachtig tegen de muren, stroomden door het spelonkachtige huis van de Fingers, alomtegenwoordig en mysterieus tegelijk, vanachter gesloten deuren.

'Wreed!' De Dodgers waren 'wreed!' *Star Wars*: 'wreed!' Het feit dat de ouders van Debbie Dash de stad uit waren: 'wreed!'

Ze klonken als varkens ('wreed!'). Eng, bedreigend (*Ik zal je Danny Vingeren*, hoorde ze hen de hele tijd zeggen). Maar ze merkten

Dahlia nauwelijks op, gunden haar geen blik waardig als ze in hun buurt rondhing, in de hoop uitgenodigd te worden voor een soort sociale uitwisseling. Wat moet ze stom zijn overgekomen, als ze haar überhaupt al opmerkten. Een vreemd meisje, zonder twijfel. 'Oud voor je leeftijd', kreeg ze altijd te horen.

Wat was er gebeurd met haar familie? (Heel eenvoudig: haar-scheurtjes waren uiteindelijk enorme scheuren geworden waar-door eerdergenoemde poolgletsjers spleten en hele nieuwe kliffen vormden, met ijsschotsen die catastrofaal wegdreven naar zee.) De vroegrijpe Dahlia begreep veel dingen – de definities van 'fellatio' en 'geil', *A Separate Peace*, theorieën over de krachten achter het uiteenvallen van The Beatles – maar niet de simpele feiten over de belangrijkste kwestie: wat was er met haar familie gebeurd?

Margalit was komen opdagen voor Danny's diploma-uitreiking, en was net zo snel weer verdwenen, met parfum, zoenen en beloftes in haar kielzog. *Ima houdt van je! Ima mist je! Ima moet deze lente/zomer/herfst in Israël blijven! Ima kan niet wachten om je weer te zien!*

Toen 'Dan' (sorry, het was moeilijk om aan te wennen) in de herfst naar de universiteit was vertrokken, kondigde Margalit aan dat ze tot aan Dahlia's bat mitswa in Israël zou blijven. Ze kon die vanuit Tel Aviv helpen voorbereiden. Tante Orly had haar nodig. Tante Orly was weg bij haar tweede echtgenoot en probeerde een bedrijfje op te zetten dat sieraden en aanverwante artikelen maak-te; af en toe bezorgde de post haar spelden, brillenkokers en pillen-doosjes. Dahlia had er tientallen van: lelijke gelakte voorwerpen ge-maakt van oude kranten met schreeuwerige Hebreeuwse koppen.

'Nu zijn we nog maar met z'n tweeën, meid,' had Bruce gezegd nadat ze Dan hadden zien wegrijden in zijn topzware jeep, met op de bumper al een sticker van de universiteit geplakt. 'Zullen we naar de film gaan?'

Nee, ze wilde niet naar de film. Ze wilde afgezet worden bij het winkelcentrum met zijn creditcard, aan haar lot worden overgela-ten om zichzelf te troosten en op te beuren.

Bruce verdween in zijn vertrouwde waas van werk. Hij had zich afgesplitst en was zijn eigen bedrijf begonnen, en was erop gebrand zijn oude werkgever in de schaduw te stellen. 'De Zaak' was alomtegenwoordig, als een onzichtbaar derde kind met een zeldzame genetische afwijking dat voortdurend zorg en aandacht nodig had. Maar het ging beter met hem – niet voortdurend wijn uit karton meer, hij staarde niet langer hongerig naar vrouwen op straat, als een zwijgend, uitgehongerd dier. Hij kwam zelfs vaker 'onder de mensen', wat betekende dat hij een 'vriendin' had, besefte Dahlia.

Ze kwam een keer 's avonds eten, deze vriendin, een en al gemaakte kameraadschappelijkheid. Toen ze weer wegging haakte ze in bij Dahlia en vroeg: 'En, zijn er jongens op school die je leuk vindt?' en: 'Wat is je lievelingsvak?' De vriendin heette Dorel, wat klonk als een obscuur merk taxfree sigaretten die je op het vliegveld per slof koopt. Dorel was te jong voor Bruce, maar niet aanstootgevend jong. In de dertig en in een fase waarin ze open begon te staan voor oudere, gescheiden mannen met kinderen.

Dahlia genoot ervan de indruk te wekken dat Dorel een ouderfiguur/bondgenoot was, en nam het sluwe, prepuberale besluit eruit te halen wat er maar in zat.

Nu Danny weg was, was er een nieuwe, alarmerende stilte om aan te wennen. Geen 'wreed!' meer dat rondgalmde, geen verfoeilijke puberjongens die door het huis banjerden en melk rechtstreeks uit het pak dronken, geen honkbalwedstrijden met het geluid voluit.

Op aandringen van Bruce had Dahlia zich ingeschreven bij Westwood School, en ze was toegelaten. Westwood was het meest prestigieuze, prestatiegerichte bastion van sociale/academische hufterigheid in Los Angeles. Ze begon er in de brugklas en liet drommen geterroriseerde klasgenootjes van de lagere school achter. Geen openbaar onderwijs meer voor Bruce Fingers vroegrijpe prinses. Haar nieuwe klasgenoten waren ijzig, blond en rijk – en écht rijk, niet gewoon welgesteld, ze zaten er niet gewoon maar 'warmpjes bij'. Ze hadden hun éígen creditcards. Ze droegen hun plooirokjes zo kort mogelijk gezoomd, met boxershorts met ludieke patronen die eronderuit piepten. Ze hadden oudere zussen die voor hun zestiende verjaardag een gloednieuwe BMW-cabriolet kregen. Op hun geprononceerde sleutelbeenderen rustten ragfijne solitairs in witgoud van Tiffany. Ze was een grote vis in een kleine vijver geweest, nu was ze een kleine vis in een beduidend grotere vijver. Haar schrikbewind was definitief voorbij. Dahlia hoefde haar nieuwe klasgenoten niets te leren, die meisjes hadden vriendjes met wie ze al dingen hadden gedaan waarvan Dahlia geen idee had hoe ze die kon uitleggen of zich kon inbeelden. Hun moeders kochten designerkleding voor ze en maakten afspraken voor hen in kuuroorden. Ze droegen nooit twee keer achter elkaar dezelfde ludieke boxers.

En dan had je Dahlia: in de beginfase van ernstige, vroege puberbeharing, onlangs uitgerust met een buitenboordbeugel (die ze godzijdank alleen 's nachts hoefde te dragen), moederloos en zusterloos en solitairloos en alleen met haar vader, die 'waarden' had en haar dus slechts af toe de creditcard gaf om een zorgeloos, schuldbeladen middagje mee door te brengen. Ze bleef stug brieven schrijven aan Dan, bleef zijn studentenhuis bellen om een praatje te maken. In zijn afwezigheid kon ze absoluut alsnog een vriend van hem maken. Ze wilde hem over Dorel vertellen. Ze wilde dat hij haar dingen uitlegde, haar perspectief en inzicht bood. In de lege huls die zijn kamer nu was lagen geen tijdschriften meer waarmee ze kon uitvogelen hoe ze haar huidige leven moest begrijpen. Hoewel hij een beduimeld exemplaar van *The Catcher in the Rye* had achtergelaten, die ze in vervoering verslond. Oké, technisch gezien had hij het niet aan haar gegéven, maar ze besloot te geloven dat hij dat op zijn manier wel had gedaan. Dat het een doelbewust gebaar was geweest om het achter te laten in zijn kamer. Ze was zijn Phoebe. Zij hadden dezelfde band, het boek was het definitieve bewijs! Hij gedroeg zich dan misschien wel als een verdomde eikel, maar hij kon er niets aan doen ('Tieners!'). Ze was nog nooit zo zeker geweest van hun onwrikbare band. De oude Danny. De oude Dahlia. Ze was niet alleen, nee meneertje.

'Is Danny er?'

'Wie?'

'Dan. Dan Finger.'

'Weet ik niet.' Stilte. 'Hé, homo! Waar is die klootzak van een Finger?'

Gevolgd door een verre kakofonie van studentenhuisgeluiden, slaande deuren, ('gozer!', 'wreed!') tot Dahlia het opgaf.

Wanneer ze hem te spreken kreeg, kwam Dahlia met nieuwtjes en feiten – 'Pa heeft een vriendin' – in de hoop hem zover te krijgen iets gezinachtigs met haar te delen, wat hij op zijn beurt en zoals gebruikelijk weigerde.

'Feliciteer hem maar.'

'Ze heet Dorel.'

'Huh.'

'Westwood School is best heftig.' Haar stem sloeg over.

'Ik heb een idee, sufkut. Bel iemand die het wél iets kan schelen.'

Ze had geen vrienden. Vrijwel iedereen op Westwood School had met anderen op dezelfde lagere school gezeten. Er waren geen Joden. Ja, er waren mensen die technisch gezien Joods waren, maar er waren geen Joden. De tweelingzusjes Kantrowitz zaten een paar jaar hoger dan Dahlia en voor hun zestiende verjaardag kregen ze samen een bmw-cabriolet, wat niet meeviel, maar ze wisten zich te redden. En al hádden ze Dahlia een sociale reddingsboei willen toewerpen (wat niet zo was), ze zaten te veel klassen hoger en waren politiek te machtig om echt hulp te kunnen bieden. Ze zaten al in de vierde en waren verwikkeld in de strijd tegen een geniepig gerucht dat ze een ster van het basketbalteam van een privéschool in de San Fernando Valley beurtelings hadden gepijpt. Het waren zware tijden. Dahlia kon het ze niet kwalijk nemen. Ze was trouwens waarschijnlijk toch niet meer te helpen. Ze begreep het wel. Ze legde zich neer bij haar lot. Ze had dan wel een armbandje van Tiffany met een naamplaatje, maar ze was een loser en moest zich zien te behelpen.

Dat jaar kwam Saree Lansky voor Dahlia het dichtst in de buurt van een 'vriendin', een meisje met een beurs wier klassenbewustzijn en gevoel voor ongebreideld onrecht op de prille leeftijd van dertien al zo goed ontwikkeld waren, dat ze je precies kon vertellen hoeveel ieders kleding kostte, hoeveel haar ouders verdienden en hoeveel haar huis op de huidige onroerendgoedmarkt waard was. Dahlia werd min of meer vergeven dat ze toevallig min of meer rijk was, omdat ze lelijk en onpopulair was en een heuse ontluikende snor had en geen leuke kleren en een linkerborst die al duidelijk groter was dan haar rechter. Ze vormde geen bedreiging. Saree maakte deel uit van een ander soort scholier op Westwood: mismaakte, briljante, schonkige meisjes die niets liever wilden dan toegelaten worden tot een Ivy League-universiteit. Toegegeven, Julia G. behoorde daar ook toe. Dahlia paste niet echt bij die meisjes, die in het weekend proeftoelatingsexamens deden, qualitytime doorbrachten met ongebroken familie en Italiaans studeerden. Maar als nuttige vaardigheid in het leven, en al helemaal van toepassing op de middelbare school, was het belangrijk om te pakken wat je kon krijgen. Je kon niet kieskeurig zijn. Dahlia probeerde zich normaal te gedragen, had vluchtige vriendschappen met meisjes aan wie ze een hekel had, en verlangde er vurig naar steil haar en een moeder te hebben (in die volgorde).

Saree was bereid Dahlia uit te nodigen en op vrijdagavonden mee te gaan naar de film, en Dahlia was bereid te pakken wat ze kon krijgen, ook al was Saree Lansky eigenlijk helemaal niet leuk, met de aanzet van een slechte adem en het soort lichtgeraaktheid dat godsamme waarschijnlijk kanker tot gevolg zou hebben.

Pak Wat Je Pakken Kunt: Tips van Dahlia Finger om het Begin van de Puberteit te Overleven.

Dorel wilde steeds gretiger dat zij en Dahlia vrienden werden, en dat was tenminste iets, voor zolang het duurde. Ze gingen winkelen. Ze gingen naar de film. Het was een opluchting om een volwassen vrouw in de buurt te hebben; Dahlia had dringend advies nodig over die rottige gezichtsbeharing. Het was uitgesloten dat ze dat aan Bruce kon vragen, die naarmate de tijd verstreek steeds kwetsbaarder leek te worden. Ze had heel erg met haar vader te doen, en ze wilde hem niet onder druk zetten, kon zich er niet toe brengen hem met nog meer op te zadelen. Hij zag er zo treurig uit, zo uitgemergeld, zo ellendig. Ze was bijna bang dat ze hem zou vloeren. 'Dan' was al lastig genoeg; besloten in haar vaders trouwe hondenogen lag de smeekbede dat Dahlia hem als-je-blieft met rust zou laten. Hij stelde haar niet zozeer vragen over haar leven maar gaf er commentaar op. 'School gaat weer beginnen,' zei hij. Of: 'Het is dit weekend Halloween.' Dit moest volstaan wat betreft de opvoeding. Hij was bedeesd als hij in haar buurt was, zijn lieve kleine meisje dat zienderogen veranderde in dit lelijke, ongelijkmatige, besnorde *ding*. Hij geneerde zich niet alleen voor haar veranderende lichaam, maar ook voor het voortdurende, onuitgesproken gegeven dat hij haar op de een of andere manier in de steek liet. Hij wist dat hij haar in de steek liet. Ze wist dat ze in de steek gelaten werd. Er werd met geen woord over gerept. Weer een mislukking. En zo ging het, lagen van stilte en mislukking en stilte over de mislukking, tot uiteindelijk elk gesprek gevoerd werd alsof het plaatsvond via touw en blik over een diep ravijn van schaamte. Maar toch wilde ze haar vader niet lastigvallen. De arme man kon het niet aan.

Dahlia kwam het jaar door dankzij haar bat mitswa, de gebeurtenis waarop ze al haar hoop vestigde. Ze had het gevoel dat de middelbare school niet meer was dan een rotfase, een koortsdroom. Margalit had geen geloofwaardige reden het te missen, en Danny's aanwezigheid was ook vereist. Het hele gezin weer bijeen. Alles zou weer goed komen! Ze kon de brugklas alleen doorkomen door zich krampachtig vast te klampen aan haar fantasie van deze geweldige, unieke, helende gebeurtenis. Haar droombeeld gaf haar al bijna het gevoel deel uit te maken van een heus gezin. Ze sloeg het om zich heen alsof het een deken was.

'Doe jullie ogen dicht,' zei Rick aan het einde van elke groepsbijeenkomst, en Dahlia kon het niet laten de hare stiekem te openen om te zien of er nog iemand ongehoorzaam was. Maar nee, iedereen had zijn ogen dicht. 'Wanneer was alles in je leven precies zoals je het wilde? Ga terug naar dat moment en herinner je hoe dat voelde.' Dahlia keek de kring rond en vroeg zich af wat er zich afspeelde achter al die oogleden. Wat herinnerden ze zich? Naar welk moment waren ze teruggegaan? Het beste wat ze kon doen was zich de volmaakte momenten inbeelden die flikkerend vertoond werden op het filmscherm van de herinnering van ánderen. 'Neem dat gevoel mee wanneer je weggaat en verder vecht om beter te worden. Tot volgende week.'

De magische bat mitswa vond plaats in de week nadat de brugklas tot een barmhartig einde was gekomen. Bruce had ondanks zijn 'waarden' flink uitgepakt. Dorel nam een giechelige en dankbare Dahlia mee naar haar kapper op Canon Drive, die haar haar spectaculair föhnde en haar een prachtige, verfijnde bolle pony gaf, en naar een bruuske Armeense mevrouw in een wit uniform die binnen vijftien seconden op wonderbaarlijke maar pijnlijke wijze de helse snor verwijderde. Dahlia zag er helemaal niet uit als zichzelf, en dat was alleen maar goed. Margalit vloog naar LA met tante Orly in haar kielzog, om op het laatste moment wat voorwaarden te stellen: als Dorel aan de 'familietafel' zou zitten, zou Margalit niet komen. 'Het is ongepast voor haar om bij de familie te zitten, *Bruti*,' zei ze lieflijk, vastberaden.

Bruce had op zijn manier geprobeerd dit duidelijk te maken aan Dorel, die op haar beurt heel kwaad werd en besloot het hele evenement aan zich voorbij te laten gaan en de relatie voorgoed te beëindigen. Als de man het niet voor haar wilde opnemen kon hij barsten. Ze had dit niet nodig. Bruce had zich afzijdig gehouden op het feest: een schim, gekrenkt.

Dan had tenminste nog een beetje opgewonden geleken. Hij sloeg een paar rum-cola's achterover en hees Dahlia tijdens de *hora* op een stoel. Met behulp van drie anderen had Dan er plezier in de stoel hard en hoog de lucht in te knallen, haar ruw heen en weer te schokken tot Dahlia onvermijdelijk in haar fraaie bat mitswa-kleding van die grote hoogte – knal! – met de zijkant van haar gezicht op de geruite dansvloer terechtkwam, midden in een zee van zilverkleurige serpentines en een heel leger aan zich hysterisch aanstellende non-vriendinnen van Westwood School. De dagen erna was de paarsblauwe plek afgenomen tot blauw, groen en geel, waarna hij eindelijk verdween.

Evalueer je relaties

Wie is behulpzaam en liefdevol, en wie is veeleisend, niet behulp-
zaam? Waardoor voel je je goed en waardoor voel je je beroerd?
Het is tijd om iedereen los te laten die niet gewoon goed voor je is.

Niet dat Dahlia überhaupt veel mensen om zich heen had. Waar
waren haar voormalige vrienden, kun je je afvragen. Haar voormalige kennissen? Haar voormalige huisgenoten? Haar voormalige
geliefden? Inderdaad: waar?

In Leven Met Kanker ging het steeds weer over trouwen, scheiden, affaires, gevallen van net-niet. Kinderen, echtgenoten, vrienden. En dat veel van eerdergenoemden er gewoon niet tegen opge-
wassen waren.

'Ik heb 's nachts vreselijke zweetaanvallen,' zei Eierstok-Carol,
en iedereen knikte. 'En ik heb steeds het gevoel dat Tim zijn geduld
aan het verliezen is, weet je wel? Hij probeert me wel te steunen en
lief voor me te zijn, maar midden in de nacht merk ik dat hij echt
wil dat ik me gewoon rustig houd zodat hij voor het eerst in God
mag weten hoe lang een nacht fatsoenlijk kan slapen. En ik kan het
hem niet echt kwalijk nemen, want dit moet vreselijk voor hem
zijn.'

'Het klinkt alsof het voor jou ook niet meevalt,' zei Rick dan.

Of Ruth Ann begon met: 'Ik werk aan mijn testament', om tien
minuten later te eindigen met: 'Allison is nog niet één keer komen
helpen, en Jamie is er echt elke dag, en klopt het wel dat ik ze allebei
een even groot deel geef? Ik bedoel, ik heb niet eens meer het gevoel
dat Allison mijn kind is, en ze is getrouwd met die vreselijke zak,
terwijl Jamie er altijd gewoon voor me is.'

'Het is normaal om boos te zijn als degenen van wie we houden ons teleurstellen,' zei Rick.

Door kanker zullen je relaties in scherp daglicht komen te staan. Mensen van wie je dacht dat het goede vrienden waren kunnen af-standelijk en weinig behulpzaam blijken, en degenen die je voor lief nam, staan je misschien bij op een manier die je versteld doet staan.

Dahlia had dertig dagen vrij van chemo voor ze weer dertig dagen moest. Een medicijnvakantie.

Zaadbal-Bart stelde voor sushi te gaan eten in Malibu.

'Wat ben je toch een lieverd,' zei hij tegen haar. Haar eetlust be-gon langzaam maar zeker terug te komen. 'Ik weet zeker dat je er-bovenop komt.' Na de *miso*-soep en *edamame* pakte hij zijn aktetas en haalde er een exemplaar van Het Boek uit. 'Dit moet je lezen, als je dat nog niet gedaan hebt. Ik meen het. Het is top.'

'Ik ken het goed,' zei ze tegen hem.

'Echt? Wat goed! Waar ben je?' Hij bladerde naar de inhoudsop-gave en legde het boek open op tafel. Aan zijn linkerpink droeg hij een magnetische energiering.

'Ik evalueer m'n relaties,' zei ze met een zucht, en ze wendde haar blik af.

'Dat is echt een keerpunt.' Hij keek haar stralend aan. 'Dat was echt een eyeopener voor me. Ik heb met iedereen die ik ken vrede gesloten, en ik heb me nog nooit zo goed gevoeld. Jij gaat die kan-ker overwinnen, Dahlia.'

Ze hing meestal maar wat rond, alleen of met Bruce, en bedankte voor Margalits overdreven voorstellen om 'een manicure en een pedicure!' te laten doen, gaf zich over aan de bezigheden van de rij-ken, de rijke werklozen en de zieken: surfen op het net, high wor-den, rondlopen op de boulevard van Third Street, af en toe een ma-tinee, middagen plannen rondom de aanschaf van een caffè latte of twee bij een modieuze keten die caffè lattes aan de man bracht, uit-slapen en cadeautjes voor zichzelf kopen. Tweemaal per week de praatgroep. Om de andere dag winkelen in chique biologische su-permarkten en snacken als een koningin. De instructies van dokter C., de praatgroep en Gene waren vrij duidelijk: neem rust, wees aardig voor jezelf, doe het rustig aan. Hé, moet lukken.

Bruce was zorgzaam en toegeeflijk.

'Wat zullen we vandaag gaan doen?' vroeg hij. 'Een strandwandeling?'

De chemovakantie gaf Dahlia ten onrechte een gevoel van welzijn. Haar besef ging niet verder dan het feit dat ze iets slechts had doorstaan, dat ze ziek was, dat het Foute Boel was, en daar stopte het: het vagevuur van kanker. Ze hoefde een maand lang alleen maar een diepe, kosmische ademteug te nemen.

Ze bestonden in een tijdloze luchtbel, zij en haar vader, wereldse zorgen waren uitgeroeid, er was slechts het leven van het lichaam en de geest. Wilde ze naar de film? Wilde ze de krant lezen? Wilde ze naar de Hockneytentoonstelling in het LACMA?

'Wat je maar wilt, meisje,' zei hij. 'Wat je maar wilt.'

Mara belde om te kijken hoe het ging. Dahlia mocht in haar vorige leven – op een bepaalde manier heel lang geleden – graag grappen dat ze geen ziektekostenverzekering nodig had.

'Ik heb jóú, lieverd!' zei ze in elk kortstondig telefoongesprek dat Mara met moeite met haar voerde tussen de rondes die ze moest lopen voor haar studie geneeskunde. 'Jij kunt voor me zorgen als ik ziek word. Ik ben blij dat maar een van ons een prutser is. Hoe gaat het daar?'

Mara nodigde Dahlia uit naar Boston te komen. Een vakantie van haar medicijnvakantie.

'Je hebt nog een paar weken voor je volgende ronde chemo,' zei Mara. 'De bladeren zijn al aan het verkleuren.'

Dahlia moest denken aan Debra Winger die ten dode was opgeschreven en naar New York ging om Patsy op te zoeken, waarna ze alleen maar als een bezienswaardigheid werd rondgereden: Zieke Vrouw, voorwerp van medelijden en fascinatie. *Terms of Endearment* lag nog vers in haar geheugen. Zouden ze die moeten huren? Het zou misschien leuk zijn om die met Margalit te kijken, om Margalit te zien huilen.

'Ik wil niet.'

'Kom op, Dahl. Het wordt leuk! Ik heb een paar mensen gesproken die het prima vinden je te onderzoeken terwijl je hier bent.

Mass General is een van de beste ziekenhuizen voor jouw soort tumor. Praat gewoon met een paar mensen hier, bekijk een paar opties. Misschien heeft iemand wel andere ideeën. Kan geen kwaad.'

O, was dat zo? Dahlia wilde nergens naartoe. Ze wilde nietsdoen. Nietsdoen voelde eindelijk oké. Vroeger, toen er níks Mis was, voordat er íéts Mis was, werd ze geplaagd door schuldgevoel en schaamte wanneer ze een middag plande rondom het aanschaffen van een caffè latte. Nu was het prima! En ze ging dat niet verknallen met productiviteit, hoe weinig ook. Echt niet. Ze wendde zich tot Gene voor zijn zegen. Misschien een *Doe lekker waar je zin in hebt!* Of: *Laat niemand naar je toe komen met een agenda – je tijd is van jou zelf, en kostbaar.*

Ze kwam niet verder dan: *Waar voel je je goed over, en wat baart je zorgen of maakt je van streek? Laat absoluut geen ruimte voor iets wat niet ronduit positief is, iets wat niet goed aanvoelt of, hoe hard het ook kan zijn, iemand die niets bijdraagt aan je welzijn.*

'Ik ben gelukkig hier,' zei Dahlia. 'Ik ben moe.' Mara ging er niet tegenin; wanneer had Dahlia ooit gemeld dat ze ergens 'gelukkig' was? Tegen een kankerpatiënt kon je sowieso niet in gaan.

Mara was niet zozeer slecht, maar de pijnlijke waarheid, Gene, was dat Dahlia uiteindelijk élke relatie 'veeleisend' en negatief vond. Elke poging tot begrip. De opgave om een ander menselijk wezen een plaats te geven: al met al onmogelijk. Met andere mensen samenwonen, op een willekeurig moment proberen te krijgen wat je nodig hebt: niet te doen. Voeg daar nog de verwachting bij dat Dahlia op de een of andere manier actief moest meewerken aan de strijd tegen haar ziekte, met iemand van Mass General moest praten, en bedankt, maar nee.

Mara was halverwege de derde klas op Westwood School opeens opgedoken, net toen Dahlia op het punt stond haar lot te accepteren: vluchtige vriendschappen met meisjes aan wie ze een hekel had. Saree Lansky had het dat jaar voortdurend over het voorgoed ontkrullen van haar haar gehad, als ze niet dwangmatig bezig was om tienen te halen.

'Waarom begin je hier nu pas?' vroeg Dahlia Mara tijdens algebra, aangezien de lente niet echt het moment was om van school te veranderen.

'Omdat mijn vader is doodgegaan.'

Dat was een geweldig antwoord, zonder echt een antwoord te zijn.

'O,' zei Dahlia. 'Rot voor je.'

'Whatever.'

Dahlia ging ervan uit dat Mara zich wel zou aansluiten bij een bepaalde groep – waarschijnlijk zelfs wel bij een coole groep, gezien haar mooie, stevige lichaam, haar doordringende groene ogen, haar vlotte gordijn van steil, glanzend haar – maar Mara was tot diep in maart een eenling gebleven, en leek met niemand vriendschap te willen sluiten. Luchtig ging ze in op Dahlia's avances. Saree Lansky en haar schonkige, pluisharige, puisterige kliek van toekomstige Ivy League-gangers behoorden opeens tot Dahlia's verleden, en gelukkig maar. Ze had een échte vriendin. Dan weer kamden ze op zaterdagmiddagen Wasteland op Melrose Avenue uit, op zoek naar Chinese overhemden van geborduurde zijde en tweedehands Levi's, dan weer pleegden ze vrijdagavond een neptelefoontje naar Joey Tanenbaum, of ze kletsten 's avonds laat urenlang aan de telefoon, over hun wiskundeleraar die een uur in de wind stonk maar op een verdorven manier toch wel een lekker ding was.

Mara repte met geen woord over de mysterieuze dood van haar vader, of over hemzelf, of over haar leven met haar beleefde, afstandelijke moeder. Er klopte iets niet. Het onderwerp vaders, of het vaderschap in het algemeen, was verboden terrein. Aan het begin van het vijfde jaar beging Dahlia de vergissing om zijdelings de situatie 'met je vader en zo' ter sprake te brengen, en Mara had haar ogen samengeknepen tot messneetjes en haar gezicht was verstrakt. 'Sorry,' had Dahlia krampachtig gezegd, en hoewel ze geen idee had waarvoor ze zich verontschuldigde, wist ze heel goed dat ze te ver was gegaan. 'Whatever,' had Mara gezegd, maar niet lang daarna waren ze merkbaar uit elkaar gegroeid. Het feit dat de doodsoorzaak van Mara's vader een geheim was, was op een of andere manier veel treuriger dan het feit dat hij überhaupt dood was.

'Oké,' zei Mara vanuit Boston, verslagen. 'Wat je wilt. Maar hou het in je achterhoofd, goed? Je bent welkom.' Mara keurde Dahlia's passiviteit overduidelijk af, haar gebrek aan emotie, deze vreselijke laksheid.

Maar Dahlia wilde nergens heen. En ze wilde al helemaal geen manicure/pedicure met Margalit. Fuck Margalit.

'Laten we naar de Golden Door gaan! Of hoe heet die ene in Mexico? Weet je nog, *motek*? Waar we na je eindexamen heen zijn geweest?' Ze hadden vijf dagen doorgebracht in een ranzig oord, waar ze levend werden opgegeten door insecten, in hun omelet van eiwit prikten, aan een groenig zwembad lagen en net deden alsof het mollige meisje uit Chicago later niet alles uitkotste wat ze in haar mond stopte. Het reisje was Margalits cadeau aan Dahlia geweest. En het was meteen al verpest toen Margalit Dahlia had beschuldigd van een 'onaangename' houding. ('Je bent een ondankbaar kreng, wist je dat? Het spijt me dat het hier niet naar je zin is. Echt walgelijk, deze meid. De hele wereld is je zeker iets verschuldigd?' Het had geen zin om tegen elk van die punten in te gaan. Het resort wás ranzig en het was geen kwestie van dankbaarheid. Dahlia was zich er heel goed van bewust dat niet iedereen na het eindexamen naar een ranzig resort ging. Het was niet zo dat Dahlia liever naar een fijn resort was gegaan of zo, ze wilde thúís zijn, op de vloer van haar slaapkamer naar de Indigo Girls liggen luisteren en *Het land Prozac* lezen. Ze waren twee dagen eerder dan gepland vertrokken.)

Je kunt zeggen wat je wilt over haar mate van volwassenheid en zelfbewustzijn, maar Dahlia had in elk geval geleerd reisjes met haar moeder te vermijden. Ze had er alleen vreselijk lang over gedaan om daarachter te komen. Toegegeven: ze was het er het grootste deel van haar leven geen kei in geweest haar relaties te beoordelen. En nu heeft ze kanker.

Eindelijk werd voor haar gepland dat ze de zomer na de derde klas zou doorbrengen met Margalit in Israël (haar verdwenen moeder! Herinner je je Margalit nog?). Dat was een happening, vooral na jaren vol verijdelde bezoekjes waarin ze haar moeder nauwelijks had gezien. Oké, het was dus duidelijk dat haar ouders uit elkaar waren. Het kwartje was eindelijk gevallen. ('Goed werk, Sherlock,' had Dan haar toegesnauwd toen ze de moed had opgevat er tegen hem over te beginnen: '*Ima* en *abba* zijn uit elkaar, hè?') Misschien werden haar hersenen te zeer in beslag genomen door de taak haar menstruatiecyclus op gang te krijgen. Haar lichaam had het toentertijd maar druk. Grote klussen. Aangezien haar verdomme nooit iets werd verteld kon het voor het onderbewustzijn van een veertienjarige die elk moment een vrouw kon worden geen prioriteit zijn geweest om het niet-huwelijk van haar ouders volledig te doorgronden.

Toen het feit uiteindelijk tot haar suffe bewustzijn was doorgedrongen – O, haar ouders waren uit elkáár! Daarom was haar moeder teruggegaan naar Israël! Daarom was er slechts de vage herinnering aan een normaal gezin! Dat was het! Natúúrlijk! – was het kennelijk al oud nieuws. Een ondubbelzinnige waarheid, die allang bestond en waardoor je je verbolgen en vernederd voelt omdat je haar niet eerder hebt bevat, zoals het feit dat roken, asbest en synthetische hormonen kanker veroorzaken. (Net zoals parabenen, smog, hartzeer, zelfzuchtige moeders, incapabele vaders, sadistische grote broers, privéscholen, woordrijtjes oefenen voor toelatingsexamens, en zelfmedelijden. Vooral zelfmedelijden. Maar dit hebben we al besproken.)

In de maanden die voorafgingen aan de epische reis hadden Bruce en Dahlia slechts gebrekkig gecommuniceerd, zoals gewoonlijk. De manier waarop hij omging met zijn afwezige vrouw die nog steeds zijn echtgenote was (ze waren nog niet begonnen met de echtscheidingsprocedure – dan zouden ze eerst moeten toegeven dat ze niet langer een stel waren) bestond uit negeren, negeren en nog eens negeren. Hoewel zijn gezicht nog redelijk geruïneerd was, een schim van hoe hij eruitzag in die belangrijke homevideo's, had het een nieuwe uitdrukking van berusting en vastberadenheid aangenomen. 'Deze zomer,' zei hij, als hij er al over begon. Deze zomer. Haar échte bat mitswa, begrijp dat goed. Eindelijk zou ze de scheidslijn overgaan en definitief volwassen worden.

Bruce was altijd het welwillende boegbeeld dat haar niets misgunde, hij vond het vreselijk dat zijn dochter een moeder moest ontberen en hij had alles geprobeerd wat hij kon om haar af te leiden. Ze kreeg dat jaar haar eigen creditcard, waardoor ze eindelijk op gelijke voet stond met haar klasgenoten. Ze gebruikte het om als een gek dingen te kopen die ze in Israël dacht nodig te hebben. Korte spijkerbroeken, haarclips in de vorm van vissen, onderjurken. Ze dagdroomde over alles wat ze ín Israël zou kopen.

Ik kan niet wachten tot je er bent! schreef Margalit in haar brieven. *Het wordt heel erg leuk! We gaan overal heen en alles doen! Tante Orly wil je dolgraag zien. Je Hebreeuws komt binnen een paar dagen terug, wacht maar af. Waarom komt Danny niet mee? Probeer hem over te halen, jaffa, jij bent zijn lieveling. Zoals altijd liefs van je ima.*

Danny, universiteitsman Dan, had natuurlijk het aanbod gekregen een zomer met zijn moeder en zus door te brengen in Israël. Hij blafte/lachte om het voorstel en weigerde het er verder nog over te hebben. Hoe dan ook: Dahlia kon niet wachten. Zo beschreef ze het aan alles en iedereen tijdens het derde jaar: 'Ik kan niet wáchten om te gaan.'

Die zomer was een keerpunt: die hele miezerige jeugd lag achter haar (wat was er met haar familie gebeurd? wat was er met haar lieve broer gebeurd? waar was haar mooie, donkerharige *ima*?), en voor haar lag een leven waarover ze enige zeggenschap hoopte te hebben. (Ze zou Doc Martens kopen! Ze zou op een dieet van kanteloeper gaan. Ze zou een vriendje krijgen! Ze zou heel mooi gelijkmatig bruin worden! Ze zou elke dag een uur op de loopband gaan! Deze zomer ging ze naar Israël!)

Op school maakte ze lijstjes met alles wat goed was aan haar leven.

Mijn lunchkaart is vol.

Meneer Warren deed vandaag aardig tegen me.

Ik draag mijn Doc Martens.

Brian lachte naar me op de trap.

Ik ga deze zomer naar Israël.

Mijn broer komt binnenkort naar huis.

Mijn broer houdt van me.

Het was bijna voorjaarsvakantie en Dan zou naar huis komen tuffen in zijn jeep, met U2 keihard uit de speakers. Hij zou rondhangen in huis, films kijken en 's avonds laat kommen cornflakes eten. En het zat als volgt: Dahlia was nu bijna volwassen. Ze was een vrouw. Ze was zijn gelijke. Ze zat op de middelbare school, was van plan autorijles te nemen, en de puberteit was bijna klaar met haar (alstublieft, God?). Ze was van plan geduldig af te wachten tot hij uit zijn hufterige toestand zou komen en de zon door de wolken zou breken. Hij zou zoiets zeggen als: 'Hé, La. Hoe gaat-ie? Wat ben je aan het doen? Kom hier en omhels me, Laatje.' Want dit was het moment. Het kon elk moment zover zijn.

Het werd nooit expliciet, maar haar eigenlijke motief voor deze lijstjes was eenvoudig: elk goed punt was een reden voor haar om zichzelf op die dag niet van kant te maken. In werkelijkheid waren het lijstjes met redenen om te leven, ritueel neergepend in haar notitieboekje.

Naast lijstjes vond Dahlia snijden buitengewoon nuttig. Ze was er ook heel natuurlijk opgekomen, een feit dat haar nog steeds met trots vervulde. Een paar jaar later was het een trend geworden, op één hoop gegooid met de hele Crisis in het Zelfvertrouwen van Amerikaanse meisjes waar de media van overliepen, met memoires en schrijfsters van memoires die in talkshows verschenen. Tot op de dag van vandaag voelde Dahlia zich op een verbluffende manier gesterkt wanneer ze hoorde dat haar eigen bloederige methode om dingen te verwerken niet ongebruikelijk was, er bestond een club waarvan ze rechtmatig lid was. Ze had het helemaal zelf verzonnen toen ze op de vloer van haar slaapkamer steeds weer opnieuw luisterde naar 'She Talks to Angels' van de Black Crowes, en genoot van dat zinnetje over hoe 'the pain's gonna make everything alright'. Verdomme ja, zo was het, de pijn zorgt er écht voor dat alles weer goed komt. Ze had een roze scheermesje van Gillette gestreeld en het langzaam, voorzichtig over de huid aan de zijkant van haar hand gehaald, te ver van haar aderen om veel voor te stellen. Die eerste paar keren had er nauwelijks bloed gevloeid, maar toch. De roes van adrenaline had haar gekalmeerd en helderheid verschaft. Ze had nog niet het lef voor een zelfmoordpoging, en ze wilde sowieso niet echt dood. Ze wilde alleen iets vóélen, zichzelf tot het randje drijven, zich er vertrouwd mee maken. Want ze wist dat ze zich moest voorbereiden, deze dingen vereisten oefening. Het voelde als lucht laten ontsnappen uit een ballon die op knappen stond. Ze voelde zich nog dagenlang opperbest, en verbond zich uitvoerig in de hoop dat iemand het zou opmerken, hoewel dat nooit gebeurde. Ze had nauwelijks waarneembare littekens: piepkleine, bijna onzichtbare lijntjes van littekenweefsel waar haar duim overging in haar handpalm. Ze was een lafbek geweest: sneed nooit te diep, ging nooit te ver. Ze experimenteerde slechts, bereidde zich voor op de mogelijkheid dat de lijstjes op een dag niet meer voldeden en ze dieper, langer en met meer kracht zou moeten snijden. Die dag lag ongetwijfeld in het verschiet. Het hield haar op de been.

Ze maakte haar lijstjes en sneed het hele jaar naarstig in haar armen, alsof ze de dagen op de kalender afvinkte tot ze naar Israël kon.

Het vliegtuig zat tot de nok toe gevuld met corpulente orthodoxe mannen, jonge moeders met appelwangen met lange rokken en hoofdbedekking, hier en daar een verdwaalde hippie en, aangezien het juni was, een groep middelbare scholieren op zomerkamp die zich hees schreeuwden. De medewerker bij de gate zag haar aan voor een Israëli: hij pakte Dahlia's ticket aan en wenste haar een goede reis door '*nesia tova*' te mompelen. Iemand zag haar aan voor een Israëli! Tering, was dat cool of niet? Ze wás ook een soort Israëli, bedacht ze. Nationale trots welde op in haar hart. Ze wilde 'Hatikva' zingen tegen een achtergrond van vlaggen die in slow motion heen en weer werden gezwaaid. Ze wilde Yasser Arafat een plastic vork door het hart spietsen. Het viel allemaal perfect op zijn plek. De manier waarop El Al landde op het vliegveld van Tel Aviv, iedereen klapte en 'Sjalom alechem' dat over de geluidsinstallatie werd gespeeld. De manier waarop alle passagiers in het vliegtuig juichend en klappend meezongen. De manier waarop de douane-beambte nors en mild, bot en grappig en bars tegelijk was: Israëli!

'*Bevakasja*,' zei hij toen hij haar paspoort aanpakte, en nadat hij haar van top tot teen had opgenomen en een blik op haar Ameri-kaanse paspoort had geworpen volgde een waterval van He-breeuws die ze niet kon volgen. 'O, dus je bent toch geen *sabra*,' zei hij geamuseerd. O, zou ze tegengeworpen hebben als ze de tegen-woordigheid van geest had gehad, maar ik ben wél een *sabra*! Echt, echt, echt!

Hoe kon ze de terugreis naar haar moederland zo lang hebben uitgesteld? Het was bijna vijf jaar geleden, een eeuwigheid, sinds hun laatste reis als gezin en bijna twee jaar sinds haar bat mitswa, toen ze haar moeder voor het laatst had gezien. Dahlia was Marga-lit een beetje vergeten. Ze was de stemmingswisselingen, de scheld-kanonnades en de grillen vergeten. Deze twee schimmige, mythi-sche entiteiten – Margalit en Erets Jisraël – hadden als pijlers het ge-wicht van Dahlia's verlangens op zich genomen. Wat konden ze in feite anders doen dan bezwijken?

Margalit stond niet met bloemen en vreugdekreten slakend bij de bagageband, zoals Dahlia zich had ingebeeld. Dahlia pakte haar plunjezak van de band en ging erop zitten om een paar lange minu-ten te wachten tot ze haar moeder door de schuifdeuren op zich af zag stormen. Die minuten sloopten haar, Gene. Die minuten (wa-ren het er drie geweest? Tien? Twintig?) beroofden haar van elke ge-romantiseerde hoop die ze voor de hele zomer had gekoesterd. Op dat moment herinnerde ze zich haar moeder weer. Haar échte moeder, degene die haar uiteindelijk begroette met een eenvoudig lachje en: 'Wat ben je dik geworden.'

Dahlia had de neiging gekregen rechtsomkeert te maken en weer naar huis te vliegen. Bruce was de hele zomer alleen thuis. Dan bouwde met een joodse jeugdgroep huizen in Guatemala. Ze had het gevoel dat ze zich in het oog van een tornado van eenzaamheid bevond met topwindsnelheden, en durfde zich niet te verroeren.

Maar toen had Margalit zich op haar eigen wijze gemanifesteerd: '*Motek*! Je bent er! Je bent er! Tante Orly en oom Mosjee komen straks mee-eten! Heb je honger? Natuurlijk heb je honger! Oooh, wat is het fijn je te zien, *haroeti*! Oooh, echt fijn!' De omhelzing deed pijn.

Margalits vijf broers en zussen (ooms Rafi, Joni, Nissan en Mosjee en tante Orly) waren over de hele wereld verspreid. Respectievelijk: Australië, New York, Italië, kibboets Dalia en Tel Aviv. Dahlia kende ze allemaal vaag, van die zomers in Dalia, waarbij iedereen samen leek te komen op de kibboets en meedeed met het levendige geklets en gelach. Maar naarmate de tijd verstreek waren ze allemaal vervaagd en verder verwijderd geraakt. Oom Mosjee was de enig overgebleven Shuker op Dalia, een hooggeplaatst lid van de gemeenschap, een norse man die (als ze het zich goed herinnerde) recht voor zijn raap was, niet erg hartelijk, en kort van stof, maar geen slechte vent.

Margalit wees tijdens de rit door Tel Aviv allerlei dingen aan: daar had je de promenade, daar het King David Hotel, daar het zuivelrestaurant, hier had je de Sheinkinstraat, daar King George-straat.

'Wat is er, *motek*? Je bent zo stil.' Dahlia was verlegen en overweldigd, te sterk geprikkeld en uitgeput. Haar ogen brandden.

Details drongen zich weer op, flarden van haar eerste herinneringen aan Israël: Bisli-chips, Israëlische ijsjes met een dikke, heerlijke laag gesmolten chocola, het gevoel dat ze veilig en vrij was, een patroon van sandaalbandjes op haar gebruinde voeten. 'Iedereen hier lijkt op me!' had ze als een klein meisje uitgeroepen, verrukt over het gevoel erbij te horen. Zij en Danny hadden rondgedold in de warme golven langs de promenade.

'Wat is er met je aan de hand?' wilde Margalit weten.

'Niks, *ima*,' stelde Dahlia haar gerust.

Ze gingen uit eten en aten uitstekende hummus, tahin, couscous en baklava.

'Er heeft er eentje honger!' lachte Mosjee. Dahlia stopte onmiddellijk met eten.

'Hou op, ze is prachtig!' Orly trok aan een pluk haar van Dahlia. Nou, nee, dat was niet helemaal waar. Dahlia was te gekrenkt om iets uit te brengen.

Margalit had verzuimd te vermelden dat er een vierde persoon aan zou schuiven bij hun etentje, een lange man die zichzelf kortaf had voorgesteld als Gil ('Ik ben Giiiieeel') waarna hij de rest van de avond niets meer zei en zijn hand afwisselend op Margalits schouder, knie en het holletje van haar rug liet rusten. 'Gil' weigerde Engels te spreken, hoewel hij er duidelijk wel iets van begreep.

'Waarom spreekt ze geen Hebreeuws?' vroeg hij Margalit in het Hebreeuws, en hij gebaarde naar Dahlia alsof ze doofstom was. Margalit haalde slechts haar schouders op en rolde met haar ogen alsof ze wilde zeggen: ze is een domme Amerikaanse, wat had je dan verwacht?

Dahlia had zo'n jetlag dat ze niet meer na kon denken, maar schatte juist in dat haar moeder teleurgesteld zou zijn als ze zo snel na het eten haar toevlucht zou zoeken in slaap. Dus deed ze haar uiterste best wakker te blijven en 'zich te vermaken', of wat Margalit ook maar van haar wilde. Ze wandelden langs het strand. Dahlia's mond hing open van vermoeidheid en half hallucinerend zag ze lichtflitsen. 'Ze zal wel moe zijn,' zei Margalit ten slotte tegen Gil. Alsof het een daad van verraad was. 'We brengen haar wel naar huis.'

Margalit was die eerste dagen bij vlagen aanhalig en overdreven nerveus – Laten we gaan winkelen! Dit is mijn dochter Dahlia! *Jaffee meod, ken?* Is ze niet knap? – maar na ongeveer een week verstikkende genegenheid en gewone aandacht te hebben afgewisseld, waren die allebei op, en gaf ze Dahlia een sleutel van het appartement en liet haar min of meer aan haar lot over.

Dahlia had vooral in haar eentje rondgekuierd. Zalig. Over het Dizengoffstraat, langs de Agam-fontein naar het gigantische winkelcentrum waar ze tot haar opluchting uitgebreid poepte, de eerste keer in dagen – haar lichaam leek het winkelcentrum direct te herkennen als toevluchtsoord. Langs de Sheinkinstraat. Naar het oude Jaffa, waar ze gebakjes kocht in Abulafia, de honderd jaar oude Arabische bakkerij waarvan de geur je veertig meter verderop al tegemoetkwam. Door een park dat uitkeek over de blauwe Middellandse Zee. Naar beneden door slingerende steegjes en via trappen en paadjes, alle deuren blauw geschilderd om het boze oog af te weren. Overal zwerfkatten. Ze dacht: op een dag wil ik in een huis met een blauwe deur wonen. En de gedachte die daarop volgde: op een dag wóón ik in een huis met een blauwe deur! Een instinct om vooruit te kijken naar een tijd waarin ze in staat zou zijn al het slechte buiten te sluiten en alles wat goed was voor zichzelf te beschermen. Een pietepeuterig instinct, maar toch, een instinct. Waar was het gebleven? Waarom had het niet doorgezet?

Jaffa had een redelijk goede vlooienmarkt. Ze kocht een wikkelrok gemaakt van twee sjaals, en een zilveren ring met een fijnmazig, complex patroon. Een klein, sierlijk backgammonspel van hout, ingelegd met paarlemoer, voor Danny. En bij nader inzien ook een voor haar vader. Ze pauzeerde voor nog een zoet croissantje in Abulafia, waar de jongen achter de toonbank naar haar knipoogde en weigerde haar te laten betalen.

En het strand van Tel Aviv! Ze was het bijna vergeten. Misschien wel het geweldigste strand ter wereld. Het liep langs de gehele stad en er hing een fantastische sfeer, het was er druk maar schoon, leuk en veilig, een gekkenhuis maar ontspannen. Groepjes mooie mensen speelden een soort tafelloze versie van pingpong, met rubberen balletjes. Ze liet zichzelf elke dag in het fijne, zachte zand vallen om de zon onder te zien gaan. Ze dompelde haar voeten in de warme zee. Elke avond keerde ze met een steeds bruiner kleurtje terug naar het afbrokkelende Bauhausappartement van tante Orly. (O, en zonnebaden, we weten allemaal waar dat toe leidt.)

Maar na twee weken rondgekuierd te hebben, kreeg Dahlia het benauwd van de gedachte aan de hele zomer die nog voor haar lag. Wat deed ze hier? Haar moeder hielp Orly in het sieradenwinkeltje, waar ze die lelijke gelakte stukjes *Haärets*-krant verkocht aan Amerikanen. Elke avond was er de mogelijkheid dat ze met Gil zou eten, van wie Dahlia helemaal eng werd, met zijn zwijgzaamheid en weigering Engels te spreken en zijn starende blik en zijn hand die altijd in de buurt van/op haar moeder hing. Met haar trouwe creditcard had ze minstens twee exemplaren gekocht van alles wat ze had willen hebben. Ze had zoveel tijdelijke tatoeages op haar enkels geplakt dat er geen enkel plekje huid meer was dat niet versierd was. Ze had een lekkere jongen met een kraampje vlak bij de promenade een navelpiercing laten zetten en had toe moeten kijken hoe die geïnfecteerd raakte met laag na laag van de meest voorkomende Israëlische bacteriën. Ze had kleine plukjes haar met kleurrijk draad laten omwikkelen. Ze had geleerd effectief te communiceren met haar beperkte Hebreeuws: *Hoe duur is dat? Bedankt. Ik heb geen geld, sorry. Neem me niet kwalijk! Ik spreek geen Hebreeuws. Waar is het dichtstbijzijnde toilet?* Ze verveelde zich.

'Wat is er toch met je?' vroeg Margalit op hoge toon. 'Altijd een miëskeit, deze,' zei ze tegen Orly, en ze deed alsof ze een zuur gezicht trok.

Ze belde haar vader vanuit telefooncellen in de stad. Haar verjaardag ging vrij geruisloos voorbij. 'Vijftien!' zei Margalit. 'Maar ík ben nog maar tweeëndertig! Hoe is dat mogelijk?'

Het was Bruce die Dahlia's eenzaamheid voelde en voorstelde dat Dahlia de maand juli zou doorbrengen op Dalia met oom Mosjee, die haar ook grotendeels aan haar lot overliet maar haar tenminste niet uitschold omdat ze haar wenkbrauwen fronste. Perfect.

Ze werkte net als alle vrijwilligers acht uur per dag, zes dagen per week. Van zes uur 's ochtends tot twee uur 's middags, met pauzes van een halfuur voor het ontbijt en de lunch.

'Dit is mijn nichtje,' zei oom Mosjee grijnzend tegen de coördinator van de vrijwilligers. 'Zorg ervoor dat ze zich uit de naad werkt.'

'*Broechiem habaïem*, Dahlia!' zei de luidspreker tijdens het avondeten op de dag dat ze aankwam, gevolgd door een enthousiast refrein: *Dahlia, Dahlia, Dahlia! Ooooh-ahh!* Wat het refrein was van een Israëlisch liedje dat ooit populair was geweest, begreep ze. De kibboets was min of meer vertrouwd door de zomers die de Fingers er voorheen hadden doorgebracht: de zeepfabriek, de verhitte voetbalwedstrijden, de boomgaarden, de schapen.

Dahlia sliep in een slaapzaal met een Nederlandse vrouw, Marieke, die vrijwilligerswerk was komen doen nadat haar vriend was omgekomen bij een auto-ongeluk.

'Wat erg,' zei Dahlia.

'Dus het lijkt erop dat ik alleen ben,' zei Marieke laat op een avond, toen ze hun 'openhartige gesprekken' voerden, zoals ze ze tegen Dahlia noemde. 'Maar als je alleen bent, ben je ook vrij. Er zit iets goeds en iets slechts in.'

'Maar zou je niet willen dat hij niet was doodgegaan?'

'Ja. Ik zou willen dat hij niet was doodgegaan.'

'Maar hij is doodgegaan.'

'Ja.'

'Dus je hebt geen keuze.'

'Nee, ik heb geen keuze. Bij de meeste dingen hebben we geen keuze. Alles, eigenlijk.'

'Zoals wat?'

'Ga slapen, jij.'

Dahlia's werk in de avocadoboomgaard bestond eruit vruchten die nog hard waren van bomen te knippen en ze in een plukzak van canvas te leggen, met handschoenen en zo voorzichtig mogelijk – net als mensen zijn avocado's vreselijk makkelijk te kwetsen en te beschadigen.

Het was vermoeiend, stompzinnig werk, maar het was eindig en ritmisch, en de wetenschap dat ze het alleen de eerste week van augustus zou hoeven doen maakte dat het ongecompliceerd, simpel en leuk leek. Ze droeg een witte werkhoed met een rand en werkte vrolijk verder met haar verstand op nul, nul, nul. Ze was blij dat ze niet gepolst was om in de zeepfabriek, keuken, eetzaal of wasruimte te werken. Voor haar geen groezelige lopende band of vrouwenwerk.

Ze was voor het eerst in jaren naar Israël gekomen om bij haar moeder te zijn, maar in plaats daarvan oogstte ze avocado's op kibboets Dalia: wat een enorm verschil tussen hoe ze zich haar zomer had voorgesteld en hoe haar zomer daadwerkelijk was. Maar het was een opluchting er hier bij te horen, een radertje te zijn. En de kibboetsniks namen haar hartelijk op. Ze vroegen naar haar mooie *ima* en de slimme *abba*. Itamar, de kok, grijzend bij de slapen, vroeg: 'Hoe gaat het met je miëskeit broer?' ('Nog steeds een miëskeit!' had Dahlia gegiecheld.) De nieuwelingen maakten opmerkingen over haar naam, en grijnsden toen ze zei dat ze vernoemd was naar Dalia. Haar navelpiercing genas goed.

'Ik ben Uri,' zei een lange jongeman met een dikke nek en gemillimeterd haar op een avond in de eetzaal. 'Ik herinner me je nog van toen je hier lang geleden was. Je was nog maar een klein kind.' Hij hield zijn hand ter hoogte van het kleine meisje dat ze geweest was. Hij was hier opgegroeid, had zijn dienstplicht vervuld, en was teruggekomen.

'Niemand komt terug,' zei hij. 'Ze gaan weg. Ze gaan naar New York. Maar ik kom terug. Terugkomen is belangrijk.' Hij was een man van weinig woorden, maar berg je als hij iets te zeggen had. Hij leek diep na te denken voordat hij iets zei, hoewel zijn hoeveelheid onderwerpen beperkt was. 'Wil je vanavond *Die Hard* zien? Ze draaien hem na het eten. Ik heb hem eerder gezien, hij is fantastisch.' Oom Mosjee, die een paar meter verderop toekeek, knipoogde.

'Oké,' had Dahlia gezegd.

Uri volgde haar overal, wat best vleiend was, moest ze toegeven. Hoewel zij vijftien en hij vijfentwintig was, en hoewel hij op zijn best zweterig, onbehouwen en onbeholpen was. Op je vijftiende sta je er niet bij stil wat er in godsnaam mankeert aan het type volwassene dat je uit je broek probeert te krijgen. Ze haalde het zelfvertrouwen en de schaamteloosheid boven waarmee ze ooit een hele generatie van leeftijdgenoten had ingewijd in de werking van het lichaam. Ze was zo ver verwijderd van wat ze als haar echte leven beschouwde dat niets ertoe leek te doen. Ze was slim genoeg om te beseffen dat Uri haar leuk vond, en hij maakte dat duidelijk door haar de les te lezen over grote en kleine onderwerpen.

'Als je het dier eet, eet je elke angst en – *ech omriem*, hoe zeg je dat? – boosheid die ze hebben wanneer ze sterven. Precies wanneer ze sterven. En dat zit allemaal in hun lichaam. En dan eten we dat.'

'Slecht,' zei Dahlia behulpzaam. Ze had een bord vol gehakt met tomatensaus uit de eetzaal.

'Het is de reden dat mensen ongelukkig zijn op de wereld.'

Dat klonk best wel logisch, eigenlijk. En ze genoot van de aandacht.

Aan het einde van de zomer, toen het (helaas) tijd was om afscheid te nemen van de avocadoboomgaard en terug te keren naar Tel Aviv om nog een paar dagen door te brengen met Margalit, waarna ze zou terugkeren naar de ongecompliceerde omhelzing van haar vader in LA, nadat Marieke de kibboets had verlaten en Dahlia een 'heel, heel fijn leven' had gewenst, had Uri bij haar aangeklopt, zijn lippen stevig op de hare gedrukt en zijn trage tong in haar mond gestoken – vrij klungelig, had ze later begrepen. En vervolgens had Uri haar op haar laatste avond op haar tweepersoonsbed bevrijd van haar maagdelijkheid. Een paar weken later zou ze Mara vertellen dat het 'gruwelijk' pijn had gedaan, waarbij ze de bijna-verstikking, haar gebrek aan participatie en angst wegliet. Ze had niet de tegenwoordigheid van geest gehad zich ertegen te verzetten, maar het was ook absoluut niet wat ze gewild had. Ze had het niet verwacht, was er niet klaar voor geweest, had zich in feite niet voorbereid op de gebeurtenis. Het was voorbij voordat ze duidelijk kon maken wat er mis mee was, en slechts een herinnering tegen de tijd dat ze bedacht hoe ze een toepasselijke emotionele reactie kon formuleren. Er was wat bloed geweest, wat in elk geval het positieve gevolg had dat de vreselijke pijn op een tastbare manier bevestigd werd. Ze had heel even gehuild, een paar gênante, onverwachte, krampachtige snikken voordat ze zichzelf weer onder controle kreeg. Dat had Uri tegengestaan.

'Gaat het goed?'

Om de een of andere reden wilde ze dat hij dacht dat het goed met haar ging. Ze knikte en beet op de binnenkant van haar wangen.

'Gaat het?' vroeg hij nogmaals, en ze knikte heftiger: ja, ja, ja.

Ze had nog dagenlang pijn, kon nauwelijks op een stoel zitten, hoe kort ook, en wiebelde de hele terugweg naar Tel Aviv van linkerbil naar rechterbil, tijdens nog een weinig memorabel etentje met tante Orly, Gil en Margalit ('Wat is er met je aan de hand? Jezus christus, wat zit je te wiebelen! Het is echt vervelend om bij je te zijn!') en tijdens de hele achttien uur durende vlucht naar huis, waar Bruce haar stond op te wachten bij de gate.

'Ha, meisje,' had hij gezegd, en met voelbare opluchting was hij met open armen op haar af gelopen. 'Wat zie je er goed uit!'

Genees jezelf

Speel een actieve rol in je eigen gezondheid. Onderneem van alles wat kalmte brengt en je een positief gevoel geeft. Je kunt jezelf daadwerkelijk genezen. Geloof daarin en je vermogen tot gezondheid zal geen grenzen kennen.

Een tijdje klonk wat je zei best verstandig, Gene. De zonnige kant, whatever. Sociaal netwerk, prima. Maar echt, deze klotevlieger gaat niet op. Dahlia moet zichzélf genezen? Denk jij dat ze zichzelf kan genezen? Het wordt nog dommer als je het herhaalt, een verstandelijke tongbreker, zoals *de kat krabt de krullen van de trap* of *de koetsier poetst de postkoets met postkoetspoets.*

Kiezen voor het leven? Goed dan: leven! En ze leefde nog lang en gelukkig. Volgens mij zijn we wel klaar hier. Bedankt.

Als ze zichzelf kon genezen, ongelooflijke droplul, waarom stond Dahlia dan in godsnaam op het punt weer dertig dagen gore chemo in te gaan? Zelfs Margalit, met haar kabbalatouwtje, hamsa-bedeltjes en dagelijkse teen rauwe knoflook, zou nooit zoiets bespottelijks voorstellen als *genees jezelf.* Is Dahlia *Jezus*? Laten we geen onzin verkondigen, goed?

Als Dahlia zichzelf kon genezen, zou je dan niet redelijkerwijs kunnen veronderstellen dat ze had kunnen voorkomen dat ze überhaupt ziek werd? Zoals wanneer je niet goed eet of genoeg slaap krijgt en dan verkouden wordt, was dat het? En dan moet je je behalve kut ook nog dom voelen omdat je jezelf hebt afgemarteld, schuldig aan je eigen leed, toch? Wat had ik anders kunnen doen, moet je je afvragen. Als ik X maar niet had, als ik Y maar had. En mededogen is moeilijk te verkrijgen, omdat van je verwacht wordt dat je jezelf niet toestaat überhaupt ziek te worden. En daar komt nog bij dat niemand wil oplopen wat jij zelf hebt veroorzaakt.

En als ze zichzelf níét geneest? Als ze zichzelf niet kán genezen, wat dan? Wíl ze ziek zijn? Verdient ze het om ziek te zijn? Waardoor werd jij ziek, Gene? Je stipt je o zo algemene problemen maar even aan: je hoge hypotheek, je drukke kinderen, je veeleisende baan. Maar kom op nou. Hoe zit het echt? Bedroog je je vrouw? Bedroog zij jou? Gaf ze je het gevoel er niet toe te doen? Was je teleurgesteld in je kinderen? Waren ze lelijk/dom? Je was vast ook een slechte advocaat. Nooit een zaak gewonnen, slordig met de contracten, geen enkel vertrouwen van je collega's, de risee. En vroeger? Ben je getrouwd omdat je de dertig in je nek voelde hijgen en het gevoel had dat je wel 'moest'? Bedacht je later pas dat je met een suffe trut was getrouwd? Dat je hele leven een domme race richting een finish was die je niet eens had herkend, laat staan uitgekozen? Dagdroomde je erover ervandoor te gaan? Wat ging er door je heen toen je die enorme hypotheekbetalingen deed? Hoe vaak had je huis fysiek onderhoud nodig? Werd je er moe van, die peertjes die opbrandden? De bladeren die de goten verstopten? Hielden je ouders van je, Gene? Nou?

Verse, lokaal geteelde biologische groenten en fruit moeten het belangrijkste deel van je dieet vormen. Volkorengraan is het beste voor je. Vermijd cafeïne en alcohol volledig. De zwavelverbindingen in knoflook lijken de synthese van bepaalde kankerverwekkende stoffen te blokkeren. Knoflook bevordert ook de lichamelijke productie van natuurlijke antioxidanten, die voorkomen dat gezonde cellen afvallige cellen, die ook wel vrije radicalen heten, beschadigen. Haaienkraakbeen, kweekgras en komboecha kunnen alle drie mogelijk ook nuttig zijn. Zie het schema met supplementen op blz. 139 voor een nuttig overzicht van vitamines en mineralen.

Zeg het maar gewoon: het is haar eigen schuld. Ze eet handenvol chocoladekoekjes. Ze houdt van bagels van zuurdesem en cornflakes met suiker. Ze kon nooit maar één whiskey-gingerale drinken, ze moest víér whiskey-gingerales drinken.

Dahlia's tumor was niet gegroeid, maar hij was ook niet kleiner geworden.

'We wachten eerst af hoe goed de tumor reageert op deze ronde chemo, en dan bekijken we onze opties en bepalen we onze volgende stap,' zei dokter C. *Onze*: alsof het echt een gezamenlijk probleem was. Hij klapte haar dossier dicht en schonk haar een vreselijk zelfvoldaan knikje en lachje.

Bruce las zijn aantekeningen nog eens door terwijl dokter C. ging verzitten en een schuine blik op zijn horloge wierp.

'Goed,' zei Bruce. 'Zou u zeggen dat de bestraling en de eerste ronde chemo succesvol zijn geweest?'

'Over het algemeen is dat moeilijk te zeggen. Het lijkt goed met haar te gaan, wat bemoedigend is, hoewel ik had willen zien dat de tumor zelf kleiner was geworden.' (*Jíj* zou willen dat-ie kleiner was geworden!) 'De MRI na deze ronde zal ons veel duidelijk maken. Op dit moment moeten we blij zijn dat de tumor niet is uitgezaaid. Maar ik ben niet blij met haar gebrek aan eetlust, en de depressie kan misschien worden toegeschreven aan haar pillen tegen de misselijkheid. Laten we andere proberen. Blijf marihuana gebruiken zolang het helpt.'

Bruce krabbelde en krabbelde maar door.

'O,' vervolgde dokter C. 'En ze moet onmiddellijk een griepprik.'

De kanker twijfelde, Dahlia's hele leven bevond zich op een soort draaipunt. Welke kant zou het opgaan? Het was aan haar.

Jij hebt de macht om deze ziekte uit je leven te verbannen. Behandelen kan maar tot een zeker punt. De rest is aan jou.

Natuurlijk, het lijkt misschien vreemd dat Dahlia zo laisser faire was over haar ziekte, haar behandeling, haar second opinions, haar mogelijkheden, haar vooruitgang, haar prognose. Maar dat is alleen vreemd als je het type bent dat *überhaupt niet ziek wordt*, gast.

Hmm. Goed. Ze deed aan acupunctuur en shiatsu, at Chinese kruiden en verorberde kweekgras. Ze slikte speciaal voorgeschreven hoeveelheden vitamine A, C en E en seleen en melkdistel en echinacea en ze liet haar moeder brandende bosjes witte salie rondzwaaien in de kamer. Gehoorzaam nipte ze van de flessen komboecha, wonderbaarlijk sap van rottende zwammen, die Margalit haar aanbood. Ze at verse gember. Ze moest toegeven dat die dingen een aangenaam air van luxe hadden, waardoor ze zich relatief oké voelde. Ze nam zelfs een klysma, als een filmster. (Als een échte filmster.) Ze probeerde verschillende spa's met indoorwatervallen en rauwe noten en gratis groene thee, wat als ze er niet al te lang bij stilstond bijna door kon gaan voor degelijk, ouderwets hedonisme.

Op die dagelijkse chemopil na dan. Maar ze moest toegeven dat ze deze keer iets minder misselijk was.

'Dat komt omdat je eindelijk de dingen doet die je ook echt kunnen helpen,' zei Margalit. 'Natuurlijk voel je je nu beter. Je neemt het in eigen hand!' Ze bracht haar vuist naar haar hoofd en klopte er streng op. Margalit was in haar element. Ze maakte niet alleen voor Dahlia afspraken voor een massage, maar ook voor zichzelf, en gedroeg zich alsof ze twee dames waren die niet hoefden te werken en hun tijd verdeden door zich heerlijk te laten vertroetelen. Ze aten duur en dronken voodoobrouwsels van vijf dollar uit de reformwinkel.

'Wat een leventje,' zei Margalit wanneer ze zich bij Bruce in de jacuzzi liet zakken en/of een hijs van een van Dahlia's joints nam. 'Oooh, ja.'

Dahlia liet zich porren, bepotelen, opwrijven en uitpersen. Het lichaam hield wel degelijk dingen vast, dat was wel duidelijk uit de knopen in haar rechterschouder en in de heup waar ze bij voorkeur op leunde als ze zat. Of door de manier waarop ze in lachen uitbarstte – huilerig, onbeheerst, heftig, gevolgd door een opgelaten snik die uit het niets leek te komen – toen een masseuse een duim stevig op de rechterzijde van haar ruggengraat duwde. Alsof er een trekker werd overgehaald schoot er iets los en vast tegelijk.

'Wat is híér aan de hand?' vroeg de masseuse vriendelijk, zonder te stoppen. 'Volgens mij hebben we je probleemplek gevonden, lieverd.' O lieverd, je zit niet eens in de búúrt van Dahlia's probleemplek. Wanneer Dahlia opstond na een shiatsu, een Zweedse massage, acupunctuur of een behandeling met hete stenen, bewoog ze zich wankelend en gammel voort, als een pasgeboren hert: uiterst kwetsbaar en wankel op onvaste benen, en ze zag op tegen het moment waarop ze zich weer stabiel, tweebenig, oud en zichzelf voelde.

'Ik doe nu al die vage shit,' vertelde Dahlia de praatgroep. Ze vergaven haar dat ze weigerde zich vrolijk voor te doen, hoewel ze het zo nu en dan op zich namen dat namens haar te zijn.

'Je lijkt deze keer veel gelukkiger,' zei Long-Arlene.

'Ik vind dat je het ongelooflijk goed doet,' beaamde Eierstok-Carol. Rick viel haar bij. Dubbele Mastectomie-Francine kwam niet meer. Rick las een briefje voor van haar echtgenoot: *Francine rust nu zonder pijn thuis uit, waar we hospicezorg hebben om ervoor te zorgen dat ze zonder pijn blijft. Ze wil heel graag van jullie horen en doet jullie de groeten.*

Bart was ook verdwenen, maar om andere redenen.

'Ik heb het gehad met dat hele ziek zijn,' vertelde hij Dahlia aan de telefoon. 'Ik moet verder met m'n leven! Bel me maar als je een keer een kop koffie wilt drinken of zo.' (Hij liep een hoofdstuk of drie voor op Dahlia in het boek, vandaar.)

Tot haar verrassing kreeg ze een e-mail van rabbijn Klootzak: *Pa houdt me op de hoogte. Ik wil je graag spreken als je dat goedvindt.*

Dahlia had Danny niet gezien sinds het begin van haar beproeving. Hij was één keer komen opdagen in het ziekenhuis, maar Dahlia was toen in beslag genomen door haar comateuze ether. En meer kon hij niet opbrengen? Maanden stilte na jaren van stilte en dat was het dan? De domme eikel kon nog niet eens omgaan met een paar kwaaltjes? Dahlia was tevreden (en waarschijnlijk weer iets dichter bij het tekenen van haar doodvonnis) met haar antwoord: *Val dood, stuk stront.* Ze was niet van plan dit makkelijker voor hem te maken. Hij moest ook lijden.

Het had haar heel lang gekost om Danny uiteindelijk volledig en volkomen te gaan haten. Als een idioot had ze haar platonische ideaal jarenlang hooggehouden – hij hield van haar! Ze waren maatjes! Hij was zo cool – ook al weigerde hij ook maar een beetje aan dat ideaal te voldoen.

In zijn derde jaar op de universiteit had Danny een semester doorgebracht in Israël, of all places. Al zijn joodse zomerkampen waren erin geslaagd hem een flinke dosis culturele trots en zionistische neigingen bij te brengen. Maar hij vermeed Margalit de hele tijd dat hij er was, op de Hebreeuwse Universiteit in Jeruzalem – slechts een uur met de trein van Tel Aviv. Zijn strategie, die eruit bestond dat hij Margalits bestaan volkomen negeerde, maakte iedereen heel onrustig.

'Wat is er met hem aan de hand?' jammerde Margalit door de telefoon, en ze stond erop dat Dahlia zich ermee bemoeide. 'Waarom wil hij me niet zien? Wat voor vreselijks heb ik hem aangedaan? Hij is een gekweld vogeltje, *motek*. Praat met hem! Hij houdt zoveel van je.'

Dit was niet de eerste keer dat Dahlia haar moeder of vader dat had horen beweren – 'Danny houdt van je' – maar ze had even gezwegen om zich af te vragen: echt? Ook al had hij zich een jaar of tien niet zo gedragen? Langzaam kwam ze tot het besef dat die onzin dat Danny haar geliefde grote broer was een restje mythologie was, bullshit. Maar ze was nog steeds bereid het te geloven – zij het slechts deels, en steeds aarzelender. (Bereid te geloven, Gene. Geloof: in iets vertrouwen waarvoor je geen enkel bewijs hebt!) Ze was ronduit trots toen haar ouders dit als feit presenteerden: Danny aanbidt zijn zus Dahlia. Ze was nog steeds belachelijk opgewonden wanneer hij zich verwaardigde haar telefonisch te woord te staan of een briefje aan haar te krabbelen. 'Ik heb hier een scheet op gelaten!' had hij zowaar op een papiertje geschreven, waarna hij het in een envelop had gestoken en vanuit Turkije per luchtpost naar Dahlia had gestuurd. Hij had ook een paar kiekjes van zichzelf bij de piramides van Gizeh gestuurd. *Weet je*, had hij geschreven. *Je bent lelijk*.

Hij was lang, atletisch en een buitenmens geworden, en liet in zijn kielzog een eindeloze stroom verliefde jeugdgroepmeisjes achter. Hij maakte graag trektochten. Hij was helemaal lijp van Dylan geworden. Dahlia bleef trouw geloven dat hij alles wist wat er te weten viel en misschien wel een paar geheimen met haar zou delen als ze het spelletje goed speelde, zich niet gedroeg als een – wat was zijn woord ook alweer? – 'mongool'. Wat ze eigenlijk ook wel was, dacht ze. Een mongool, duf, een sukkel. Oké. Als ze moest meegaan in die diagnose om Danny over te halen af en toe aan de lijn te komen, prima. Daar kon ze mee leven.

'Ja, maar ik ben dom,' leerde ze toe te voegen aan het einde van elke uitgesproken gedachte. Dat leek hem langer aan de telefoon te houden en stelde haar in staat zich nog meer in te beelden dat ze maatjes waren. 'Ik ben zo'n idioot,' begon ze te verkondigen, zonder enige inleiding. 'Ha ha ha ha, wat een stomme opmerking.'

Uiteindelijk vatte ze toch de moed op om hem met een zwak stemmetje te vragen waarom hij weigerde om Margalit op te zoeken in Tel Aviv.

'Denk je dat ik die trut wil zien?' blafte hij.

'Dat weet ik niet,' zei ze. Wat een openbaring, dat het in feite een kwestie van 'willen' was.

'Die trut kan doodvallen.'

Wat ook niet hielp was dat Dahlia's vierde jaar op Westwood ronduit verschrikkelijk was. Ten eerste had River Phoenix op de avond van Halloween een overdosis genomen in de Viper Room. Vervolgens was oma Alice in december vlak voor haar vijfentachtigste verjaardag 'ingeslapen' (formulering van Bruce). Kurt Cobain schoot zichzelf in april dood en diezelfde week stierf Nixon. In juni hakte O.J. Simpson Nicole en Ron aan stukken (tenminste, naar verluidt), nog geen vijf kilometer van de plek waar Dahlia prinsheerlijk lag te slapen, haar ingekerfde armen uitvoerig omzwachteld zodat het iemand op zou vallen, in haar witte onderschuifbed, op haar lakens van Laura Ashley.

En. En. In de kleine uurtjes van een donderdag in mei was Julia G. gestorven. Dahlia herinnerde het zich nog precies, want donderdag was de avond van *90210* en *Melrose Place*, en haar week draaide om die avond, dus toen op donderdag iedereen naar de aula werd geroepen werd haar gemoedstoestand vooral gevormd door het feit dat het de gezegende dag was waarop haar lievelinsprogramma's werden uitgezonden.

De vierde klas: de Dood.

River Phoenix had een massaal rouwvertoon veroorzaakt. Auto's vol treurende pubers reden langzaam langs de Viper Room op Sunset Boulevard, als een rouwstoet, en sommige stopten zelfs om offerandes van liefde en verlangen te brengen. Kaarsen, foto's, brieven, bloemen.

Oma Alice genereerde ook de nodige commotie, maar op veel kleinere schaal.

'La La,' zei Bruce op een ochtend tegen haar toen hij een glas versgeperste jus bij haar kom met cornflakes zette met dat verfrommelde gezicht dat ze zo goed kende. 'Oma is gisteren gestorven. Ze heeft geen pijn gehad, ze is gewoon ingeslapen.'

Dahlia was onmiddellijk in tranen uitgebarsten, net zozeer uit afgrijzen (zomaar? Was oma Alice dood? Zomaar? Was ze voorgoed weg? Dat was het dan? Echt?) als uit schuldgevoel (ze was niet vaak genoeg langs geweest, had haar oma niet echt een laatste kus gegeven; maar hé, dit betekende dat Danny naar huis zou komen!). *Zeg maar dag tegen oma* had haar helemaal niet voorbereid op dit afschuwelijke gevoel iets groots te zijn kwijtgeraakt. De mogelijkheid iets te zeggen, iets te doen, één laatste ding. Weg. Ze wachtten een dag langer dan de gewoonte toestond om haar te begraven, zodat Danny en Margalit, afzonderlijk, terug konden vliegen uit Israël. Dahlia huilde zachtjes tijdens de hele begrafenis, ze wilde niets liever dan de kans krijgen om dag te zeggen tegen haar lieve oude oma, maar die was haar ontnomen. Of dat ze van haar hield. En ze had echt van haar gehouden. Ze klampte zich vast aan een enkele gecombineerde herinnering aan oma Alice die een liedje uit *Guys and Dolls* voor haar zong: *I love you a bushel and a peck, a bushel and a peck and a hug around the neck.*

'O, alsjeblieft,' zei Margalit tegen Bruce. En vervolgens tegen Dahlia: 'Hoe vaak heb je oma opgezocht? Nooit! Stel je niet aan. Je gedraagt je belachelijk. In godsnaam.'

Danny gooide met een stalen gezicht en zwijgzaam een halve schep aarde in het graf en liep toen doelbewust weg om bij honkballegende Hank Greenberg te gaan staan, die een eindje verderop begraven lag. Dahlia, die hem nauwlettend in de gaten hield, zag iets op Danny's gezicht dat op smart leek – vluchtig, bijna niet te onderscheiden van de gebruikelijke frons – terwijl hij naar Greenbergs gedenkplaat staarde.

Kurt Cobain was een schok. 'Hoe kon hij dat doen?' had Mara gezegd. 'Wat een gore klootzak. Hoe kon hij dat doen? Waarom zou hij dat doen? Verdomdeviezegoreklóótzak.'

En toen Julia G. Gefluister over haar verscheiden was die dag als een lopend vuurtje rondgegaan. 'Iedereen lijkt wel dood te gaan,' had Dahlia voortdurend herhaald, herinnerde ze zich. 'Waarom gaat iedereen dóód?' De directie van de Westwood School had terecht nogal forse kritiek over zich afgeroepen toen ze erop stond dat de lessen na de obligate gezamenlijke herdenkingsdienst gewoon door zouden gaan. De examens van het Advanced Placementprogramma kwamen eraan. Er stond veel op het spel voor leerlingen uit de derde en vierde klas. Het was noodzakelijk verder te gaan met 'de werkzaamheden van het leven', zei de rector/CEO tegen hen. En dat betekende die SAT's en PSAT's en AP's de tijd en aandacht te geven die ze verdienden. Julia zou gewild hebben dat we allemaal naar een Ivy League-universiteit gingen.

Toen deed O.J. zijn slagersact op Bundy Drive.

Tegen de tijd dat de school uitging, was de dood bijna een grap. Dood, overal dood, en geen druppel te drinken! Dahlia liet zelfs het snijden in haar armen een tijdje achterwege: er waren zo veel externe dingen die wezen op sterfelijkheid en pijn dat ze (voor één keer) geen behoefte voelde het voor zichzelf na te spelen. (Volgens die logica had ze er later misschien heel goed aan gedaan zich aan te sluiten bij het Peace Corps of zich rechtstreeks op de hulpverlening in Sudan te storten. Waarom had ze dat niet gedaan? Shit: wat je allemaal niet te laat bedenkt.)

Haar rijlessen waren een eitje geweest en ze haalde haar rijbewijs met vlag en wimpel, en kreeg als verjaardagscadeau een babyblauwe Volvo-stationwagen uit 1986 ('Waarden!') waarin ze onmiddellijk met de ramen dicht een joint rookte en die ze volplakte met bumperstickers voor het recht op abortus. Bruce verhoogde de limiet van haar creditcard – 'Alleen voor benzine, La La' – en ze was direct naar de dure boetieks van Betsey Johnson en Fred Segal gegaan.

'Wat wil je deze zomer doen?' had Bruce voorzichtig gepolst terwijl juli voorbijvloog. 'Wat dacht je van een baantje?'

'Ik zal erover nadenken,' had ze geantwoord, en ze had aangenomen dat ze er de hele zomer over kon 'nadenken'. Toen kwam het rekeningoverzicht van Visa, en Bruce sloeg op tilt (op z'n Bruce', maar toch): 'Ik ben héél teleurgesteld in je, La.' Wat schaamde ze zich! Bruce was zelden teleurgesteld in haar. 'Ik vertrouwde je.' Hij was streng, onverbiddelijk, als een volkomen vreemdeling. Hij was behoorlijk kwaad.

En dus kwam Dahlia terecht op de postkamer van zijn bedrijf. De jongen die er de leiding had, Eric, een voormalige linebacker met een stevige nek en dikke handen, een perfect getrimd sikje en gemillimeterd haar, deed haar aan Uri denken. Een bepaald 'type' leek voor haar te gaan: grote, zweterige mislukkelingen. Maar Eric was ongevaarlijk. Ze flirtte de hele zomer met hem.

'Hoe gaat-ie, Lolita?' begroette hij haar.

'Oké, viespeuk,' antwoordde ze dan, waarbij ze haar lippen krulde. Ze genoot van haar macht, macht die haar eenvoudigweg verschaft werd omdat ze de dochter van de baas was en omdat ze zestien was. De meisjes op Westwood die een vriend hadden waren net als de Kantrowitztweeling, dat wil zeggen: lijzig, lacherig, saai, onbenullig. *Westwood Ho's*, noemde Mara ze, Westwoodhoertjes. Door een toneelstukje te spelen met Eric voelde Dahlia zich bijna als een van die meisjes. Spannend.

De zomer had zich voortgesleept. Bruce paradeerde zo trots en opgewonden met haar rond op kantoor – 'Dit is mijn dochter, Dahlia!' – dat het een kwelling was. Iedereen glimlachte flauwtjes naar haar, het verwende kleine kreng, het vaderskindje dat hier een zomer kwam 'werken'. Haar 'baan' hield in dat ze koffie haalde, af en toe een boodschap deed, kopieerde, wat dan ook. Zij en Eric liepen een blokje om om te roken, luisterden naar de radio en werden elke middag high in de krochten van het grote kantoorgebouw.

'Mijn vrouw is depressief,' had hij tegen haar gezegd, zijn dikke zilveren schakelarmband en goedkope oorring blinkend in het flauwe licht. 'Ze wil nooit meer uit. We hadden zoveel lol vroeger, nu is het alleen maar zeiken, zeuren, zeiken, zeuren, zeiken, zeiken, zeiken. Alsof ze ongesteld moet worden, maar dan altijd.'

'Wat een... zeikerd,' had Dahlia gezegd, lachend om haar echo, en ze vroeg zich af hoe suf de vrouw moest zijn die trouwde met een vent met zweetdruppels in de plooien van zijn nek die een zestienjarige in vertrouwen nam.

School begon weer, een waas. Dahlia kon geen enkele interesse opbrengen. Ze kon het niet opbrengen haar huiswerk te maken, opstellen te schrijven, te leren voor proefwerken. Haar cijfers waren hopeloos.

Na die korte onderbreking werd het snijden hervat, en heftiger nu. Ze beeldde zich in dat ze toewerkte naar de belangrijkste gebeurtenis. Ze beschouwde het als training. Ze had veelzeggende sporen van dunne lijntjes over de binnenkant van beide polsen lopen. Ze sneed ondiep maar vaak; de littekens waren fijn en talrijk. Ze hoopte hartstochtelijk en vreesde dwangmatig dat ze betrapt zou worden, ontmaskerd.

Laten we het maar gewoon toegeven, genoeg om de hete brij heen gedraaid: ze wilde zichzelf van kant maken. Ze wilde eindelijk de moed opvatten om de bullshit met het nagelschaartje te overtreffen. Ze wilde een pot Tylenol achteroverslaan met een fles NyQuil en in slaap vallen en nooit meer wakker worden, een grote dikke *fuck you* tegen iedereen die ze kende en iedereen die zíj weer kenden. En helemaal aan het einde, vlak voor ze zou flauwvallen, voordat ze de kans had gehad te stikken in haar eigen braaksel en te sterven, zou ze een dronken, giechelige trut zijn. Ze zou zich uitstekend vermaken. Aan echt doodgaan dacht ze nooit in die fantasieën. Ze was meer opgewonden dan bang: opgewonden over de immense verlossing die een onwaardig einde ongetwijfeld met zich mee zou brengen, opgewonden over de postume aandacht en tragische roem. Door er alleen maar over na te denken voelde ze zich al beter. Ze zou het verleden begraven.

Laat op een avond belde ze Danny, ineengedoken in de hoek van haar slaapkamer, bevend en huilend. Mary Chapin Carpenter op de stereo. Het was het voorjaar van de vijfde klas en brochures van universiteiten en syllabi van Westwood School lagen hoog opgestapeld op haar bureau.

'Danny,' had ze gesnikt. Hij woonde in New York, vers van de universiteit, en gaf in de binnenstad geschiedenisles op een middelbare school.

'Hallo?'

'Danny?'

'Kolere, hoe laat is het?'

'Danny, ik…'

'Wat?'

'Kweenie.' Ze hikte.

'Godsamme, waarom bel je me dan?'

Ze hikte opnieuw. 'Kweenie.'

'Wat?' Ze kon geen antwoord geven. 'Wat wil je, Dahlia?'

'Ik ben gewoon zo verdrietig,' zei ze, en ze barstte weer in huilen uit. 'Verdrietig' kwam eruit als 'verdrie-hie-hietig'.

Stilte.

Stilte.

Ze ging verder. 'En soms heb ik echt het gevoel dat ik niet wil leven, weet je wel?'

'Ik ga ophangen.'

'Nee, ik wil alleen maar praten.'

'Nee. Weet je? Zulke shit zég je niet, achterlijke freak dat je d'r bent. Je hebt hulp nodig.'

Je Hebt Hulp Nodig was de ultieme belediging. Het betekende dat alle gevoelens discutabel waren. Als je diep vanbinnen gewoon naar de kloten was, was je verder niets. Zoek hulp. En in de tussentijd stonden je mensenrechten ter discussie. Hoe had Danny het voor elkaar gekregen die vier kleine woordjes – Je, Hebt, Hulp, Nodig – te doordrenken met zo'n vreselijke, kleinerende, beledigende, besmettelijke gloed? En trouwens: waarom híélp hij haar dan niet?

Dahlia dronk groene thee met Margalit in de lounge van een spa in West Hollywood, in afwachting van een shiatsumassage, en doodgemoedereerd vroeg ze: 'Weet je nog toen ik mezelf sneed?'

Margalit huiverde. 'Waar heb je het in vredesnaam over?'

'Ik sneed mezelf. Op de middelbare school.'

'O, in godsnaam. Waar heb je het over? Wat is er toch met je?'

'Nou, om te beginnen heb ik kanker.'

'Bah, Dahlia.' Margalit schudde haar hoofd alsof ze de werkelijkheid wilde losschudden en weggooien. 'Hou op.'

Dahlia keek hoe haar moeder deed alsof ze een roddelblad las.

'Ik sneed mezelf, *ima*. Met scheermesjes. En een nagelschaartje.'

'Dat heb je ergens in een boek gelezen.'

Dahlia ademde diep in en blies uit. 'Ik wilde zelfmoord plegen, *ima*.'

Margalit rolde met haar ogen. 'Waarom deed je dat dan niet?'

Ze moesten geweten hebben dat er iets mis was. Dat moest wel. Dahlia weigerde te geloven dat ze allemaal onverschillig, dom en bang voor de waarheid waren. Ze, dat waren haar lieve vader, haar stuk stront van een broer, haar egoïstische moeder, de snuggere directie die de wacht hield bij de vergulde poorten van de Westwood School. Waar waren de volwassenen in godsnaam geweest? Had ze al die tijd helemaal alleen op het slappe koord van het leven gebalanceerd? De hele tijd?

'Begreep je echt niet dat er iets met me aan de hand was?'

'Denk je echt dat je het enige kind bent van wie de ouders uit elkaar zijn gegaan? Belachelijk. Doe normaal, Dahlia.' Margalit had de kunst van het converseren nooit helemaal onder de knie. Ze maakte nooit echt de juiste opmerking op het juiste moment.

Er ontsnapte een meesmuilend lachje – het klonk als het vreugdeloze blaffen van Danny. 'Ik sneed mezelf, *ima*. Op de middelbare school. Je was er niet echt, als je dat nog weet.'

'Ik was altijd héél erg betrokken bij je leven. Je probeert me af te schilderen als een soort monster.'

Dahlia stak haar armen uit en vond het vreselijk dat ze zich verlaagde om het te bewijzen. 'Zie je die littekens?'

Margalit wierp een vluchtige blik naar beneden. 'O, in godsnaam, Dahlia. Waar?'

Om eerlijk te zijn had iedereen wel iets toen de middelbare school godzijdank ten einde liep. Haar vroegere pseudovriendin Saree Lansky was ergens dat voorjaar gestopt voedsel tot zich te nemen, maar zolang ze goede cijfers haalde, leek het haar ouders noch de leiding van Westwood School iets te kunnen schelen. Hetzelfde gold zo te zien voor minstens vijf anderen in Dahlia's klas. (Het is trouwens algemeen bekend dat blanke, welgestelde meisje uit de voorsteden deze slopende ziekte veel vaker krijgen dan hun arme, gekleurde stadszusjes. Denk daar maar eens over na, Gene: rijke meisjes worden vaker ziek en depressief dan meisjes die het moeilijk hebben. De experts hebben hiervoor wat redenen aangedragen: de gerieflijke bleekneuzen hebben meer tijd te besteden aan het bedenken, bewerkstelligen en zwelgen in hun eigen leed; de druk van een welgestelde achtergrond is veel groter; het perspectief dat bmw-cabrio's en zwembadfeestjes en vroege aanmeldingen voor Yale misschien wel onvoldoende zijn wanneer er stront aan de knikker is.)

Dahlia en Mara koesterden hun lunch op school, gekocht bij de traiteurachtige snackbar en midden op de binnenplaats met aplomb genuttigd onder de grootste, dikste boom die ze konden vinden. Ze aten alsof hun leven ervan afhing, terwijl breekbare meisjes met doodse blikken en diamanten solitairs op hun knokige borstkasjes – echte Westwoodhoertjes – voorbijzweefden en zich omslachtig excuseerden voor hun gebrek aan eetlust. Dahlia had in elk geval heel erge honger toen het voorjaar van het laatste jaar aanbrak en alle privéschoolrobots angstvallig wachtten op de toelatingsbrieven van universiteiten. Dahlia had zich aangemeld voor drie instellingen: een veilige, een haalbare en een lastige. Dat was ongehoord op de Westwood School, waar mentoren die tweehonderd dollar per uur verdienden kinderen stelselmatig hielpen met eigenaardige lijstjes, aanbevelingsbrieven van beroemdheden en opstellen voor tien, twaalf, vijftien scholen per keer. Dahlia was een freak, kennelijk de enige laatstejaars die over van alles kon praten, behálve toegelaten worden tot een college. Wie kon het wat schelen? Ze was een onaantrekkelijke, dikke stumper en iedereen die net als zij anders was zou zich aanmelden voor Boston University (veilig), Sarah Lawrence College (haalbaar) of New York University (lastig). Wat natuurlijk niet veel vertrouwen wekte in de eerder door haar opgestelde lijstjes met Redenen om te Leven.

Van ver zeurde Margalit voortdurend over Dahlia's weinig spectaculaire schoolprestaties. Ze uitte absurde dreigementen over haar vervolgopleiding. 'We betalen niet om haar naar een tweederangsinstelling te laten gaan!' schreeuwde ze tegen Bruce. 'Ze vergooit haar kansen!' (Wat Is Haar Strijdplan?)

'Je redt je wel, waar je ook heen gaat,' stelde Bruce Dahlia gerust, ogenschijnlijk niet bezorgd om haar treurige cijfers, inzet, ambitie. 'Je bent slim. Ik maak me geen zorgen om je.' (Maar waarom bleef Wat Is Je Strijdplan altijd veel langer hangen?)

Alles bij elkaar genomen kon het Dahlia weinig schelen wat er met haar zou gebeuren. Merk je al een rode draad op? Het kon haar niet schelen. Ze was moe. Ze keek uit naar de dag waarop ze eindelijk het dieptepunt zou bereiken en een echte zelfmoordpoging zou doen: wat een dag zou dat zijn! Het was haar verlaat-de-gevangenis-zonder-betalen-kaart. Ze koesterde en beschermde het in het geheim, haar gouden troef. Aangezien ze het nog nooit had geprobeerd, was het nog een van de mogelijkheden, een kans om als ze het echt helemaal niet meer zag zitten haar eigen levensweg in te korten, om de spelmetafoor te blijven gebruiken. De gedachte hield haar op de been. De wetenschap dat ze zich op een dag van kant kon maken belette haar zich daadwerkelijk van kant te maken.

Zij en Mara doorkruisten 's avonds laat heel LA. 'Nachtziekte' noemden ze dat: de mysterieuze aandoening waarbij je jezelf er gewoon niet toe kon brengen naar bed te gaan. *Ik weiger deze dag voorbij te laten zijn*, zeiden ze dan. *Godsamme, écht niet dat deze dag al voorbij is.* Middernacht, één, twee uur. Ze reden rond, gingen naar nachtfilms, wegrestaurants, rookten pakje na pakje American Spirit. Mara's vader was op geheimzinnige wijze om het leven gekomen en haar moeder had het heel druk met een strikt regime van aerobic en plastische chirurgie. Margalit was in Israël. Bruce Finger zou het niet in zijn hoofd halen haar vrijheid in te perken met een avondklok. 'Veel plezier, meiden!' zei hij wanneer hij ze toevallig zag aankomen of vertrekken van het huis in Brentwood. ('Je vader is een belachelijke jaknikker,' ging Margalits karakteristieke telefoontirade wanneer hun verschillende manieren van opvoeden ter sprake kwamen. 'Ja, ja, ja, ja, ja! En daarom ben je een verwend kreng.' 'Wie ís dit?' antwoordde Dahlia dan. 'U hoeft ons niet meer te bellen. We hebben geen interesse!')

Dahlia en Mara waren in die tijd closer dan ooit. Beiden probeerden ze het hoofd boven water te houden, op drift in de oceanen van hun afzonderlijke families.

Pas de laatste jaren begon Dahlia het gevoel te krijgen dat ze Mara tot last was. Een oude vriend die je moest tolereren, verduren; Mara's wilde, losgeslagen oude maatje. De laatste jaren werd Mara steeds beleefder en vormelijker. Had ze met Dahlia te doen? Had ze medelijden met haar? Mara, die haar eigen nihilisme en apathie met succes was ontgroeid: stabiel, ambitieus, keurig verzorgd. Ze studeerde geneeskunde en woonde in Boston samen met haar keurige verloofde, Nick. Aan haar linkerhand een flonkerende diamant. Dahlia stikte bijna bij de gedachte aan dat leven. Ze moest zich inhouden niet op hoge toon te vragen: 'Maar ben je ook gelúkkig?' Hoe kon de lieve, scherpe, duistere Mara, haar verbitterde vriendin tot het bittere einde, gelukkig zijn met zo'n hek rond haar leven? Wat zou het volgende zijn? Zou ze een baby krijgen en erover bloggen? Wat was er gebeurd met de band die ze hadden? Waar was de grappige, bozige Mara gebleven, met haar gezonde afkeer voor de status-quo? Haar verbitterde vriendin tot het bittere einde. Dahlia zag als een berg op tegen Mara's bruiloft, de onvermijdelijke plichtplegingen als bruidsmeisje, en wat voor geheimzinnige, schimmige vorm van vriendschap daarop zou volgen. In welk schimmige, etherische vorm van leven Dahlia zich op dat moment ook zou bevinden, natuurlijk.

Destijds konden ze echter al rondrijdend – naar Swingers op Beverly Boulevard, naar de pier van Santa Monica voor een joint, over de Pacific Coast Highway en terug, met de Counting Crows die uit de speakers knalden, ook al wisten ze dat die nogal suf waren, kettingrokend – nooit duidelijk maken waar ze heen gingen, of waarom. Nachtziekte: de noodzaak om gewoon maar te blijven gáán. Nu begreep Dahlia het volkomen. Het was omdat de dag nog iets nodig had. Wat de dag ook gebracht had, het was op de een of andere manier niet genoeg. Ze waren er niet klaar voor hem los te laten. Er moest nog iets gebeuren. Er moest nog iets voorvallen. De dag kon nog niet voorbij zijn. Ze Zouden Zich Niet Overgeven. Pas als ze er klaar voor waren.

En waardoor zouden ze er klaar voor zijn? Joost mocht het weten. Uiteindelijk hadden ze geen keuze, of het nu om één uur, twee uur of vier uur 's nachts was, uiteindelijk gingen ze naar huis, slapen. Ze hadden de goede strijd gestreden, maar klaar of niet, slaap is uiteindelijk altijd sterker dan onbehagen.

Leef nu

Dit is het moment om alles uit het leven te halen. Je weet niet hoeveel tijd je nog gegeven is. Leef je leven voluit. Verder dan vandaag kunnen we niet kijken, ziekte of niet. Leef vandaag!

Precies. Dat was precies wat ze altijd gedaan had. Precies dat. Geen moment dacht ze aan het volgende: hoe voelde ze zich nú? Wat wilde ze op dit moment? Wat doet iemand (en vooral een jong iemand) anders dan Nu Leven? Al dat Nu laat echter wel zijn sporen na. Leven eist zijn tol. Verbruik al je leven nu en dan – poef! – is het voorbij. Ze volgde haar gevoelens – grote gevoelens, vaak voorkomend – omhoog en omlaag, in de rondte, dichtbij en ver weg. Was die ruwe, enge, duizelingwekkende duivelsrit niet de kern van deze foute boel, deze celvervorming?

Drugs en medicijnen die Dahlia had geprobeerd, vanaf haar vijftiende ongeveer, in volgorde van voorkeur (uitgezonderd die klote-Temodal, waar geen reet aan was): marihuana, ecstasy, Vicodin, cocaïne, paddo's, Ritalin, Wellbutrin, Zoloft. Waarvan elk in *Nu Leven* zijn eigen gebruiksaanwijzing heeft. En had al dat *nu leven* niet – heel mooi lineair, nu ze erop terugkeek – geleid tot haar huidige leven? Dat, wacht even, laten we een blik werpen op ons trouwe literaire tijdspad – kut! hoofdstuk 12 van de 18 – bijna voorbij was?

Maar laten we stoppen met die vragen, dit dwangmatige afbakenen: genoeg. Nog één vraag, komt-ie, en dan begraven we haar en gaan we verder: was ze depressief omdat ze doodging, of ging ze dood omdat ze depressief was?

Of, in andere woorden: fuck you, Gene.

Het begint allemaal te klinken als het nietszeggende gewauwel van de volwassenen in *Peanuts*. Een en al ge-*wa-wa-wa-wa-wa*. Het was alsof Dahlia nog een ander soort barrière tussen hoofd en hart had, eentje die niets positiefs of nuttigs doorliet. Toch bleef ze het mooie groene boek met zich sjouwen, bleef ze de mooie groene voedingsmiddelen eten, bleef ze het mooie groene kruid roken, en ze begreep steeds minder van wat er allemaal met haar gebeurde. Ze dobberde als een dode, met haar gezicht naar boven natuurlijk, zodat ze naar de metaforische hemel kon kijken. Nieuw chemoprotocol. Agressief. Bloedonderzoeken. Maandag: CCNU, een pil. Te doen. De maandag erop: Vincristine, via een infuus. De week erna: Matulane. Dan weer een injectie met Vincristine. Dan waarschijnlijk op die manier verder. Meer onderzoeken. Whatever. Dilantin. Heel veel Dilantin. Ze kon het nauwelijks bijhouden. En wie kon het eigenlijk wat schelen? Behandeling van kanker is als een bruiloft plannen of een kind opvoeden: alleen jij maakt je druk om de verdomde details, of wilt überhaupt iets wéten over de details, alleen jou zou het iets kunnen schelen als ze wél de tijd wilden nemen om de details te begrijpen. En net als bij bruiloftsplannen en opvoeding is het uiteindelijk allemaal één groot, nutteloos waas, verder voor niemand van enig belang.

Het kwam erop neer dat ze pillen slikte, er naalden in haar arm werden gestoken, dat ze bepoteld werd en zich over het algemeen niet opperbest voelde. Ze sliep diep en lang. De remedie is erger dan enzovoort.

Op de universiteit van Boston ('Een derderangsschool!' klaagde Margalit. 'Je hebt zo'n voorsprong en je doet er niks mee!') kwam Dahlia vijftien kilo aan, begon ze ritueel haar wenkbrauwen uit te trekken en daadwerkelijk aan slapeloosheid te lijden.

Danny volgde op dat moment de opleiding tot rabbijn in Philadelphia, hoogstens een uur met de trein van Boston, waar hij, en dit is geen grap, een reconstructionistische rabbijn hoopte te worden. Rabbijn in spe Dan werkte op een particuliere meisjesschool als 'pastoraal werker'. Rabbijn in spe Dan verwierf een reputatie als toegewijd faculteitslid en mentor voor de meisjes onder zijn hoede die problemen hadden. Dahlia belde hem maar en belde hem maar, buitengewoon trots op hem (een *rabbijn*!?), en opgewonden bij de gedachte eindelijk als gelijke met hem van gedachten te wisselen: ze was volwassen en lag uitgestrekt op haar eigen bed in haar eigen kamer op de derde etage van een waardeloze studentenflat, met Tracy Chapman en Ben Folds Five op haar stereo; haar leven ontvouwde zich eindelijk zoals zij het wilde. Dit was het dan, Dahlia wist het zeker: het begin van haar léven. Haar werkelijke, echte leven. Het werd tijd dat ze vrienden werden, nu echt. Ze wilde van geen nee horen. Ze zou hem tot haar vriend maken, al moest ze hem ervoor omleggen. Er zweefden twee Fingers rond aan de oostkust. Ze studeerde nu, wat kon hij nog voor reden hebben om niet met haar om te willen gaan? Zij haatte hun moeder óók! Daarnaast was hij een rabbijn in spe, wat ongetwijfeld wees op enorme spirituele groei en mogelijkheden. Ze nam zich voor haar 'spastische' gedrag in te tomen, voor wat het maar waard was.

'Wil je m'n nieuwe adres?'

'Whatever.'

'Heb je een pen?'

'Nee.'

'Wil je een pen pakken?'

'Nee.'

'Wil je me later terugbellen?'

'Eh, wacht, wacht... Nee!'

In het voorjaar van haar tweede jaar flirtte ze met een meisje. Alexis. Ze vond Dahlia 'lekker' en vertelde haar dat regelmatig. Wie anders dan een ontluikende lesbische studente zou Dahlia – de ongewassen, harige, te zware studente Dahlia – 'lekker' vinden? Godsamme, ze zou pakken wat ze kon krijgen.

Dahlia wist vrij zeker dat haar eigen vrouwelijke geslachtsorganen de enige waren die ze wilde aanraken, maar je probeert eens iets op de universiteit. Zij en Alexis kregen uiteindelijk geen seksuele relatie, het was simpelweg een vriendschap waarbij een grens werd overschreden, en die door die overschrijding een rampzalige warboel bleef totdat het, natuurlijk, slecht afliep. Het was eigenlijk meer een gedoemde vriendschap dan een romance, doortrokken als ze was van de strijdlustige jaloezie en ondermijning die voor zover Dahlia kon inschatten zo ongeveer elke vrouwelijke relatie kenmerkten. Misschien in tegenspraak met hoe men in de regel denkt over studerende lesbiennes, over wie Dahlia elk geval had gedacht dat ze een vriendelijk, welwillend en tolerant clubje zouden zijn, bleek Alexis noch vriendelijk, noch welwillend, noch tolerant. Vergeleken bij Alexis met haar zachte, ronde lichaam en rode vlinderbril, doordringende blik en grenzeloze minachting voor alles en iedereen, voelde Dahlia zich ronduit een optimist.

De grootste aantrekkingskracht was eerlijk gezegd dat Alexis' vader toevallig een vooraanstaande reconstructionistische rabbijn was. Hij had vier boeken gepubliceerd over het combineren van joodse godsdienstoefening met andere, niet-traditionele vormen van spiritualiteit die het judaïsme zouden kunnen inspireren en verrijken. Een korte zoektocht op internet had aan het licht gebracht dat hij zo nu en dan lesgaf op Danny's rabbijnenopleiding. Dahlia vond dat een geweldig toeval. Het was een connectie: haar eigen relatie met iemand die macht had over Danny. Ze zouden met zijn vieren koffie gaan drinken!

'Mijn broer volgt een opleiding tot rabbijn op de school waar jouw vader lesgeeft,' had Dahlia een paar weken na het begin van hun relatie toegegeven. 'Is dat niet grappig?'

Alexis was ontzettend defensief en zeikerig over veel dingen: haar vader, judaïsme, dat ze niet was toegelaten tot Cornell University. (Boston University was voor 'sufkutten', stelde ze.) Het feit dat haar oudere zus (afgestudeerd op Harvard) die zomer zou trouwen. Opmerkingen over haar vader en zijn connectie met Dahlia's broer waren ongewenst.

Het was het begin van het einde. Op je negentiende volgde je gewoon de geur van wie er ook maar enige interesse toonde, en pas later vroeg je je serieus af wat je in godsnaam in je hoofd had gehaald. Leef nu.

Op een vreselijke avond, weken later, in de greep van het soort verdriet dat ze zo graag had willen achterlaten toen ze de middelbare school en huis was ontvlucht, had Dahlia Alexis in een domme opwelling opgebeld.

'Ik voel me gewoon zo alleen,' fluisterde ze huilend. 'Ik heb het gevoel dat ik hier niet thuishoor. Ik weet niet waar ik wel hoor.'

'Dat is klote,' had Alexis ongeduldig verzucht.

'Ja,' snikte Dahlia. 'Soms wil ik... ik weet het niet. Dood of zo.'

Waarop Alexis had opgehangen en de bewakingsdienst van de campus had gebeld, die twee medewerkers naar haar kamer stuurde. Ze vertelden haar streng dat ze verslag moesten uitbrengen bij de studentenkliniek.

'U moet twee keer naar een therapeut van de universiteit, mevrouw,' zei een van hen. Hij was stevig, gedrongen: haar type! Ze lachte hem flirterig en met opgetrokken wenkbrauwen toe, wat hij negeerde. 'Voorschriften. Hier tekenen.'

'Weet je,' zei Alexis toen ze elkaar de week erna spraken, allebei klaar voor die kenmerkende manier van het jaar afronden van studenten, traditioneel op smaak gebracht met de typische razende agressie van vrouwelijke studenten, 'ik wilde niks zeggen, maar als ik eerlijk ben? Jij hebt echt een probleem.'

'Heb ík echt een probleem? Ik wil niet lullig doen hoor, lieverd, maar jij bent een trut die in de kast zit.' Maar ik wil dus niet lullig doen.

'Weet je wat het met jou is? Jij bent zo iemand die nooit gelukkig wordt.'

'Val dood.'

'Geweldig.'

'Je kent me helemaal niet, achterlijke trut.'

'Ik weet genoeg.'

'Luister, ik vind het echt rot voor je dat zo'n kutwijf bent, maar doe er iets aan.'

'Whatever.'

Hoorns werden op de haak gesmeten. Later had Alexis Dahlia met hanenpoten een lange, hysterische brief geschreven en onder haar deur geschoven. Er stond in dat wanneer Dahlia ook maar iemand die betrokken was bij de reconstructionistische beweging vertelde over Alexis' ontluikende homoseksualiteit, Alexis haar 'af zou maken'. En ook: zoek hulp.

Daar was het weer: je hebt hulp nodig. Je hebt problemen. Je bent verknipt. Het was een déjà vu, dit refrein, in al zijn combinaties, in een helse herhaling. Dahlia raakte ervan in de war. Als ze echt hulp nodig had, als ze echt zo vreselijk verknipt was, was het echt heel erg wreed om het alleen maar als trap na nog even te beweren. Een belediging. Het tegenovergestelde van bezorgdheid eigenlijk. Als je erover nadacht, bood het totaal geen hulp.

De door de campus opgelegde therapeut schreef Wellbutrin voor. Toen Dahlia daar licht in het hoofd van werd, stapte ze over op Zoloft. Toen Zoloft door haar dromen begon te spoken en een afschrikwekkend gebrek aan emotie veroorzaakte, een zwart gat van gevoelens, stopte ze er helemaal mee, en ze verkocht de resterende pillen aan een jongen bij haar op de gang die ze fijnmaalde en opsnoof, met twijfelachtige gevolgen. Wat wel bleek te helpen was marihuana. Heel veel marihuana. Wanneer ze high was, voelde ze zich ongeschonden, gezond, echt, hanteerbaar en hoopvol. Zelfmedicatie in dienst van zelfgenezing, Gene.

Ze bleef het proberen met Danny. Ze ging zelfs een paar keer naar het Hillelhuis van Boston University, omdat ze dacht dat ze dan ook een echte Jood zou zijn en vriendschappen zou sluiten en nietszeggende, eindeloze rondjes Joodse geografie zou spelen, waarvan de regels ongeveer als volgt luidden: de jongere broer van mijn vriendin heeft met de vriendin van je zus geslapen, maar toen gingen ze uit elkaar en nu gaat zij uit met een jongen die op United Synagoge Youth een jaar hoger zat dan ik. Vervolgens zou ze verslag uitbrengen aan Danny en hem over die of die vertellen, de nieuwe echtgenoot van de vriendin van haar zus, die vroeger uitging met dat meisje. Als dat ervoor nodig was, oké. Ze zou de regels leren, het spel meespelen. Ze zou in haar derde jaar naar de Hebreeuwse Universiteit gaan. Ze zouden gemeenschappelijke vrienden hebben!

Er was altijd een overvloed aan verklaringen voor Danny's weigering ooit ook maar een beetje aardig te zijn voor iemand in zijn familie. Er werden verontschuldigingen aangevoerd. Voorspellingen aangedragen.

'Hij is gewoon een gewond vogeltje,' verzuchtte Margalit. 'Hij is een ongelukkig vogeltje, meer niet.'

Bruce bood een andere zienswijze: 'Heeft hij een vriendin?' Voor zover iemand wist had Danny ondanks zijn populariteit bij de pubers op zomerkamp nog nooit een relatie gehad. Hmmm: dus misschien was Danny gewoon chagrijnig. Misschien had Danny gewoon dringend een beurt nodig.

Tot hun collectieve verrassing werden Margalit, Bruce en Dahlia alle drie uitgenodigd voor de diploma-uitreiking op de meisjesschool, waarbij rabbijn in spe Dan door de laatstejaars een speciale prijs uitgereikt zou krijgen: de Robert & Melissa D. Krauss Award voor uitmuntend mentorschap. Kadee Horowitz sprak met schelle stem en een overdadige hoeveelheid lipgloss ontroerend over rabbijn in spe Dans rotsvaste geloof in haar. De speech werd later op de website van de school gezet.

Zelfs toen ik voor drie van de vier vakken onvoldoendes haalde en vaak spijbelde, hielp rabbijn Dan me te geloven dat ik kon veranderen hoe het allemaal zou lopen, en met zijn hulp kreeg ik begeleiding, verbeterde ik mijn cijfers, schreef ik me in voor Tufts University en werd ik toegelaten! Rabbijn Dan, ik wil u graag vertellen hoeveel u voor me betekent, en dat alles omdat u zo betrokken bent. Ik zal uw hulp nooit vergeten en ik ben er heel erg trots op dat ik u deze prijs enz.

Dahlia herlas het keer op keer, dwangmatig, bezocht regelmatig 's avonds laat stoned en door slapeloosheid geteisterd de website van de school, gefascineerd door deze bizarre, totaal andere Danny Finger. Hier was hij 'rabbijn Dan'. Hier was hij 'betrokken'. Hier hielp hij een tienermeisje dat in de problemen zat en 'betekende' hij veel voor haar. Er stond een foto bij van rabbijn in spe Dan met zijn arm om de kleine Kadee geslagen. En dit was dezelfde Danny? Haar bróér, Danny? Was dit een soort op hol geslagen ruimte-tijd-continuüm? Een ondoorgrondelijke scifi-plot, vol boosaardige tweelingen? Een parallel universum? Met andere woorden: wat de fuck? Tegen haar had hij destijds namelijk niet meer te melden dan: 'Wist je, Dahlia, je bent nogal intens.'

'Sorry,' stamelde ze dan, verbijsterd. Ze had nog nauwelijks bedacht hoe ze 'mongool' moest voorkomen, was nog duizelig van de schijt-op-haar-gezicht-dagen en nog niet helemaal in staat dit mildere, zachtaardiger scheldgedrag op waarde te schatten.

Langzaam maar zeker werden de feiten echter duidelijk, als beelden op foto's in een ontwikkelbak. Danny was gesloten voor de mensen die er het meeste toe deden, en open tegenover alle anderen een beetje zoals een bordje mensen in een winkel meedeelde dat de winkel GESLOTEN was, terwijl iedereen buiten las dat hij OPEN was. Het was niet wat het leek, het was niet logisch. Naar Dahlia straalde hij GESLOTEN uit, maar elke verdomde vreemdeling, elk spastisch, 'intens', verward middelbareschoolmeisje, elke kennis en de moeder van de vriend van de zus van die kennis meldde hij hoe open hij wel niet voor hen stond. Waarom? Ze kon het met de beste wil van de wereld niet bevatten.

En zodoende begon de werkelijkheid tot haar door te dringen. Op dat moment begon ze – aanvankelijk langzaam en heimelijk – te beseffen: weet je? Mijn broer is eigenlijk gewoon een klootzak. Vasthouden aan die achterhaalde, onhoudbare veronderstelling ('Danny aanbidt je!') was niet langer mogelijk nu ze de realiteit onder ogen zag. Danny was eigenlijk gewoon een schoft. Goed werk, Sherlock.

Ze minderde de telefoontjes, de ansichtkaarten, de eenzijdige vriendschap waarin ze zich helemaal had gegeven sinds de dagen van de homevideo's ten einde waren gekomen, zonder enige plichtplegingen.

Ze begon te accepteren dat haar enige broer een bekrompen, slap aftreksel van een mens was, maar omdat ze wist hoe populair rabbijn Dan was bij de kliek van koningen en koninginnen op het jaarlijkse bal, en omdat het gewoon grappig was, zong ze elke keer dat ze hem zag een tekst van The Police: '*Young teacher, the subject of schoolgirl fantasy.*' Dat deed hem minder dan ze gehoopt had. Het veroorzaakte geen enkele reactie, wat Dans standaardreactie was. Geen emotie zijn karakteristieke emotie. Lul.

'Weet je dat de dochter van rabbijn Schrier een lesbienne is?'

'Ik ga ophangen, Dahlia.'

'Prima, hang maar op.'

'Je hebt hulp nodig.'

Help me dan!

Haar grappen werden steeds aanstootgevender. 'Hé, rabbijn!' riep ze tegen hem. 'Hoe gaat het met die wijziging van de schoolstatuten over ontucht met minderjarigen?'

Natuurlijk was ze kwaad. Jarenlang had ze zichzelf opgeofferd voor haar geliefde grote broer, plichtmatig haar best gedaan en vervolgens nog meer haar best, gewapend met het vertrouwen dat hij wanneer ze het volhield wel aardig móést zijn tegen haar (en misschien zelfs verder zou gaan waar hij jaren eerder op die knusse, gezellige vroege ochtenden was afgehaakt, haar lieve maatje), maar de feiten waren zo klaar als een klontje, pal voor haar ogen zichtbaar op de website van de meisjesschool, in de woorden van Kadee Horowitz zelf, woorden die tot diep in de nacht in de van slaap verstoken ogen van Dahlia brandden: hij was geen klootzak tegen iedéréén. Zolang je geen familie van hem was, leek hij in feite een echt *mensch*. Dat kennelijk beschadigde meisje verzamelde, als beeldjes. Het was niet zo dat hij er niet toe in staat was, hij was gewoon een klootzak. De onrechtvaardigheid ervan, het treurige, treurige besef, kwam aan als een klap tegen haar hoofd waardoor alles verschoof.

Ze bedankte er uiteindelijk toch voor om haar derde jaar door te brengen in Israël, en sloot zich in plaats ervan aan bij een collectief van hippies, begon geslachtsneutraal te praten, ging met haar vriendin Lauren naar Jamaica Plain in Boston, waar ze zich lam zopen aan de rum met een oude zwarte vrouw die extensions tot onder aan hun rug in hun haar vlechtte. Ze ging Vrouwenstudies doen in plaats van Sociologie, en schreef een scriptie over het uitputtende onderwerp van de cultuurhistorische kijk op 'geestesziekte' bij 'onconventionele' vrouwen. *Het gele behang, Gaslight*, Frances Farmer. Ze organiseerde een vertoning van *Safe*, waarin Julianne Moore op mysterieuze wijze allergisch wordt voor letterlijk álles in haar leven en de hedendaagse wereld, heel vreselijk.

Uit Dahlia's inleiding (die inderdaad 'intens' of als, je dat liever hebt, 'spastisch' was): *Al zolang vrouwen het lef hebben gehad gevoelens van woede, verdriet, frustratie en diepe haat te ervaren, heeft de patriarchale maatschappij hun die gevoelens ontzegd, en sterker nog: hen genadeloos afgestraft omdat ze überhaupt iets voelden.* Ze studeerde cum laude af. Ze was met een gemiddelde van onder de 3.0 een van de weinigen binnen de vakgroep die was afgestudeerd met een 'zeer goed', had haar begeleider haar kortaf meegedeeld.

Ze deelde een ranzig huis met haar ranzige vrienden – een van die studentenhuizen die jaar na jaar worden doorgegeven aan weer nieuwe generaties ranzige studenten. Van de meubels kreeg je jeuk en niemand maakte ooit schoon. Je erfde oeroud kookgerei en werd zo stoned dat je het niet erg vond om de kant-en-klare macaroni met kaas te eten die je ermee had klaargemaakt. Dahlia en haar huisgenoten haalden hun neus op voor de maandelijkse Pooiers-en-Hoeren-feesten die hun Grieks georiënteerde huisgenoten gaven. Ze hadden 'verwerkingsbijeenkomsten', waarop ze passief-agressief tegen elkaar tekeergingen voor afwisselend de toiletbril niet omlaagdoen, de voordeur niet op slot doen, iedereen om vier uur 's nachts wakker maken met seksgeluiden, enzovoort.

Alles in dat huis was: 'Ik vind.' Ik vind zus. Ik vind zo. Ik vind je toon van weinig respect getuigen. Ik vind dat als je de bril omhoog laat, je duidelijk maakt dat je niks om me geeft. Ik vind het niet cool als je vergeet het licht uit te doen. Eindelijk: een plek waar gevoelens onbetwistbaar waren, ook al waren ze tegelijkertijd onuitstaanbaar.

De nachtziekte hield aan. Ze leek zichzelf niet naar bed te kunnen sleuren. Ze zat aan haar bureau, rommelde wat op haar computer, nam nog een snack, luisterde naar muziek en las. Uiteindelijk haalde ze zichzelf over haar tanden te poetsen en haar gezicht te wassen, maar daarna had ze nog een kop thee nodig, nog een cd, een telefoontje naar de westkust, waar haar vader steevast nog wakker was en blij om haar te spreken.

'Ha die pa.'

'La La!'

'Hé.'

'Wat doe je nog op? Het is… god, Dahlia, het is halfdrie 's nachts!'

'Ja.'

'Wat ben je aan het doen?'

'Niks.'

Ze probeerde zich te herinneren hoe Margalit voor haar zong wanneer ze als klein meisje niet kon slapen. Of had ze zich dat ingebeeld? Was het in werkelijkheid een babysitter van de kibboets geweest of Inbal, de vrouw van oom Mosjee, of was het een volkomen verzinsel? Op de melodie van 'Taps', een oud Hebreeuws liedje over het einde van de dag: *Rad hajom, sjemesj dom, kochaviem, notsetsiem bamarom; laila ba lemenoecha; sjalom, sjalom!* De dag loopt ten einde, de zon zwijgt, sterren glinsteren hoog in de lucht; de nacht komt voor de rust; dag, dag! Soms werkte dat. Dan neuriede ze zichzelf in slaap en was ze de volgende ochtend opgelucht dat ze in ieder geval in slaap was gevallen.

Laat het verleden los: het is tijd om je volledig over te geven aan dit vluchtige moment. Verdoe je tijd niet langer met zorgen over voorbije tijden of een mogelijke toekomst. Wat er ook gebeurt in je huidige strijd tegen kanker, onze tijd op aarde is beperkt.

Inderdaad, inderdaad. Het hier en nu. De hele mikmak aan medicijnen en onderzoeken. Haar tweede ronde chemo liep ten einde. Haar lichaam verwoest, haar energie op, kokhalzen, schilferige huid, zenuwtrekjes, jeuk, pijnscheuten en zwakheid op zwakheid op zwakheid. Wat nu?

'Over een paar weken weten we meer, bij de volgende MRI,' zei dokter C. 'Blijf positief.'

Nog een ronde chemo? Experimentele bladibla? Gerichte bestraling? Kom maar op, hoorde ze zichzelf zeggen aan een kaarttafel tegen een croupier met een strak gezicht en om zich heen asgrauwe lafaards die stuk voor stuk slechte kaarten hadden. Of zou ze – dat was niet zo duidelijk – toestemming krijgen gewoon zieker te worden en dood te gaan? Maar niemand zei 'doodgaan'. 'Zieker worden' stond echter vast. Ze verlepte. In de praatgroep staarden zelfs de Eierstokken in fase vier, die nog maar een paar weken hadden voordat ze naar een hospice gingen (als ze geluk hadden) vol medelijden naar de arme, jonge, verlepte Dahlia.

'Ik wil je een gunst vragen,' zei Bruce aan het eind van een zonnige middag. Wanneer ze zich binnenkort goed genoeg voelde, zouden ze naar het strand wandelen. Hij was bij haar thuis (eigenlijk zijn huis natuurlijk) en hield haar gezelschap. 'Haar gezelschap houden' kwam er eigenlijk op neer dat hij nu bij haar inwoonde. Margalit, die op een drieweeks verlof naar Tel Aviv was, kon wanneer ze terugkeerde in zijn huis logeren. Het was een huizendans: twee huizen, drie mensen. Maar op het moment dat in dít geval de muziek zou stoppen, zou er op de een of andere manier één persoon minder zijn, genoeg huizen voor iedereen, en geen probleem meer.

'Wat?' Er was maar één ding dat Bruce kon willen.

'Ik weet dat Danny niet je favoriete persoon is.'

'Jezus, pa. Begin nou niet weer.'

'Ik weet dat hij niet je favoriete persoon is, La. Ik weet dat hij je heel erg gekwetst heeft, ons allemaal. Maar ik wil je een gunst vragen.'

'Ik wil hem niet zien. En ik zou niet weten waarom ik dat zou moeten. Ik haat die klootzak. En hij ís een klootzak, pa.'

'Laat me even uitpraten.'

Dahlia trok haar knieën behoedzaam tot onder haar kin. Haar lichaam voelde steeds minder aan als een vertrouwd, betrouwbaar object, een herkenbaar lichaam. Het voelde steeds meer aan als een voorwerp-lichaam, een ding dat helemaal niets met haar te maken had. Vreemd, ondoorgrondelijk, onmogelijk om te bewonen, als een eeuwenoude, ten dode opgeschreven beschaving vol stammenoorlogen. Ze had Danny (sorry: Dan) niet meer gezien of gesproken sinds hij vorig jaar met Nadia was getrouwd. Nadia, met de absoluut niet hartelijk bedoelde bijnaam 'de Velociraptor'.

'Er zijn momenten in het leven dat het heel belangrijk is je woede los te laten, La La.'

Ze rolde met haar ogen. Woede was niet iets wat je los kon laten. Woede klampte zich vast aan jóú, niet andersom.

'Ik weet dat Danny zich vreselijk heeft gedragen.'

'Hou op.'

'Ik maak me zorgen om je, La, om jóú. Niet om Danny. Vergeet Danny. Je hebt gelijk wat hem betreft. Ik ben niet blind.'

Ze ging dus dood. Rottige timing en vette pech. Ze weigerde. Laat Danny maar lijden in de wetenschap dat het nu te laat was om aardig te zijn. 'Goed' of 'nu' leven of wat dan ook bleek toch niet de beste wraak te zijn. 'Te laat' was de beste wraak.

'Mag ik je vertellen waar ik bang voor ben, La?' Ze knipperde twee keer naar hem. 'Ik ben bang dat als je hier koppig over blijft doen, je niet beter kunt worden.'

'O, jezus nog aan toe! Mooi is dat. Maak er lekker mijn schuld van! Jezus!'

'Het is niet jouw schuld.'

'Inderdaad.'

'Ik wil alleen niet dat je ergens spijt van krijgt.'

Maar dode mensen hebben nergens spijt van.

Het was niet zo dat ze een wraakzuchtige bitch wilde zijn. (Hoewel misschien wel een beetje; ze genoot van de gedachte aan Danny die de rest van zijn belachelijke leven heel aardig bleef doen tegen willekeurige vreemdelingen terwijl hij diep vanbinnen wist wat een ongelooflijke eikel hij was. Zou extreme schijnheiligheid ook kanker kunnen veroorzaken?) Het was omdat ze begreep – zoals ze een paar dingen gewoon begreep – dat wanneer ze Danny ook maar enigszins in haar buurt liet om haar te kwetsen, kwaad over haar te spreken, negeren, platwalsen, bespotten of beschimpen, al was het maar een fractie van vroeger, ze zou sterven met een gebroken laatste restje van haar hart. Het einde was in zicht, en ze hield zich overeind. Prioriteiten. *Als ik sterf zal het laatste restje van mezelf intact en ongeschonden zijn.* Je kunt zeggen wat je wilt, Gene, maar het leven is kostbaar. Leef nu.

'Wil je alsjeblieft met hem afspreken? Voor mij? We kunnen uit eten gaan.'

'Nee.

'Voor mij, La?'

'Nee.'

'Voor mij?'

Papa Bruce. Zo'n goeie vent. Maar hij snapte het gewoon niet. Hoe kon hij ook? Hij had geen kanker; hij begreep niet wat erbij kwam kijken om dit vuur in de tempel van het lichaam aan te steken en op te stoken. Het tegenovergestelde van liefde: iedereen weet dat dat iets anders is dan onverschilligheid.

De laatste druppel in het geval van Danny was natuurlijk Nadia geweest, zijn afschuwelijke internetbruid. Maar de voorlaatste druppel? Hij had geneukt met Kadee Horowitz. Het jaar nadat ze haar diploma had gehaald, nadat ze achttien was geworden. Wel, wel, de kleine Kadee was toegelaten tot Tufts University (*bedankt, rabbijn Dan!*). En hoewel Danny er niet over had gepiekerd om naar Boston te komen om zijn zus Dahlia op te zoeken (niet één keer in de vier jaar dat ze op Boston University had gezeten), had hij nu opeens een reden.

'Ik kom dit weekend naar Boston,' zei hij tegen haar.

'Echt? Cool! Hoezo?' Omdat ze zich niet kon inhouden, als een hondje op hem af sprong en bijna in haar broek piste van opwinding.

'Misschien moet ik bij jou slapen. Ik heb misschien een andere plek, maar misschien ook niet.'

'Geweldig!'

Hij was achteruitgedeinsd toen hij haar huis binnen kwam. 'Dit is walgelijk.'

Dahlia had de smerige woonkamer rondgekeken, naar het stoffige wandkleed dat half voor een smoezelig raam hing, de volle asbak op de salontafel. Op een vermolmde leunstoel lag een jongen met blonde dreadlocks te slapen. 'Ja. Deze gasten zijn varkens. Dat wil je niet weten.'

'Hoe kun je zo leven?'

Ze haalde haar schouders op. Ze had het deprimerende gevoel dat ze gezakt was voor een soort test, dat ze een slechte beoordeling kreeg.

Hij liet zijn tas op de grond vallen. 'Ik kom misschien niet terug vanavond.'

Ze stelde geen vragen. Oefen geen druk uit op Danny. Laat Danny naar jou toe komen. Laat Danny denken dat hij zelf heeft bedacht dat hij zich gedraagt als je vriend.

'Danny is hier! Hij is op bezoek!' had ze tegen Margalit gekraaid.

'Volgens mij heeft hij een vriendin,' had Margalit in de hoorn gefluisterd. Ze was in Haifa, waar Gil iets geheimzinnigs, belangrijks en gewelddadigs deed.

'Ja, volgens mij ook,' zei Dahlia.

'En volgens mij is het niet zomaar een vriendin,' vervolgde Margalit. Hoe wist ze dat? Had Danny het met haar over dit soort dingen?

'O ja? Hoe weet je dat?'

'Danny heeft het tegen tante Orly verteld.'

'Echt?' Danny had dus allerlei nieuwe relaties gecultiveerd. Dat was misschien een goed teken. Misschien zou Danny toch nog tot bloei komen, als een zeldzame tropische orchidee, die met pijn en moeite was overgehaald om zijn omgeving te vertrouwen.

'Kun je een geheim bewaren, *chamoedì*?'

Die gore kinderlokker. Het bekrompen stuk stront. Zijn voormalige leerling!? Het meisje dat vanaf haar vroegste tienerjaren zijn pupil was geweest? Nu was ze een eerstejaars, en dát was waarom hij zich had verwaardigd zijn weekendtas in Dahlia's smerige huis te dumpen? Dát was zijn 'vriendin'? Zijn 'pupil'. Waar moet dat heen? Wie wás deze Danny? Dat haar broer een man van achtentwintig was die naar bed gaat met tienermeisjes kwam aan als een mokerslag. Naar bed gaat! Er niet alleen verlekkerd naar kijkt in *Barely Legal*.

Maar toch kon ze hem nog stééds niet helemaal loslaten, zijn denkbeeldige versie, de Danny die wijs en volwassen was, haar stralende grote broer, rabbijn in spe, hoeder van verdwaalde tienermeisjes (op één na!). Deze mythologische Danny uit de weg ruimen zou betekend hebben dat ze haar hele verleden in de hens moest zetten. Elke hoop die ze ooit had gekoesterd dat alles goed was op de schroothoop gooien. En waar zou ze naartoe moeten als haar hele leven in de as was gelegd?

Vlak voor haar afstuderen was een pracht van een jongen verliefd op haar geworden. Aaron, iemand die ze al jarenlang rond had zien lopen op de campus. Hij was altijd heel stil, onopvallend, zorgeloos overgekomen. Hij had altijd een glinstering in zijn ogen, was altijd blij haar te zien. Het was goed: ze had een echte, volwassen, seksuele relatie nodig met iemand die rustig en lief was. Ze genoot ongeveer een maand van zijn aandacht, de verrukkelijke manier waarop hij haar kuste, de doordringende blikken die hij haar toewierp, zijn enorme grijns wanneer ze de kamer binnen kwam.

Sinds Uri had ze niets gehad wat ook maar in de buurt kwam van een seksuele relatie, en Aaron was perfect. Na hun eerste keer had ze kalm toegegeven dat ze het één keer eerder had gedaan en dat het helemaal niet oké was geweest. Dat het, nou ja, allesbehalve oké was geweest.

'O, lieverd toch,' zei hij, en hij streelde haar haar.

Dit is een aardige man die mijn haar streelt en me vertelt dat het wel goed komt, hield ze zichzelf voor, terwijl ze van kilometers afstand toekeek hoe het tafereel zich ontvouwde. Dit is een aardige man die mijn haar streelt en me vertelt dat het wel goed komt. Uitspoelen en herhalen. Dit is een aardige man die mijn haar streelt en me vertelt dat het wel goed komt. Dit is een aardige man die mijn haar streelt en me vertelt dat het wel goed komt.

Maar toen kon ze hem opeens niet meer uitstaan. Ze kon godverdomme helemaal niks meer uitstaan. Hij was zo áárdig. En vriendelijk. En góéd voor haar. Hij lachte om al haar grappen, en vond haar, zoals hij het stelde, 'het mooiste meisje dat ik ooit heb gezien'. Wat was dit voor idioot, vroeg ze zich af. Wat voor loser was er zo aardig voor iemand als zij, iemand die zo overduidelijk verknipt en onhandelbaar was, overliep van de problemen? Lachte om haar stomme grappen? Wie keek er nou naar haar en zag iets anders dan onversneden lelijkheid? Wie zou zo dom zijn om te beweren dat alles wel goed zou komen? Ze dumpte hem op de meest harteloze manier die je je kunt voorstellen. Zonder enige verklaring, zonder zijn gevoelens te sparen en zonder te reageren op zijn telefoontjes, of e-mails. Toen hij bij haar aanklopte met een gekwelde, tragische blik, zei ze iets als dat ze nog niet 'klaar' was voor een relatie, wat ook zo was. Ze was er gewoon nog niet klaar voor. Waarom was ze niet aardiger geweest tegen Aaron? Hij was zo'n lieverd. Haar hart brak toen ze bedacht hoe ze hem had behandeld. Ze ging gebukt onder een echt gevoeld gewicht van spijt; er was geen goede reden geweest om hem af te wijzen. Wat had hij nog meer gewild dan haar liefhebben en gelukkig maken? En wat voor iemand wijst dat af?

Ze vond dat Danny op precies dezelfde manier moest lijden.

'Dahlia.' Margalit die weer meedeed, terug was en rondsloop in het huis in Venice. 'Abba zegt dat je niet met Danny wilt praten. Danny wil met je praten. Alsjeblieft, waarom praat je niet even met hem?'

'Omdat hij een lul is, en ik voel me niet zo goed, voor het geval je dat nog niet had gemerkt.'

'Maar hij wil alleen maar een vriend voor je zijn! Dit is je kans.'

'Te laat.'

'Nee.' Margalits ogen vlamden op. 'Nee. Het is nooit te laat.'

'Soms wel.'

'O, *motek*. Waarom ben je zo boos?'

Ehhh. 'Dat ben ik niet.'

'Ik maak me zorgen om je boosheid.'

Dahlia's keel voelde gezwollen aan, alsof hij dichtgeknepen werd. Of misschien had ze gewoon orale candidiasis van de laatste ronde chemo.

'Ik ben niet boos,' wist ze nog uit te brengen. 'Ik bedoel, ik ben wel boos. Er is niks mis met boos zijn. Ik heb veel om boos over te zijn.' Het mocht dan wel orale candidiasis zijn, het leek met de minuut erger te worden. Daarnaast werd het steeds moeilijker een steekhoudend argument te verzinnen.

'O, alsjeblieft. Ja, jij hebt het echt vréselijk getroffen. Je moest eens weten wat echte zorgen zijn.' Ogenschijnlijk absoluut geen ironie was Margalits unieke vorm van ironie.

'*Ima.*'

'Nee, nee, dit is belangrijk, *motek*. Hoe kun je beter worden als je deze woede niet kunt loslaten?'

'Als ik niet beter word, komt dat door mijn hersentumor.' Inderdaad, defensief. Het was een uitdaging voor haar om gelijkmatig te ademen. Ze probeerde diep in te ademen. Margalit krabbelde terug en keek toe met een belachelijke mengeling van scepsis en bezorgdheid.

'Het is al goed, ma,' mompelde Dahlia, en ze liet de adem weer ontsnappen. 'Ik ga alleen maar dood aan kanker, meer niet.'

Lach

Zoek een manier om plezier te maken, ook al heeft kanker je leven
op zijn kop gezet. Wat doe je graag? Waar moet je om giechelen?
Er zijn bewijzen dat diep en langdurig lachen vanuit de buik het
immuunsysteem op gang kan brengen en een gevoel van alge-
meen welzijn kan bevorderen. Probeer het maar: ha!

Dahlia nodigde een paar mensen van de praatgroep uit voor een
feestje. Een feestje uit medelijden noemde ze het, maar dat zei ze
niet hardop – hemeltje, nee – uit angst haar kankervrienden af te
schrikken. Kanker schrok haar normale vrienden al af (of zou dat
gedaan hebben als ze normale vrienden had gehad), en ze kon het
zich niet veroorloven haar kankervrienden af te schrikken met nor-
maliteit. Ter compensatie van haar bedekte pessimisme, de cyni-
sche onderstroom, draaide ze non-stop 'I Will Survive'. Ze wilde
haar geïmproviseerde sociale netwerk niet verzieken; ze hadden allemaal hard gewerkt voor hun optimisme, hun goede humeur, hun
respectieve zonnige kanten. Ze verdienden het happy end waar ze
naartoe hadden gewerkt. Of in elk geval het idee van een happy
end.

Dahlia zelf was er zichtbaar slechter aan toe, en de vrouwen waren levendig en overdreven lief.

'Heb je nog iets anders?' vroeg Arlene na de vierde of vijfde keer,
terwijl Gloria Gaynor zich klaarmaakte voor weer een nieuwe ronde. Maar het banale lied voelde goed. Dahlia kon zich aan het einde
van elke draaibeurt nauwelijks herinneren of ze het al eerder had
gehoord. Ze gleed echt af. Dieper en dieper.

Ze vond een oud bordspel in de kelder van Bruce, CandyLand.

'Laten we al dat snoepgedoe vervangen door bijvoorbeeld *operatie, chemo, biopsie, bestraling, morfine-infuus* en zo, je weet wel,' zei ze. Ze wachtte al dagen tot ze deze grap kon maken: 'KankerLand!'

Wezenloze blikken alom. Bart had haar uitnodiging afgeslagen ('Ik kan geen kanker meer om me heen hebben, ik heb een nieuw kader'), maar het was heerlijk om Ruth Ann, Carol en Arlene in haar toevluchtsoord in Venice te hebben. Al sinds mensenheugenis miste ze hoe goed het was om aardige vrienden te hebben. Ze glimlachten en maakten goedkeurende klokkende geluidjes over hoe knus het was, met de mooie snoerverlichting langs alle wanden en de geurkaarsen die Dahlia opstak.

'Wat een heerlijk huis, lieverd!' zei Carol.

Bruce had toetjes opgehaald bij het rauw-veganistische tentje in Santa Monica: gedroogde vijgenkoekjes, speltcrackers met verse guacamole, eenpersoonscupjes met banaan-kokosnootpudding. Het was een welwillend feestje, ook al werd er de hele avond uit alle macht om de hete kankerbrij gedraaid.

Het was een hele opgave. Meer kon ze niet opbrengen. En echt, toen ze een rustig nummer van Dylan had opgezet (*New Morning*, en het voelde inderdaad alsof ze het voor de allereerste keer hoorde; degeneratie van de slaapkwab heeft ook een positieve kant) en ze allemaal hun schoenen hadden uitgetrokken en haar hasjpijp doorgaven, voelde het gegeven dat deze vrouwen in haar bungalow waren een kortstondig moment zo verrassend aan, zo toepasselijk en onvoorzien, dat Dahlia heel even dacht: alles is goed. Ruth Ann, Carol en Arlene, die aardige vrouwen, waren nu haar vrienden, en allemaal vanwege het vreselijke dat ze met zijn vieren deelden. Wat cool dat wanneer ergens een deur dichtgaat, God een raam opent of zo, dacht Dahlia, heerlijk stoned. Hoe zou ze zonder kanker in vredesnaam terecht zijn gekomen in een kamer met deze vrouwen? Deze vriendelijke, giechelige vrouwen?

Arlene glimlachte moederlijk, een en al acceptatie en verwondering, alsof Dahlia geen ten dode opgeschreven loser was, maar een levendige jonge vrouw met een flinke dosis hartstochtelijke intensiteit. Ruth Ann biechtte op dat ze er volgens haar wel vrede mee had dood te gaan, en moest daarna direct onbedaarlijk lachen. Carol luisterde knikkend, haar ogen gesloten.

In het verschiet voor Dahlia: mogelijke radiochirurgie, hoewel dokter C. zei dat ze dat in de regel niet als optie beschouwden voor een tumor groter dan vier centimeter. Uit onderzoeken na de laatste ronde chemo bleek die van Dahlia 4,9 centimeter te zijn. In niets een streber, behalve in dodelijke ziekte: haar tumor was gegroeid. Maar Bruce hield voet bij stuk dat radiochirurgie de enige mogelijkheid was. Margalit daarentegen wilde de hulp inschakelen van 'genezers' die een handoplegging zouden uitvoeren.

'Dat is prima,' had Bruce gezegd. 'Echt, dat is prima. Dat kunnen we doen. Maar we doen het niet in plááts van een echte behandeling.'

'*Ma zè*, "echte behandeling"? Wat ben je toch dom. Dit ís een echte behandeling. Een eeuwenoude, waardevolle behandeling! Alsof een "echte behandeling" beter werkt. Jezus, *Bruti*. Je gelooft altijd alles wat ze je vertellen. Wat een idioot.'

Deze drie vrouwen van middelbare leeftijd, die veel uitgesprokener redenen hadden om ziek te zijn – 'Nooit kinderen gekregen,' zei Carol; 'Te laat kinderen gekregen,' zei Ruth Ann; 'Vanaf mijn zestiende een pakje per dag gerookt,' biechtte Arlene beschroomd op – zaten met hun benen onder zich gevouwen op Dahlia's geliefde lage pluchen bank en er viel een aangename stilte. En Dahlia had altijd gedacht dat 'aangenaam' en 'stilte' niet samengingen.

Eén aangename avond in het gezelschap van drie vrouwen van middelbare leeftijd die ze zonder het rampzalige falen van haar lichaam in nog geen duizend jaar zou hebben leren kennen: de moeite waard? Ze onderdrukte de gedachte net zo snel als ze was opgekomen. Nee. Het was niet oké. Het was niet oké, werd nooit oké, was nooit oké geweest. Nee. Ze hoefde haar hand maar op haar schedel te leggen, het meeste haar in dikke, lelijke plukken uitgevallen, haar hoofd kaal en hard onder een Hermèssjaal van Margalit ('Voor jou, *jaffa!*') en ze was al uitgeput, ze had voortdurend het gevoel dat ze op instorten stond. Onmogelijk om zich aan te passen aan haar gebrek aan haar. Dahlia had haar haar nodig. Ze was geen chick die er leuk uitzag zonder haar. Daarnaast had ze problemen met haar evenwicht. Ze. Was. De. Lul.

'Ik heb *The Big Lebowski, Best in Show*, en de beste aller tijden.' Ze had het over *Dirty Dancing*, maar kon niet op de woorden komen, ook al keek ze ernaar op de dvd. Ze hield het doosje zwijgend omhoog om het hun te laten zien. Ze had van Gene strikte orders gekregen zich rot te vermaken. Guacamole, check. Wiet, check. *Dirty Dancing*, check!

Maar Ruth Ann moest naar huis, naar haar honden, en Carol was moe. En Arlene volgde het voorbeeld van de andere twee, dus om tien uur was Dahlia alleen in haar appartement, hun theemokken op haar salontafel nog warm.

'Jammer,' zei ze hardop, terwijl ze de mokken langzaam omspoelde en een verse pot thee voor zichzelf zette voordat ze de film toch opzette en haar plek weer innam op de bank die alles voor lief nam. 'Jammer, jammer, jammer.' Bruce zou zo meteen langskomen om te kijken hoe het ging en even te blijven hangen, bang om haar alleen te laten. Ze wist dat ze achteruitging. Niet alleen mocht blijven.

Op dat moment had ze haar tweede en ergste epileptische aanval.

De week nadat Dahlia was afgestudeerd en naar New York City verhuisd schreven alle kranten (de 'blaadjes', zoals de man in het wijnlokaal op de hoek ze noemde), hysterisch over een vreselijke moord (sorry: 'BLOEDBAD!') in Hell's Kitchen. Waarschijnlijk een drugsdeal die was misgelopen, dat schreven ze niet. Maar wat ze wel schreven was dat elf mensen waren 'afgeslacht, als bij een executie' in een 'groezelig' appartement langs het spoor op de hoek van 48th Street en Tenth Avenue. Elf mensen.

Wat ze ook opmerkten, met redactionele vreugde die in de loop der dagen toenam toen er niets gebeurde dat de gruwelijke details van het verhaal overtrof, was dat een van de slachtoffers, een danseres en voormalig actrice, een klein rolletje in *Dirty Dancing* had gehad.

Dahlia kon aan niets anders meer denken. Ze bekeek de film opnieuw en pauzeerde precies op de momenten (drie in totaal) dat deze vrouw in beeld was. Wat hield 'als bij een executie' eigenlijk in? En waarom was het woord 'afgeslacht' zoveel bruter dan het eenvoudige 'vermoord'?

Dahlia rilde bij de gedachte aan deze onschuldige achtergronddanseres – die hier tegen een danspartner aan schuurt tijdens de eerste keer dat Baby naar de personeelsruimte gaat, waar ze niet mag komen, en daar Baby en Johnny toejuicht terwijl ze in de finale, waarbij stilzitten onmogelijk is, de *Time Of Their Lives* hebben – die onwaardig aan haar einde was gekomen in een groezelig appartement aan het spoor in Hell's Kitchen, als bij een executie. *Afgeslacht*. Smerig. Fascinerend.

Er was weinig informatie te vinden over hoe de 'afgeslachte Dirty Dancer' de bijna vijftien jaar sinds haar optreden in de film had doorgebracht, maar Dahlia's verbeelding wist daar wel raad mee: er waren mislukte audities geweest, de ene na de andere, een gestorven ouder of twee, een korte periode bij een escortbureau, een charmante maar gewelddadige vriend, drugsgebruik dat uit de hand was gelopen, treurig stemmende danslessen die ze had gegeven, het ouder wordende danserslichaam. Maar op het scherm schuurde ze tegen haar anonieme partner aan en had ze geen idee wat haar te wachten stond. Het meisje dat kortstondig in deze film te zien was geweest zou nog vijftien jaar leven voor ze werd afgeslacht, als bij een executie, in een appartement aan het spoor in Hell's Kitchen. Was er iets afschuwelijker dan die werkelijkheid, die nu zo breed werd uitgemeten?

Na een langdurige zoektocht had Dahlia een piepklein appartement in de East Village gevonden dat veel duurder was dan ze mogelijkerwijs kon betalen. Ze had immers geen baan, en geen idee hoe ze er een moest krijgen (behalve dan: 'Nou ja, dat komt wel goed'). Ze was niet kredietwaardig en had nul spaargeld. De huisbaas weigerde genoegen te nemen met Bruce' persoonlijke garantie en dreigde het huurcontract aan een van een handvol andere individuen te geven die kwijlend interesse hadden getoond. Het appartement was nog geen veertig vierkante meter, met een enkel raam dat uitkeek op een luchtschacht.

'De markt is behoorlijk *hot*,' had de huisbaas bij de bezichtiging gezegd. En dus had Bruce – *Papa! Bedankt!* – eenvoudigweg de huur voor een heel jaar vooruitbetaald. Hij schreef zomaar een cheque uit en hielp haar een paar dagen later verhuizen. Daarna vergezelde hij haar naar Bed, Bath and Beyond voor een handdoekenrek, gordijnen, een badmat en alle andere parafernalia die nodig zijn om het appartement van een vrijgezelle meid die net was aangekomen in de Big City mee uit te rusten. En nadat hij er voor had gezorgd dat haar bankrekening lekker gespekt was ('Gewoon een klein extraatje, La La') liet hij haar daar achter.

Margalit was in Afrika, waar ze drie maanden lang Tanzaniaanse kinderen Engels leerde, een heerlijke verademing na het eindeloze geheen-en-weer van *Wat Is Je Strijdplan?* Schuldbewust maar niet zonder enige opluchting stelde Dahlia zich voor hoe Margalit de Tanzaniaanse kinderen berispte om hun strijdplannen. Liever zij dan Dahlia. 'Ik hoop niet dat jullie denken dat het leven een peulenschil is,' zou ze een groepje hongerige aidswezen voorhouden. Dahlia schreef haar een brief waarin ze haar nieuwe adres duidelijk en nauwkeurig vermeldde. Als antwoord kreeg ze een briefje: *Ik dacht een tijdje dat ik racistisch was, omdat alle kinderen kort haar hebben en hetzelfde uniform dragen en ik ze niet uit elkaar kon houden! Maar nu kan ik dat wel. Ze zijn om op te eten. Ik vind het heerlijk. Misschien verhuis ik wel hierheen.*

'Ik ben zo trots op je,' zei Bruce door de telefoon tegen Dahlia.

Trots op haar? In godsnaam, waarom? Omdat ze zich een weg door een gemakzuchtig letterenprogramma had gefaket? Omdat ze zich nog niet van kant had gemaakt? Omdat ze zijn geld aannam?

'Niet iedereen zou dapper genoeg zijn om op jouw leeftijd helemaal alleen naar New York te verhuizen.'

'Het stelt echt niet veel voor, pa.' Ze haatte het dat ze toestond dat alles haar zo gemakkelijk werd gemaakt. Ja, ze haatte zichzelf, maar het was een oude, afgezaagde vergelijking: ze haatte zichzelf minder dan ze ervan genoot zich geen zorgen te hoeven maken, minder dan ze genoot van het grote, gerieflijke vangnet. De zelfhaat kon aanmerkelijk verlicht worden met een nieuwe spijkerbroek, een latte van vier dollar, het vooruitzicht van sushi als avondeten en PJ Harvey in de Bowery Ballroom volgende week.

'Natuurlijk wel, La. Je bent een dappere meid. Ik ben trots op je.'

Ze had geen vrienden in de stad, niemand wist waar ze was of wat ze deed, wanneer ook maar. Ze liep maar en liep maar en dan nog verder, stopte voor een *smoothie*, winkelde – er was altijd wel iets wat ze nog nodig had voor het appartement: Kleenex, wandhaken, een kruiskopschroevendraaier van Phillips – en bereidde zich voor op wat er zou komen, wat het ook was. Halfhartig surfte ze langs websites met banen, op zoek naar de 'juiste' job.

Hell's Kitchen meed ze angstvallig. Het was een spookachtig deel van de stad en versterkte haar gevoel dat deze onherroepelijke metropool gevaarlijk was.

Ze was alleen. Geen kamergenoten of huisgenoten of gemeenschap zodra ze haar voordeur dichttrok. Geen kant-en-klare identiteit: déze school, dát hoofdvak, díé familie. Misschien bedoelde Bruce dat. Trots op haar, ha. Ze had absoluut niets gedaan om zijn trots te verdienen, niets waaraan hij die trots realistisch gezien kon ophangen, maar zo ging het altijd: het deed er niet toe wat ze wel of niet deed. Hij was trots op haar.

Maar toch, toen ze begin oktober nog steeds geen baan had en die geen stap dichterbij leek te komen, begon Bruce voorzichtig druk op haar uit te oefenen. De vraag was wat ze zou gaan doen.

'Zit er iets aan te komen?' vroeg hij dan.

'Ja,' antwoordde ze, hoewel de vacaturesites stelselmatig met dezelfde saaie shit kwamen die ze negeerde.

Ze zou misschien uitzendwerk kunnen doen, iets wat lekker vrijblijvend was, iets verstandigs terwijl ze een strijdplan formuleerde (verder studeren misschien? Of wellicht een artistieke gave ontwikkelen? Design? Performancekunst?). En dus vond ze een uitzendbureau en schreef zich in. Vaardigheden: typen, tekstcorrectie, de telefoon. Beschikbaarheid: hoog.

Bij haar eerste baantje moest ze de telefoon beantwoorden op een klein kantoor in de binnenstad, voor een man met een nauwelijks verstaanbaar Brooklynaccent. Het bedrijf deed iets met werving en selectie van managers. Dahlia kon zich er niet toe brengen het uit te vogelen. Acht uur per dag nam ze de telefoon op met een vraag: de naam van het bedrijf. *Donaldson Associates? Donaldson Associates? Donaldson Associates?* Ze zat in de grijze ruimte – plafondtegels van polystyreen, tl-verlichting, scheidingswandjes, tapijt, bureaus (maar zwarte bureaustoelen, een verademing na het grijs) – en probeerde niet betrapt te worden terwijl ze aan het e-mailen was. Met ongenoegen herinnerde ze zich de keren dat ze als klein meisje had rondgerend in het kantoor van Bruce en om papier vroeg om op te krabbelen, fucking aandoenlijk en zorgeloos was geweest, ongetwijfeld tot de discrete woede van secretaresses en assistenten van advocaten. Hoe moesten die kantoorklonen haar hebben gezien: de dochter van de baas, dat verwende, zorgeloze kutkind.

Pas veel later, toen ze zelf uren op dagen op weken op maanden als uitzendkracht had gewerkt, begreep ze hoe ze overgekomen moest zijn op die secretaresses en kantoorklonen die de uren telden tot ze naar huis mochten naar hun nieuwe aluminium gevelbeplating of wat dan ook. Wat moeten ze een hekel aan haar hebben gehad. (Vandaar de kanker.)

Ze bleef het proberen met Danny, die bijna klaar was met zijn rabbijnenopleiding, nog steeds de jongen waar elk joods tienermeisje in de stad bij terechtkon. Ze had zich voorgenomen Kadee Horowitz uit haar hoofd te zetten. Waar had je anders familie voor? Ze ademde diep in en belde hem, een zonnig en lieftallig humeur voorwendend.

'Gozer,' zei ze tegen hem. 'Ik woon maar een uur bij je vandaan. Laten we afspreken.'

'*Gozer*,' zei hij, onvriendelijk als altijd. 'Gozer? Gozer! Jezus, wie bén jij? "Gozer".' Met die kenmerkende lach, de blaffende hond. Alsof haar stomheid zo amusant was dat hij nauwelijks adem kon krijgen.

Ze ging er niet op in. 'Ik woon drie straten van een te gek hummustentje. Wat doe je dit weekend? Kom anders langs.' Ze wilde dat ze door musea kuierden, op het terras van de Spaanse tent op Avenue C een biertje dronken en het over het leven hadden, over shit die ertoe deed. Ze smachtte (vandaar de kanker) naar zijn vriendschap, wilde die net zo openlijk als al die andere dingen die ze ooit in haar leven had gewild, wilde maar een klein beetje van wat hij overduidelijk aan ieder ander te geven had. Hier was ze: vrijgezelle meid die net is aangekomen in de Big Shitty. Ze had geen idee wat ze met haar leven moest. Ze had geen vrienden. Ze had geen liefdesleven. Wat ze allereerst nodig had was een bezoekje van haar geliefde grote broer, haar behulpzame, aardige en grappige grote broer. Alle vrijgezelle meiden die net aankwamen in de Big Shitty hadden op z'n minst één bondgenoot, toch? De homoseksuele beste vriend? De vriendin die zogenaamd je concurrent was? De baas die doet alsof hij grofgebekt is? Dahlia had geen zin om iets te doen met iedereen die ze nog kende van de universiteit, die medemislukkelingen die haar kenden als de kribbige, potteuze Dahlia Finger. Ze wilde nieuwe vrienden, een nieuw leven. Ze was eenzaam.

'Ja, *gozer*, ik… eh… zal erover nadenken.'

Toen hing hij op, wat ze altijd als vanzelfsprekend had beschouwd, een bewijs van hun stilzwijgende band. Had ze ooit een eenvoudig 'tot later' gevraagd van haar grote broer, met wie ze immers zo heel erg close was? Ze hadden geen conventioneel, universeel 'tot later' nodig. Het was geen botheid, hield ze zichzelf voor, het was gewoon onomstotelijk bewijs van hun ijzersterke band. Holden en Phoebe zouden uiteindelijk vast en zeker net zo'n eenzijdige, laatdunkende relatie hebben gekregen. Toch?

Maar nee: iets wat groter was dan haar verlangen en ontkenning nam het over, een golf van afschuw en woede die ze lang had uitgesteld. Mogen we het zelfbehoud noemen? Een kortstondige opening, het licht van haar eigenwaarde dat door een kier scheen? Ze belde hem opnieuw.

'Weet je,' zei ze, 'ik weet niet wat ik je ooit heb aangedaan, maar je moet er echt mee ophouden zo'n ongelooflijke verdomde eikel tegen me te zijn, oké?' Stilte. Vreugde.

Heel langzaam, zei hij, na nog een tel: 'Whatever.' Een woord als huishoudfolie: bedoeld om te verstikken en het zwijgen op te leggen.

'Fuck you, verdomde kinderverkrachter,' antwoordde ze kalm.

Hij smeet er nog een afgezaagd 'Je hebt hulp nodig' uit voordat Dahlia kon ophangen. De ongerepte belediging, het machtigste wapen in zijn aanzienlijke arsenaal. Als ze inderdaad hulp nodig had, zou die opmerking haar niet helpen. Hij logenstrafte de kennelijke bezorgdheid die hij uitte door 'Je hebt hulp nodig' te zeggen door geen enkele hulp te bieden. Hypocriet. Waardeloos. Klootzak. Lul. Er was een streep getrokken. Maandenlang spraken ze elkaar niet.

'Hij heeft vast gewoon een vriendin nodig,' zei Bruce.

'Hij is een verdwaald vogeltje,' zei Margalit. Na uit Tanzania teruggekeerd te zijn in Tel Aviv was ze begonnen met privélessen van een jonge, min of meer beroemde kabbalist die, zo stelde ze, haar verteld had dat ze vele levens achter de rug had en in dit leven eindelijk door begon te krijgen dat ze niemand iets verschuldigd was.

'Hij klinkt als een eikel,' zei Annemarie, die Dahlia had ontmoet tijdens de opleiding voor barkeepers, want uitzendwerk kon intussen de klere krijgen: ze had een vak nodig. 'Mijn gestoorde zus heeft vorig jaar een kop gloeiend hete koffie naar mijn vader gegooid.'

'Dat is echt gestoord.'

'Yep.'

Bruce had aarzelend het lesgeld van zeshonderd dollar betaald – 'Wil je echt barkeepen, La?' – voor de cursus die twee weken duurde en gegeven werd op de derde etage van een oud pakhuis in Chelsea. Wanneer de avond was gevallen fungeerde de gigantische loft als evenementenruimte. Elke dag probeerden ze te raden wat er de vorige avond had plaatsgevonden door naar het bewijs te staren: stukjes engelenhaar, verdwaalde rozenblaadjes, serpentines, een flard droogijs, en één keer het hoofd van een onthoofde opblaaspop die achter een vuilnisbak van industriële afmetingen zat gedrukt.

'Bar mitswa,' zei Annemarie.

'Echt niet, man. Dat is alleen op zaterdag,' zei Dahlia.

'Niet in deze stad, ben je gek? Weet je hoeveel goedkoper het is om op een doordeweekse avond een plek te huren?'

'Een bruiloft,' gokte Dahlia. 'Ze wilden het op "hun manier" doen, omdat ze heel cool zijn en weigerden een doorsneebruiloft te hebben. Het was dus heel funky en tegendraads en wat dan ook, maar nog steeds suf.'

'Inderdaad,' had Annemarie gegiecheld. 'En ze zijn allebei gesetteld omdat ze als de dood zijn dat er niemand voorbijkomt die beter is, en dus hebben ze het maar gedaan. Ik geef ze maximaal twee jaar.'

'Nee,' zei Dahlia. 'Ze krijgen een kind en verhuizen naar Park Slope en zoeken afleiding van de zinloosheid door onbeschilderd houten speelgoed en zogenaamde vintage baby-t-shirts en van die zooi in te slaan.'

'Je hebt gelijk,' beaamde Annemarie. 'Verdomd deprimerend.'

Annemarie, negentien en aanbiddelijk, met guitig, kort bruin haar en de scherpe, hoekige jukbeenderen waardoor ze ermee wegkwam. Wettelijk gezien was ze nog te jong om te drinken, maar al mocht je in New York nog geen sterkedrank nuttigen, je mocht het wel serveren. Ze was een kunstschilder die studeerde op Cooper Union en rondhuppelde in Lower Manhattan alsof het haar eigendom was. Ze leek alles en iedereen te kennen. Ze nam Dahlia mee naar clandestiene kroegen en privéfeestjes in appartementen die drie zo groot waren als het huis van Bruce. Ze had iets met muzikanten en ontmoette altijd wel iemand op feestjes na een concert, waar Ben Harper of John Zorn dan als Jezus in eigen persoon door de ruimte zweefde. Ze mocht een halfjaar op een etage in de West Village passen. De eigenaar was een ex-minnaar die 'tegenwoordig meer tijd doorbrengt in Brazilië'.

Twee weken lang mixten ze nepdrankjes aan de lange bar in de lege evenementenruimte, met gekleurd water, plastic ijsblokjes, uit een gekopieerd, ingebonden boekje vol recepten voor drankjes die ze uit het hoofd moesten leren. Ze speelden vreemde drankspelletjes als geheugensteuntje. Aan het einde van de twee weken maakte

Annemarie geen enkele fout op het barkeepersexamen; Dahlia, die totaal niet gestudeerd had, slaagde maar net.

Maar nu ze officieel bevoegd was om te barkeepen, scoorde Dahlia een baantje in een spelonkachtige club met een Aziatisch thema in het Meatpacking District, dat toen net het mekka van het decennium begon te worden voor iedereen die naar Manhattan trok. Ze had geen idee hoe ze de meeste mixdrankjes die ze twee weken lang verzuimd had uit het hoofd te leren (misschien toch niet omdat ze het niet had geprobeerd, hmmm? Misschien was het wel omdat ze op dat moment zonder dat ze het wist een ziek brein met zich meedroeg. Hoera!) moest maken. Ze probeerde het te faken. Ze maakte bullshitdrankjes, mixte instinctief waar ze maar zin in had, en knipoogde naar haar klanten (vooral naar de starfuckers van een sportschoolfreaks, met hun strakke t-shirts en gel in hun haar) wanneer ze hun eerste slokje namen en op hoge toon vroegen wat dit voor troep was. Ze hield het er precies drie avonden vol.

Annemarie hielp Dahlia aan een nieuw baantje in een bar van een vriend van haar, een knus wijn-en-biertentje op Thompson Street, waar ze op haar gemak wijn en bier kon schenken. Dit baantje paste prima bij haar. Ze kon de hele dag slapen en dan de hele avond rondhangen achter de eiken bar, met tientallen waxinelichtjes om zich heen en een altijd geweldige soundtrack, waarover ze zelf controle had. Ze perfectioneerde haar barkeepstersoutfit: asymmetrisch en altijd zwart, een schouder ontbloot of een decolleté, nooit allebei tegelijk. Haar haar in een staart gebonden, glimmende lippen en grote, ronde oorbellen. Ze kreeg fantastische fooien van zowel mannen als vrouwen: met onuitgesproken het-is-wij-tegen-zij mededogen van de vrouwen en onuitgesproken je-bent-veel-te-min-voor-me-maar-je-bent-knap geflirt met de mannen.

Een tijdje genoot ze zowaar van haar leven. De energie die ze bespaarde nu ze zich niet langer verslagen voelde door Danny en haar familie in het algemeen, benutte ze om haar appartement in een rustgevende kleur paars te verven. Van Annemarie kreeg ze het nummer van een persoonlijke bezorgservice voor hasj waarvoor je voorgedragen moest worden, en ze was verbaasd toen er opeens een jongen die ze nog van de middelbare school kende voor haar deur stond.

'Hé,' zei ze. 'Jij bent Jacob Shatz. Westwood.'

'Ja,' zei hij. 'Deborah, toch?'

'Dahlia!' zei ze.

'Dahlia! Inderdaad? Hoe gá je, Dahlia?'

In haar hand had ze twee briefjes van twintig, in de zijne had hij een rood plastic ei dat precies voor de helft gevuld was met wiet. Ze wisselden het uit.

'Z'n gang,' zei ze.

'Wauw,' zei hij. 'Je bent helemaal volwassen.' Waarmee hij bedoelde: wauw, je bent niet langer dat zielige lelijke beest dat je was toen we vijftien waren. Hij staarde haar aandachtig aan, het soort blowkikker dat gemakkelijk verliefd wordt, en herhaalde haar naam alsof hij die speciaal voor deze gelegenheid had opgeslagen. 'Dahlia Finger.'

'Hoe ken je Annemarie?' vroeg ze. Hij nipte limonade uit een glas dat ze hem had overhandigd en bekeek aandachtig de foto's en ansichtkaarten op haar koelkast.

'Ze had een tijdje iets met een vriend van me. Woon je hier al lang?'

'Ongeveer een jaar,' zei ze. 'En jij?'

'Williamsburg.' Hij zweeg even en voegde er toen aan toe: 'Nog voor je er fucking sojamelk kon krijgen.'

Ze gingen op haar bed zitten en ze keek toe hoe hij vakkundig een sigaar ontmantelde om een joint te draaien. Hij volgde een opleiding tot makelaar, zei hij, maar het was niet per se wat hij wilde. Hij had moeten stoppen op Wesleyan University toen zijn ouders in zijn eerste jaar waren gescheiden en zijn vader er met al het geld vandoor was gegaan om zijn moeder te straffen voor haar overspel. Sindsdien woonde hij in Brooklyn.

'Rot voor je,' zei Dahlia.

'Wat doe je eraan?' Hij overhandigde haar de joint. 'Het was niet dat ik rechten wilde gaan studeren of zo.'

Twee uur later – 'Shit, ik moet nog veertien bestellingen doen' –

waren ze de beste vrienden. Het was vertrouwd en nieuw tegelijk; het was zowel comfortabel als opwindend. Ze voelde zich absoluut niet tot hem aangetrokken – hij was klein en mager, had een belachelijke joodse afro, met daarbij nog bakkebaarden. Maar hij was grappig ('Met een naam als Shatz wordt je kind later natuurlijk een drugsdealer. Kom óp.'). En hij was onmiddellijk en overduidelijk gek op haar, wat reden genoeg was. Dat had ze nodig, iemand in haar leven die vond dat de zon uit haar kont scheen. Iemand anders dan haar suffe, verre vader dan.

'We moeten echt een keer chillen,' zei hij toen hij wegging. 'Hier heb je m'n nummer, yo. Gebruik het.' Hij was een blanke hiphopper, een joodse reggaefan. (Standaardbegroeting: 'Hoewist?' of 'Hoe gáát-ie dan?')

Hij kwam zo ongeveer wonen op Dahlia's bank, maakte haar high en deed alsof ze goede vrienden waren, meer niet. Ze speelde met de gedachte met hem naar bed te gaan, stelde het zich voor, besloot dat het oké zou zijn, maar niet iets wat ze nodig had, niet iets dat ze hoefde te bewijzen. Maar ze bedacht dat ze het op een dag misschien wel wilde doen, dus waarom zou ze de mogelijkheid niet openhouden? Hij staarde in haar ogen en schudde zijn hoofd, zei dat ze geen idee had hoe mooi ze was.

'Echt niet,' wierp ze tegen omdat ze het vaker wilde horen.

'Jawel,' herhaalde hij.

'Hou je bek,' zei ze dan, maar ze genoot ervan.

Op de middelbare school was Jacob Shatz geaccepteerd in de groep geweest, een volwaardig mens. Het voelde als persoonlijke genoegdoening voor de loser die ze geweest was om nu tijd met hem door te brengen. Ze was nog steeds bezig een onderontwikkeld ego te verwerken, en ze had nog heel wat inhaalwerk te verrichten.

'Je bent de perfecte vrouw,' had hij gegrapt. 'Het zelfvertrouwen van een dikkerd in het lichaam van een pin-up.' Ze bracht hele middagen liggend met hem door, lachend, lummelend. Leuke middagen.

'Je vindt wel een meisje dat van de Beastie Boys houdt en je vindt wel een meisje dat van Leonard Cohen houdt,' zei Jake vol verwondering toen hij door haar cd's ging. 'Maar je vindt nooit een meisje dat van de Beasties én Leonard Cohen houdt.'

Rabbijn Dan verbrak een halfjaar stilte met twee relatief grote nieuwtjes: één, hij zou de volgende week in New York zijn, en twee, dat was omdat hij iemand had 'leren kennen', en die 'iemand' woonde in de Upper West Side. Hij deed beide mededelingen kort-af, in een e-mail. *Als je koffie wilt drinken, sta ik daar open voor*, schreef hij.

Dahlia was huiverig. Maar hé: misschien had Danny echt ge-woon alleen maar een vriendinnetje nodig gehad. Misschien was dit vriendinnetje wel heel lief. Misschien zouden dit vriendinnetje en Dahlia wel maatjes worden. Misschien zou er toch een soort schijnbeeld van een gelukkig gezinnetje ontstaan. Ze stemde in kof-fie te drinken met Danny en zijn vriendin, die elkaar op afstand hadden ontmoet, via een website voor joodse vrijgezellen. Sta er open voor, hield Dahlia zichzelf voor. Dit is goed nieuws.

Hoewel zij en Dan natuurlijk hun problemen hadden gehad – die geconsolideerd waren toen hij naar bed was gegaan met de klei-ne Kadee en versteend toen Dahlia *weet je? krijg de tering* had ge-dacht– was de intrede van Nadia (oftewel de Velociraptor) de laat-ste druppel geweest. De nagel aan de doodskist, als je wilt.

Nadia had haar bijnaam (Latijn voor een kleine, vraatzuchtige dinosaurus) niet alleen verdiend vanwege het snelle karakter van eerdergenoemde internetomgang en de openlijk opgewekte ma-nier waarop ze Dans rijkeluiszoontjesbestaan was binnengedron-gen, maar ook omdat ze wel iets weg had van het paleontologische schepsel: knokig, hard, een boosaardige glinstering in haar ogen, gespitst op wat ze maar kon krijgen en meer nog, een hongerige, skeletachtige babydraak op rooftocht, grote, begerige, glazige ogen boven een haakneus die de onderste helft van haar gezicht domi-neerde, het armzalige postuur van iemand die veel te dun is (eeu-wig voorovergebogen, alsof ze willen zeggen: *Kijk! Kijk hoe dun ik ben! Ik ben zo heel, heel, heel erg* DUN! *Ik neem bijna geen ruimte in!*), met haar hoofd heel getrouw naar voren gestoken, alsof het de rest van haar lichaam voorging op jacht.

Ze was op zevenjarige leeftijd met haar ouders naar de Verenigde Staten geëmigreerd. Haar vader was eigenaar van een juweliers-zaak in Atlanta en haar moeder roddelde met alle andere Russische dames en maakte het tot haar levenstaak om haar enige kind, dat zichzelf uit protest zogenaamd uithongerde, te vernederen. Maar Nadia had wel de mooiste sieraden van iedereen in de buurt. Forse diamanten oorknoppen (inkoopprijs!) voor haar zestiende ver-jaardag. Ze straalden als koplampen boven haar voorovergebogen, voortdurend uitgehongerde lichaam. Waarom geen neusoperatie, vroeg Dahlia zich af. Ze had als perfectionistische puber die zich uitsloofde voor goede cijfers kennelijk aan een ernstige vorm van anorexia geleden, en was uiteindelijk – stel je voor – een maat-schappelijk werker geworden die zich specialiseerde in eetstoornis-sen, problemen met zelfvertrouwen en 'gezonde lifestylekeuzes'. Een misplaatste roeping voor een vrouw die nog steeds niet in staat was aan tafel te gaan zitten en een normale maaltijd te nuttigen, een vrouw die ervan genoot schoenen met tassen te combineren, en wier 'levensdroom' (kon ze dit allemaal niet sarcastisch bedoeld hebben?) uitkwam toen Dan haar een paar maanden na het begin van hun bliksemrelatie kwam opzoeken in New York, Dahlia's ter-rein: ze wilde in een bepaald boetiekhotel downtown slapen.

('Je weet niet hoe het is om een immigrant te zijn', was Margalits strijdlustige antwoord geweest toen Dahlia een medestander zocht.)

Nadia had altijd een perfecte Franse manicure; waarschijnlijk had iemand haar in haar vormingsjaren ingeprent dat een Franse manicure het visitekaartje is van de Amerikaanse upper class. Op de zomerse donderdag dat Dahlia haar voor het eerst zag (met Danny, in een Starbucks op 72nd Street), had Nadia ook gepronkt met een Franse *pedicure*, tentoongespreid door de open tenen van groene sandalen met hoge hakken. Wat slechte voortekenen waren. Maar rabbijn Klootzak had eindelijk een onvervalste vriendin, en ging eindelijk van bil (dat mochten we toch aannemen), en nog wel met iemand van zijn eigen leeftijd. Allemaal redenen voor feest en hoop. Want, zo redeneerde Dahlia, misschien zou het er allemaal toe bijdragen dat nu het langverwachte moment aan zou breken waarop hij zich eindelijk ging gedragen als de schim van een broer, vriend en/of fatsoenlijk mens.

'Dan zegt dat je misschien verder wilt studeren?' had Nadia gevraagd met een stem waardoor je in een diabetisch coma gleed – Paris Hilton aan het helium, maar dan dommer – terwijl ze een airconditioned cappuccino dronken.

'Ik denk het niet,' had Dahlia gezegd. 'Ik weet het niet.' Ze had gezien hoe haar broer druk bezig was met zijn tanden zijn nagelriemen los te trekken en zijn nagels tot op het bot af te bijten. Wezenloos fronste hij zijn wenkbrauwen.

'Wat ga je dan doen?' Waarom gedroeg ze zich als de executiveassistent van de specialist op het gebied van speciaal onderwijs?

'Een ernstige drugsverslaving ontwikkelen, denk ik.' Dahlia verveelde en ergerde zich. De locatie, het gesprek, de manier waarop Nadia met steelse blikken bevestiging zocht bij Dan, om er zeker van te zijn dat hij zag hoezeer ze haar best deed een 'band' te scheppen met zijn krankzinnige zus. Even later een onbetaalbaar moment dat alles helemaal duidelijk maakte: Nadia biechtte op samenzweerderige toon op dat ze de nieuwe vriendin van haar jongere broer afkeurde, want die vriendin was 'nou ja, als ik eerlijk ben? Gewoon niet zo knap'.

Dahlia wist dat Dan in niets op haar leek, dat hij, als je het haar vroeg, een oppervlakkige loser was (ondanks de opleiding tot rabbijn). Maar dan nog: hoe was het mogelijk dat hij deze onverdraaglijke, zouteloze manicurehoer had uitgekozen? Interesseerde het hem echt zo weinig? Was er geen spoortje meer over van het lieve, slimme kind dat hij geweest was en met Dahlia in haar bed had gelegen wanneer ze niet kon slapen en een zelfverzonnen, dierbaar liedje voor haar zong dat nooit meer vervangen zou worden, over M&M's in alle kleuren die ooit bedacht waren en sommige die helemaal verzonnen waren?

Dat was inderdaad zo. En Dahlia wist dat, wist het al jarenlang, maar hij moest een paar vormen met Nadia om het volkomen duidelijk te maken: Danny (sorry: *Dan*) was waardeloos, er zat een vacuüm op de plek waar zijn hart en ziel hadden kunnen zitten, en het was uitgesloten dat hij het ooit goed zou maken en weer een mens zou worden, een broer, een zoon, een vriend. Het was belachelijk dom van Dahlia geweest om iets anders te hopen. De reikwijdte van haar ontluikende minachting voor rabbijn Dan werd slechts geëvenaard door de liefde die ze ooit had gevoeld voor haar broer Danny.

'Je vriendin is een trut,' zei ze aan het einde van vijfentwintig vreselijke minuten van koetjes en kalfjes, alsof Nadia er niet bij was. 'Sorry,' had Dahlia er terloops aan toegevoegd.

'Zie je wel?' had Danny met een knikje gezegd, de orde van het heelal bevestigd. De Velociraptor had naar hem teruggeknikt, met een zuinig mondje en zonder dat neplaagje meisjesachtige charme. 'Geweldig je weer te zien, Dahlia,' had hij gezegd.

Dahlia was naar huis gegaan en had Danny's e-mailadres ingevoerd op een website voor postorderbruiden, zodat hij nog maandenlang een eindeloze stroom berichten zou krijgen: *Halo. Mijn naam is Svetlana. Ik wil ontmoeten lief aardig man. Ik hou van mannen uit USA en europa en ook canada. Ik engelsh leer op school. Ik ben 25, en heb blond haar. Ook mooi licham! Ik zoek op vriendschap van aardige mannen. Misschien op dag opzoeken. Zeg alsjeblieft halo tegen mijn email met hoop we snel kunnen praten.*

Ze had al die tijd aangenomen dat hij een eikel was omdat hij zelf pijn had, zich eenzaam en verloren voelde. Maar moest je nu eens kijken. Hij had een heuse, lieve, volwassen vriendin gevonden. En uitgerekend hij was een rabbijn geworden! Hij had zich in de laatste tien jaar omgevormd tot *Dan*, monosyllabische spirituele schooldecaan extraordinaire. *Dan*, met al die geprefabriceerde verdomde ongedwongenheid, was hoe zijn tienervolgelingen hem noemden, alsof hij de tofste gast aller tijden was. En voor wie niet beter wist leek hij een normaal, hartelijk mens. En nooit was hij onderweg eens stil blijven staan om het feit onder ogen te zien dat hij een enorme klootzak was geweest tegen zijn familie en zijn enige zus, zonder enige aanleiding. En Dahlia en Danny hadden eigenlijk veel gemeen: zij en Danny waren allebei beschadigd, hunkerend, gekwetst. Maar om te overleven had Danny de familiebanden doorgeknaagd, terwijl Dahlia had toegestaan dat die van haar werden aangetast door koudvuur.

Danny en Nadia hadden niet lang daarna een soort pseudotherapeutische sessie belegd. Ze zeiden dat Bruce moest gaan zitten, met Margalit op de speaker van de telefoon ('Wat? Ik kan jullie niet horen!' had ze ergens vanuit Costa Rica gezegd, waar ze haar filantropisch toerisme voortzette en huizen bouwde voor malariawezen met een ontwikkelingsachterstand), en de Velociraptor had op haar beste universitaire therapeutentoontje met het handboek over psychische stoornissen open op haar knokige schoot geduldig uitgelegd wat Dahlia's belangrijkste, voornaamste, onherroepelijke diagnose was. De *oorspronkelijke* ziekte. Dahlia had, werd duidelijk gemaakt (met behulp van het handboek voor psychologische aandoeningen), een borderlinepersoonlijkheidsstoornis.

'Ze heeft hulp nodig,' had Nadia geconcludeerd met een gelukzalige glimlach naar Bruce, die niet goed wist wat hij moest zeggen.

(Toen Mara over de hinderlaag hoorde, was ze heel lief over de rooie gegaan: 'Dat is preciés wat domme ongekwalificeerde therapeuten zeggen over iedereen die ze persoonlijk niet mógen. God, we hebben hier tijdens mijn stage op psychiatrie een heel seminar over gehad. Dit is echt ernstig. D.! Jezus. Zulke onzin kan ze echt niet zomaar verkondigen. Je hebt géén borderlinepersoonlijkheid.'

'Misschien wel.'

'Ja, maar je hebt het niet.')

Een patroon van instabiele en intense relaties met anderen, gekenmerkt door wisselingen tussen overmatig idealiseren en kleineren (check), krampachtig proberen te voorkomen om feitelijk of vermeend in de steek gelaten te worden (check), terugkerende pogingen tot zelfdoding, gestes of dreigingen, of zelfverwonding (check), een chronisch gevoel van leegte, inadequate, intense woede, en/of moeite boosheid te beheersen. Check.

Herijk

Terwijl je deze woorden leest, leef je. *Dit is je leven. Alle levende wezens houden uiteindelijk op met leven. Kun je ervoor kiezen met die kennis te leven en toch gelukkig te zijn?*

Bruce vond haar na de tweede toeval toen hij zoals beloofd langskwam. Ze werd voor de tweede keer wakker in het ziekenhuis, in het land der levenden.

'De tumor heeft niet gereageerd zoals we gehoopt hadden,' zei dokter C. 'En de toeval was duidelijk geen goed teken.'

Dahlia had om een afspraak onder vier ogen gevraagd, omdat het eindelijk tot haar doordrong dat ze, kanker of niet, een volwassene was en dat het geen vereiste was dat haar ouders haar vergezelden. Ze schaamde zich ervoor dat het zo lang had geduurd om tot dat besef te komen. Waar je al niet eindelijk volwassen door wordt.

Ze wachtte tot dokter C. verderging.

'Radiochirurgie is geen optie, de tumor is gewoon te groot geworden. We moeten je dosis medicijnen tegen epilepsie verhogen.' Ze knikte. Haar nek was stijf en de bewegingen die ze kon maken waren beperkt, en sinds de toeval brabbelde ze een beetje. 'Mm-hmm.'

'Als ik eerlijk ben,' zei hij – was hij nog niet eerlijk geweest dan? – 'kunnen we niet veel meer doen.'

'En dus…' zei ze.

'En dus…' herhaalde hij.

'Dat was het dan?'

Als antwoord trok hij zijn wenkbrauwen op en hield haar waterige blik vast.

Moeiteloze tranen (die biologische functie was in elk geval nog intact) sprongen uit haar ogen, woedende tranen uit schaamte omdat ze verbazing, teleurstelling en of ontsteltenis uitsloten. De behandeling had niet gewerkt. Dit was geen grap. Ze had een hersentumor. Ze kon er niet omheen (als het ware). Het boek naderde zijn einde, zin voor zin, woord voor woord. Ze was gek als ze vanaf het begin ook maar in de verste verte had geloofd dat het wellicht anders zou lopen.

Ze erkende de toenemende neurologische symptomen die het begin van het einde aankondigden: het twijfelachtige evenwicht, de vernauwing van haar perifere blikveld, de verslechtering van het geheugen, het af en toe wegvallen van het gehoor, de versprekingen zo nu en dan, het brabbelen. In de week die voorafging aan de tweede toeval kon ze tweemaal niet op de naam van haar vader komen; één keer was ze langzaam naar het einde van haar straat gelopen om naar het bordje te kijken en zichzelf aan de straatnaam te herinneren. Als ze het woord 'brabbelen' uitsprak ging ze onvermijdelijk brabbelen. Vernederend.

'Dit zijn stuk voor stuk symptomen van onregelmatigheden in de slaapkwab, en als je hier kijkt' – hij wees naar haar MRI-scans – 'kun je duidelijk zien dat de kanker zich heeft verspreid.' De tumor ingekapseld in schaduw.

Het echte begin van het einde. Nou ja, het *nieuwe* begin van het einde: het oude begin van het einde was zoals we eerder besproken hebben de conceptie geweest. Wat een opluchting om hier alleen te zijn, deze symptomen te erkennen en in afzondering medelijden met zichzelf te hebben. Wat had ze hier eigenlijk bedroevend weinig in haar eentje mee geworsteld, buiten de context van haar ouders en broer en het dagelijks leven, los van verwachtingen en verwachtschap. Haar leven. Van haar, en niemand anders.

'Hoe lang nog?' De vraag die een miljoen dollar kon opleveren – of het bedrag dat voltijds verpleging zou kosten.

'Dat hangt er echt van af,' zei hij. 'Als je merkt dat je iets aan alternatieve behandelingen hebt, kunnen we niets zeggen over de kwaliteit van het leven. Maar zoals het er nu uitziet, is het waarschijnlijk tijd om plannen te maken voor een worstcasescenario.'

Wat was het worstcasescenario? Dat ze zou vegeteren en voorgoed zou blijven leven? Of dat ze zou sterven voor dat kon gebeuren? Of dat ze beter zou worden en godverdomme nog een tijdje moest leven, haar eigen verdomde ziektekostenverzekering moest regelen? Wat was het bestcasescenario?

Zijn blik werd ernstiger. Hij hield zijn rechterhand op in wat eruitzag als een vredesteken. Twee maanden, zei hij geluidloos.

'In de tussentijd,' vervolgde hij, 'lopen er een paar klinische onderzoeken die je zou kunnen overwegen. We weten niet wat er allemaal nog kan gebeuren. We moeten blijven vechten.' Hier veranderde het vredesteken in een slappe vuist. 'We hebben een paar goede resultaten geboekt met Tamoxifen.'

'Spul tegen borstkanker?' In de praatgroep had ze zich een vocabulaire eigen gemaakt die geen enkele gewone bijna-negenentwintigjarige nodig had.

'Ja. Nou, nee. In lage doseringen is het effectief bij borstkanker. Voor jouw soort tumor zouden we een dosis gebruiken die tot tien keer zo hoog is. Elf, twaalf grote pillen per dag. Dat kan de tumorgroei een paar maanden tegenhouden, maar het kan erg storende bijwerkingen hebben.'

'Is het dat waard?'

Zijn blik werd weer milder en hij haalde zijn schouders op, hief zijn handen en deinde heen en weer alsof hij gedachteloos bad.

'Hoe dan ook,' zei hij, 'ik wil dat je begint met Phenobarbital en Decadron, die helpen de neurologische symptomen die je al hebt in bedwang te houden.'

De tumor weigerde te doen wat wel zo beleefd was: weggaan. Hij reageerde niet. Hij hield zich niet aan de regels. Waarom reageerde hij niet? (Tumor! Godsamme. Luister nou 'ns!)

Ze ging dood. Het was tijd om het te zeggen. Zeg het. Zeg het.

'Laten we even langs de apotheek gaan.' Bruce hield haar nieuwe recepten krampachtig vast toen hij naar huis reed, bang om ook maar een seconde los te laten uit vrees dat de ziekte zou merken dat de aandacht een moment verslapte. Ziekte merkte het wanneer je er niet bovenop zat; ziekte zou direct binnen komen stormen, dat stond vast.

'Ik wil thuis zijn,' zei ze tegen hem.

'Wil je naar huis?' vroeg hij, op het punt de wagen te keren. 'Ik kan ook wel alleen naar de apotheek, geen probleem.'

'Nee,' zei Dahlia. 'Ik wil thúis zijn. Ik wil niet in jouw huis zijn. Ik wil niet in het ziekenhuis zijn.' Ze maakte de zin niet af: om dood te gaan. Ze staarde hem aan tot het kwartje viel. Hij deinsde achteruit. 'Oké?' vroeg ze. Toen haar leven nog een vanzelfsprekend fenomeen was, dat altijd maar door zou gaan, had Dahlia zich ingebeeld dat ze op een dag thuis een kind zou baren, op de 'natuurlijke' manier, zoals het altijd was gegaan, primitief, smerig, persoonlijk en pijnlijk. Pijn gaf zin. Je werd thuis geboren en je ging thuis dood. Geef verdoving en de zin ervan was verdwenen. 'Oké?' vroeg ze.

'Oké,' zei hij.

De klinische onderzoeken waarvoor Dahlia in aanmerking zou komen begonnen pas in januari, en zo lang wilde dokter C. niet wachten. Ze moest beslissen of ze Tamoxifen wilde proberen. In de tussentijd zou ze Phenobarbital gebruiken om toevallen te voorkomen en haar te helpen slapen, en Decadron, steroïden, om de zwelling in haar hersenen te verminderen.

Margalit stortte in toen ze thuiskwamen. 'O,' was het enige dat ze kon uitbrengen. 'O,' zei ze huilend. Het was nu echt: het echte einde.

'*Ima*,' zei Dahlia. 'Stil maar, *ima*.' Ze hield haar moeder in haar armen en voelde iets dat in de buurt kwam van medelijden; naar de stervenden kijken was veel minder leuk dan zelf sterven. Wie had dat gedacht?

De neurologische bijverschijnselen waren in het gunstigste geval freaky. Al haar herinneringen zouden wegebben, vervagen, krimpen en wegzweven, los van een samenhangende chronologie of haar specifieke ervaringen. Ze zou het spoor bijster raken, niet meer in staat haar eigen heengaan van commentaar te voorzien. Ze zou steeds meer gaan slapen tot ze uiteindelijk voorgoed zou gaan slapen.

Wat ze vreemd vond, gezien de jarenlange strijd tegen slapeloosheid: op de middelbare school, op de universiteit, in New York.

Wanneer Dahlia er destijds überhaupt al in slaagde vredig in slaap te vallen, had ze altijd dezelfde dromen over de dood. Gewoonlijk werd ze neergeschoten door min of meer dreigende entiteiten (gangsters, misdadigers, verkrachters, gemeen ogende puberjongens met honkbalpetjes achterstevoren), bestookt met een regen van kogels. Terwijl ze in een auto reed of tevergeefs probeerde weg te rennen of om genade smeekte. En het interessante was de manier waarop het moment zich uitstrekte – het moment nadat de kogels op haar waren afgevuurd, dat oneindig korte moment, uitgestrekt en opgerekt voordat een kogel haar raakte. In die dromen dacht ze: o, oké. Dit is het dan. Aangezien het 'maar' een droom was, hing ze daar gewoon in dat uitgestelde moment. Ongedeerd, ook al was ze theoretisch gezien geraakt. Geen dood, geen pijn, geen angst. Slechts als een restje op haar kussen, het aanhoudende moment, het *o, oké, dit is het dan*, moeilijk om van zich af te schudden terwijl ze de slaap uit haar ogen veegde, zich eens flink uitrekte en het dekbed van zich af gooide. Een anekdotische waarheid: in je eigen dromen ging je nooit dood. Je ging dood zonder te sterven.

Haar modus operandi in de East Village was om tot in de kleine uurtjes wakker te blijven, tot het einde van de middag te slapen en tot diep in de nacht te barkeepen. Zo ploeterde ze verder. Misschien ooit verder studeren (dat was immers het handige refrein dat de ogenschijnlijk eindeloze cashflow van Bruce gaande hield). Het was altijd *misschien verder studeren*, ook al gingen de deadlines voor inschrijving geruisloos voorbij. Ze voerden er serieuze gesprekken over. In één zo'n gesprek, tijdens een bezoekje van Bruce, hadden ze op een geel advocatenschrijfblok een lijst opgesteld met alles wat ze hoopte te doen om haar leven te verbeteren. Dahlia moest 'uitzoeken wat ze wilde doen'. Dahlia knikte dan ernstig, maar deed vervolgens zogoed als niets, groef het betrouwbare *misschien verder studeren* op, zodat Bruce haar met rust zou laten, haar met rust zou laten met haar barkeepen, haar wiet en haar vrienden die geen baan hadden, haar een cheque zou sturen wanneer ze die nodig had, wat steevast het geval was.

En al die tijd werkte Danny – dat wil zeggen, rabbijn Dan – als assistent-rabbijn bij een gemeente in Murray Hill en was hij verloofd met de Velociraptor, met wie hij in een gloednieuw appartement op de kruising van 83rd Street en Broadway Avenue woonde. Bruce had tachtig procent in cash aanbetaald en er was een microscopisch kleine hypotheek (die 'waarden' weer!). Het enige wat ze 's avonds laat kon vinden op de website van de synagoge, in de vergeefse hoop de anonieme moordenaars uit haar dromen te vermijden, was dat rabbijn Dan (*Dan the Man!*), voornamelijk verantwoordelijk was voor het hoeden van de jeugdgroep van de synagoge en de leiding had over de Hebreeuwse school. Fantastisch: een nieuwe generatie toegewijde joodse robots die in formatie achter hun geliefde, grenzen overschrijdende rabbijn/maatje met een meerderwaardigheidscomplex aan liep. Ze surfte langs kiekjes van kampeertochtjes, dansfeestjes: welke van deze opgewonden pubermeiden zou rabbijn Dan heimelijk in het donker bepotelen?

Margalit was weer in Israël, en verkondigde vol verve de kabbalistische 'boodschap' (zo noemde het ze het; Dahlia moest haar best doen het beeld van een groep zoekers die gemeenschappelijk moeizaam een drol draaiden uit haar hoofd te krijgen) nabij Eilat. Ze 'volgde' Jarom, die in zijn officiële hoedanigheid fungeerde als mysticus, kabbalageleerde en psycholoog in één. In zijn onofficiële hoedanigheid fungeerde hij als Margalits nieuwe vriend.

Dahlia ging vluchtig door de mails: *We kiezen allemaal zelf de familie*s [sic] *waarin we geboren worden, zegt Jarom. We kiezen voordat we geboren worden, wanneer we ons tussen levens in bevinden, en dat doen we omdat we iets op moeten lossen met de mensen in onze familie voordat we verder kunnen. Ik wil dat wij onze dingen oplossen,* motek. *Oké?*

Margalit was op een voorjaar de stad binnen komen zwieren met Jarom op sleeptouw, om wat qualitytime met Dahlia door te brengen. Ze waren wat gaan drinken in een bar in de Lower East Side, eentje die Dahlia had uitgezocht in een misplaatste poging indruk te maken op haar moeder: hij lag tegenover een verlaten Roemeense synagoge, was zo donker als de neten en zo lawaaierig als maar mogelijk. Ze kende de barkeeper.

'Je moeder wil jullie relatie weer goedmaken,' had Jarom boven de bas uit geroepen. Margalit lachte bedeesd naar Dahlia en krijg nou wat, knipperde ze echt verlegen?

'Dan moet ze godverdomme eens wat ondernemen om onze relatie weer goed te maken,' had Dahlia teruggeschreeuwd. 'Bijvoorbeeld door me dat zelf te vertellen.'

'Dahlia, Dahlia, Dahlia,' zei Margalit. 'Als we weigeren onze relaties te verbeteren, worden we er de volgende keer twee keer zo erg door gekweld.'

Maar dat risico was Dahlia wel bereid te nemen. Met het geduld van een heilige had ze de avond uitgezeten en ze was naar huis gegaan met de barkeeper.

Dahlia was halverwege de twintig ontloken tot een schoonheid die niemand had kunnen voorzien. Als je de zestienjarige Dahlia Finger had verteld dat ze op een dag gewaardeerd en op waarde geschat zou worden op basis van haar uiterlijk, zou ze gelachen hebben. (Vervolgens zou ze een bot roze scheermesje over de binnenkant van haar arm hebben gehaald en bittere tranen hebben geplengd omdat ze wist dat ze een domme koe was.)

Halverwege de twintig was haar gezicht een beetje ingevallen, en het vlees op haar sleutelbeen was weggesmolten. Haar borsten waren vol, haar benen lang, en zowel mannen als vrouwen keken naar haar alsof ze ertoe deed, alsof ze iets was wat de moeite van het bekijken waard was. Het was een bedwelmend gevoel, dit bekeken worden, dit ertoe dóén, en ze liep high door de stad. High van ontelbaar veel dingen, maar niet in het minst van het feit dat ze eindelijk, ten langen leste, een visuele verschijning was om rekening mee te houden. *Nou, nou,* merkte de baas van haar bar op wanneer ze rode lippenstift op had, *als dat onze Zwarte Dahlia niet is.* Ze had uitgevogeld hoe empirejurken en strakke truien en haltertruitjes haar borsten en schouders benadrukten; hoe met armbanden en banden boven haar elleboog haar armen lang en soepel leken; hoe haar haar, lang en liefdevol verzorgd, vanzelf in dikke golven opdroogde, zich moeiteloos over haar rug drapeerde. Van Annemarie kreeg ze een tip van onschatbare waarde over de voordelen van sennathee. Ze liefhebberde in yoga. Ze gaf gratis drankjes aan een acupuncturist die in ruil daarvoor zo nu en dan Dahlia's chi bijstelde. Ze was opgebloeid en was, hoe kort ook en zonder al te veel moeite te hoeven doen, een schoonheid. Haar piek, volgens Annemarie, met haar lippen om een flesje Brooklyn Lager gekruld. 'Elke vrouw heeft een piek in haar leven, het moment waarop alles meezit. Daarna wordt het allemaal weer shit.'

'Dus geniet ervan, bedoel je?'

'Absoluut!'

Dahlia werd regelmatig door Israëli's aangezien voor een Israëli, zoals tijdens die bezoekjes lang geleden. '*Ma Shlomcha*?' vroeg iemand in de bar haar dan. Opbeurend.

Of mensen hielden hun hoofd schuin: 'Waar kom je vandaan?'

Ze deed net of ze het niet begreep. 'Huh?'

'Italiaans? Grieks? Spaans?'

'Nee hoor,' zei ze dan. Israëlisch was niet helemaal correct, en ze weigerde joods te zeggen – het was een verdomde religie, een geloofssysteem, geen etnische gevangenis.

'Midden-Oosten?'

'Amerikaans.'

'Nee, nee,' gingen ze dan soms verder, ongeduldig nu. 'Maar waar kom je vandááán?'

'Californië.'

'Nee, maar waar komen je óúders vandaan?'

'Chicago,' antwoordde ze dan opgewekt, en het was waar: Bruce was geboren in Chicago.

Het zou makkelijker zijn geweest als ze toegaf dat ze Joods was – het was niet zo dat iemand in een stinkbar op Smith Street of een taxi of op een feestje het haar kwalijk zou nemen dat ze Joods was, niet zo dat ze het risico liep de kiesdrempel voor minderheden aan Ivy League-universiteiten niet te halen of dat haar paspoort in de verkeerde categorie ondergebracht zou worden – maar iets eraan stond haar tegen. Het idee dat je een Jood kon herkennen zoals je bijvoorbeeld een Aziaat kon herkennen.

In deze tijd verkocht Urban Outfitters bonte *kaffia's* als sjaal, en niets bezorgde haar meer vreugde dan een zelfgenoegzame blanke progressieveling een stap voor te zijn met een eenvoudig: 'Mijn moeder is Irakees.' Dan hielden ze altijd meteen hun kop, die krampachtige linkse reflex bood geen soundbite waarmee ze ertegenin konden gaan.

'Het Israëlische beleid komt neer op apartheid voor de Arabieren,' stelde een zelfvoldane klootzak met een glas wijn in zijn hand op een feestje, en Dahlia sloeg vrolijk toe: mijn moeder is Arabisch, en haar familie was Irak uit gejaagd en gedwongen naar Israël te vluchten, de enige plek ter wereld die ze opnam. Daarvan raakten die hippe linkse zionisten helemaal van de kaart! (Het had wel iets van kanker hebben: een troef, het nec plus ultra van *hou je bek*, onbetwistbaar!) Ze stamelden, stotterden en hakkelden. Hier hadden Jon Stewart en Steven Colbert hen niet op voorbereid. Dahlia had er vooral van genoten tijdens een gesprek met, zeg, een mooie, luidruchtige chick met een limoengroene *kaffia* om die van indierock hield en *The Week in Review* doorgebladerd had en indruk wilde maken. Ze voelde zich er machtig door, alsof ze voor altijd zou blijven leven, alsof ze het laatste woord zou hebben. Het láátste laatste woord.

Het gaat erom dat aannames haar dwarszaten, Gene. Veronderstel iets over haar, toe dan, daagde ze je uit. En dan zou ze alles doen wat ervoor nodig was om eronderuit te komen. Want fuck you.

Jacob kwam bijna elke avond naar de bar; ze voerde hem dronken met gratis bier en genoot van het vertrouwde publiek voor haar sexy barkeepstersact.

'Wanneer ga je beseffen dat je verliefd op me bent?' vroeg hij blijmoedig wanneer hij om vier uur 's nachts met haar opliep door Bleecker Street. Ze deed het net zo blijmoedig af met een grapje. Ze was niet verliefd op hem, en zou dat ook nooit worden. Maar het was fijn om hem als vriend en toeverlaat te hebben, en allebei deden ze er hun voordeel mee. Kon hij zeshonderd dollar lenen? Tuurlijk. Ze had een ruim vangnet, wat kon haar het schelen? Kon hij haar terugbetalen in wiet? Ja, waarom niet? Kon hij nog zeshonderd dollar lenen? Oké.

Zelfs nu ze zich opkrulde in bed voor een van haar vele, vele, vele dutjes (zoveel dutjes dat wakker zijn nu het dutje was en het dutje het wakker zijn), met Bruce en Margalit die ergens net buiten gehoorsafstand een gedempte, gespannen dialoog voerden, haar nachtkastje vol medicijnen en nog meer medicijnen, sliep Dahlia in Jacobs oeroude extra large t-shirt van de Lemonheads, Evan Dando's voorhoofd doorgroefd met eeuwige kraters van levensangst, het katoen zo versleten dat het zijdeachtig aanvoelde.

Achteraf bezien was het gemakkelijk om deze periode een rozige, aantrekkelijke gloed te verschaffen: inderdaad, haar piek. Rechten studeren kon de klere krijgen, man. Ze liet vlak bij haar linkerschouderblad het woord 'emet' tatoeëren; emet, waarheid, en toevallig ook dé manier om een golem aan de praat te krijgen. Ze deed het best aardig als barkeeper. Ze was energiek, ze wist met groot gemak hoe ze met mensen moest praten en/of achter de bar haar afstand moest houden. Ze kon glimlachen of knipogen of helemaal nietsdoen, afhankelijk van haar stemming, en er werd alleen van haar verwacht dat ze een paar routineklusjes opknapte en er verder gewoon wás. Wat ze bleek te kunnen! Ze hield van New York. Ze leerde mensen kennen en nog meer mensen, sloot vriendschap op vriendschap, omringde zich met maatjes, een brede horizon vol vriendelijke kennissen die zich uitstrekte over de stad, de enige plek die er was.

Jacob stelde haar voor aan zijn favoriete klanten – de wondertweeling noemde hij ze: Kat en Stephanie, niet echt een tweeling, maar wel wonderbaarlijk – en Dahlia werd meegesleurd. Ze greep elke kans aan om andere mensen in de hoopgevende rol van uitverkoren familie te casten. Kat en Stephanie, beiden kunstschilder, hadden elkaar ontmoet op Yale, waar ze hun Master of Fine Arts hadden behaald. Ze woonden in Clinton Hill in een loft die zo spectaculair was dat Dahlia de eerste keer dat ze erbinnen liep sprakeloos was. Een voormalige tandpastafabriek. Een lange wand met ramen, balken, een plafond van zes meter hoog. Het was er ingericht als een zenkuuroord annex bordeel annex atelier. Organische citroengraszeep op het granieten aanrecht, prachtige kelims die de verscheidene woongedeeltes van de open ruimte afbakenden, enorme vloerkussens rondom een grote, vierkante met de hand vervaardigde houten salontafel. De doeken van Kat vulden de hele wand tegenover de ramen; gigantische, abstract weergegeven lichamen in configuraties die heel subtiel van elkaar verschilden. De veranderingen tussen het ene en het andere waren minuscuul, nauwelijks waarneembaar, maar in reeksen kon je de gedaanten zien bewegen. Als wazige, schokkerige animatie, op gigantische schaal.

'Hoe kunnen ze in godsnaam...?' had Dahlia aan Jacob gevraagd. Konden twee kunstenaars die net begonnen zo wonen?

'Ik weet het,' zei hij, en hij schudde grijnzend zijn hoofd. 'Ik weet het.'

Na verloop van tijd zou ze erachter komen hoe twee kunstschilders met een MFA in vredesnaam zo konden leven als Kat en Stephanie, maar tot die tijd deden ze zich te goed aan Mexicaans eten, werden ze high, gingen ze naar vernissages en hingen ze rond in de loft. Ze waren haar eerste echte vrienden sinds lange tijd – ze waren net zo geïnteresseerd in haar als zij in hen – en ze was verliefd. Nog meer liefde die Dahlia zo gemakkelijk gaf, misplaatst. Daarbij vergeleken leek Mara maar een conventionele sufkop. Dahlia moest haar best doen niet te gapen wanneer ze met Mara praatte: de uitvoerige anekdotes over haar verantwoorde, ordentelijke leven. Haar serieuze studie en duffe internetafspraakjes en de bruidsmeisjesjurk die ze had moeten dragen naar de een of andere bruiloft. Kat en Steph waren daarentegen hondsbrutale, zorgeloze, verknipte meiden met een enorme, vermakelijke minachting voor alles en iedereen.

'We zijn massagetherapeuten,' had Steph gezegd als verklaring voor de loft, de overdadige vrije tijd om te schilderen, aan yoga te doen, te dartelen en giechelend maar een beetje te liggen, de hele middag apestoned. De waarheid die langzaam maar zeker onthuld werd, was dat Kats vader – een nazaat van de Mayflower en CEO van een bedrijf dat iets esoterisch, giftigs en lucratiefs deed – de loft had aangeschaft. En de rente op Kats trustfonds, bijna veertigduizend dollar per jaar, was voortreffelijk zakgeld. Steph was opgegroeid in Wisconsin, de dochter van een arts en 'een nul'. Beiden hadden de aanstekelijke neiging zich te gedragen alsof alles in het leven wat moeilijk was een illusie was. Dus zij hadden ook papa's! Toch was het zelfs voor Dahlia te gek: de ambachtelijke kaasjes en weekendtripjes naar Amsterdam. Er klopte iets niet, maar wat kon het Dahlia schelen?

In haar eentje werd Dahlia stoned en reed ze rond in de metro, haar favoriete tijdverdrijf destijds, met haar iPod die op vol volume playlists afspeelde die speciaal voor dit doel waren samengesteld. Ze verwonderde zich over de mensen om haar heen, om haar grenzeloze mogelijkheden om te staren, de manier waarop iedereen net leek als zij en in niets leek op haar. De hopeloos verliefden, degenen die deden alsof ze lazen, de kinderverkrachters, degenen die echt de weg kwijt waren, de onheilspellenden. Een verbazingwekkend aantal kleine kinderen die heimelijk aan de palen in de treinstellen likten (jezus christus, Gene, gaat het wel goed met die kinderen?). Ze voelde zich heerlijk verbonden met alles. Het was een onschuldig spelletje, meer niet. Ze las de US *Weekly*, tikte met haar voeten en lachte hardop.

Op een keer was ze haar koptelefoon vergeten, en luisterde ze tijdens de hele rit in de F-trein van 2nd Avenue naar Jay Street naar een stel dat erbarmelijk ruzie zat te maken, waarbij de man praktisch gilde en de vrouw nog hoger ging, jammerde, hoewel ze allebei opvallend kalm bleven, alsof ze een slecht toneelstuk opvoerden.

'Je hebt me nooit een káns gegeven, Victoria.'

'Dat is niet wáár, schatje…'

'Yo, hou je mond. Je moet niet eens tegen me práten. Als je nog één ding tegen me zegt, stap ik bij de volgende halte uit.'

'Schatje…'

'Nee, Victoria, ik wil niks meer van je horen. Dit is preciés waar ik het over heb, Victoria. Precies waar ik het over heb.'

'Dat is niet wáár, schatje. Kom op nou.'

'Echt niet, Victoria. Ik wil niks meer van je horen. Níks.'

Maar het ergste was een andere keer: het hemeltergende gekrijs van een baby die door zijn tienermoeder straal genegeerd werd. Dat geschreeuw alsof het leven ervan afhing, geschreeuw tot hij schor was, rauw geschreeuw, geschreeuw en nog eens geschreeuw. Ze kon het dagen later nog horen, het beklagenswaardige geluid dat zich in haar hersenen had gegrift, een echo van nagels over een schoolbord. Haar piek, inderdaad.

Margalit had onverwacht gebeld om groot nieuws mee te delen. 'Goeie God, *haroeti*! Drie keer raden! Danny en Nadia gaan trouwen!'

Met enige moeite was Dahlia er bijna in geslaagd te vergeten dat Danny bestond. Bruce had strikte orders hem nooit ter sprake te brengen. Margalit had het meestal te druk met het workshoppen van haar persoonlijkheid met Jarom om het over iets anders te hebben. Dahlia ging nooit, maar dan ook nooit noordelijker dan 14th Street, welke reden ze ook mocht hebben, en ze hield zich verre van alles wat Joods was. Ze had zich verwijderd van dat hele schouwspel en zich omringd met andere dingen: vrienden, wiet, goede tijden, betere tijden.

Dahlia op de bruiloft van Danny en Nadia evenaarde kanker, meer kon ze er niet van maken. Ze hóéfde natuurlijk niet naar de bruiloft te gaan. Ze had ervan af kunnen zien, een gewetensbezwaarde. Maar er was een onzichtbare hand die haar leidde. Ze kon de bruiloft net zomin missen als ze kon voorkomen dat ze een ingegroeide haar er met een pincet uit moest trekken of een korst eraf moest trekken. Wat wilde zeggen absoluut niet. *We zouden het fijn vinden als je erbij bent. Als je blij voor ons bent,* had Danny in een mail geschreven.

Dahlia had geantwoord met: *a) fuck you, verdomde kinderverkrachter, b) pa betaalt voor je stomme bruiloft, dus ik kom voor de gratis drank, en c) je aanstaande is een mongool met gespleten haarpunten.*

Ze nam Jacob mee als haar date, en trakteerde hem een week lang op de toespraken die ze verzonnen had voor bij de toost. Hadden ze haar een borderlinepersoonlijkheidsstoornis toebedacht? Dan kregen ze een borderlinepersoonlijkheidsstoornis!

'Uche!' Ting, ting, ting [botermesje tegen champageglas]. 'Hallo allemaal! We zijn hier vanavond om het huwelijk van Danny en Nadia te vieren! Danny en Nadia. Nadia en Danny. Nou en of. Danny is mijn grote broer. Wat betekent dat, 'big brother'? George Orwell bedoelde er één ding mee, mensen met onvervalste broers en zussen die er als vrienden voor hen zijn en hen helpen het verraderlijke levenspad te verlichten bedoelen er iets heel anders mee. Ik denk dat ik het meer in de richting van Orwell zoek. Danny was een onvervalste klootzak voor me toen ik opgroeide. Hij bezorgde me een keer een hersenenchudding met de afstandsbediening toen ik hem tijdens een wedstrijd van de Dodgers niet wilde afstaan. Hij probeerde mijn poes in brand te steken. Hij liet me op kamp in de steek. Ah, jeugdige dwaasheid. Het werd allemaal veel, véél erger toen ik uit de puberteit kwam en hij onze suffe ouders begon te kwellen en van mij een enig kind maakte. Maar dat willen jullie vanavond niet horen! Dat is allemaal verleden tijd, Danny! We zijn allemaal heel erg blij voor je. Opa Saul is heel erg opgelucht dat je je niet in je kont laat neuken. Maar laten we het over Nadia hebben! Zeven jaar op JewDate en kijk eens wat Danny heeft binnengehaald! Mijn broer is heel erg veranderd sinds hij jou kent, snoes! De leren sandalen, bijvoorbeeld. En de chique hotels. Ik heb nog steeds geen gevoel voor humor kunnen bespeuren, maar je kunt van een molshoop geen berg maken. Jij hebt echt de jackpot gewonnen, mop! Zit alsjeblieft niet in over die korte affaire met een van zijn leerlingen toen. Echt niet: ze was achttien, en een ontzettend lekker wijf. Het doet er niet meer toe. Jij hebt hem nu! Goed gedaan. En net op tijd! Wat ben je, negenentwintig en een half-half-half-half? Man, moet je die bruidsmeisjes van je zien! Ze kwijlen helemaal over hun zonnebankoranje huidje! Maak je geen zorgen, ergens online is er ook voor jullie wel een seksueel gefrustreerd rijkeluiszoontje! Het komt goed, ik beloof het, zolang jullie maar braaf jullie poesjes blijven waxen! Laten we het glas heffen. Op Danny en Nadia: ik wens jullie echt een lang, lang, laaang – ogenschijnlijk eindeloos! – leven met elkaar. *Lechajim!*'

Jacob had gelachen. 'Man, je haat ze écht, hè?'

'Welnee, hoe kom je daarbij?'

'Misschien moet we van tevoren niet high worden?'

'M'n reet dat we hier van tevoren niet high voor worden.'

De bruiloft, in het verdomde *Plaza*, was een soort bruiloftsbeurs met alleen maar greatest hits: Nadia droeg een strapless japon, het lijfje helemaal afgezet met pareltjes, met een enorme witte sluier. Haar haar was kunstig opgestoken, en met een krultang waren van een paar plukken pijpenkrullen gedraaid ('strengen', zei de arme Julia G.). Ze had rode rozen in haar handen en liep naar het altaar op de *Canon* van Pachelbel. De dertien bruidsmeisjes (waartoe Dahlia niet behoorde, dat had ze resoluut geweigerd), droegen perzikkleurige jurken (géén goede look met het zonnebankoranje) en joelden het uit als de topless meiden uit *Girls Gone Wild* tijdens de eerste dans (op, wat anders, 'At Last' van Etta James).

Dahlia en Jacob zaten aan de rand van de dansvloer, links van de band. De rest van de tafel werd gevuld met de Kantrowitztweeling en hun echtgenoten, en twee Israëlische neven, Rafi en Eitan, die Dahlia op haar tiende voor het laatst had gezien.

'Ik voel me alsof ik in een cliché zit,' had Jake gezegd. 'Alsof ik me echt ín een cliché bevind. Het is ongelooflijk. Misschien hadden we ecstasy moeten nemen.'

Dahlia had een groot deel van de receptie buiten aan sigaretten staan hijsen met Rafi en Eitan. Hun vrouwen, Talia en Nesjama, kraakten het feest beleefd af. ('Mooi hoor, de tafellakens, maar te veel bloemen ziet er ordinair uit.' 'Haar haar had mooier opgestoken moeten worden.' 'Is dat Amerikaans, van die kleine porties?' 'Haar familie is… anders, niet?')

Nadia's jongere broer, een verwijfd, opgewonden lichtvliegewicht tweedejaars op de Universiteit van Californië, had de eerste toost uitgebracht.

'Mijn zus is een van de *meest slimste* mensen die ik ken,' had hij gezegd. 'En dat zij deze geweldige man heeft gevonden maakt van mij het gelukkigste broertje ter wereld. Dan is als de broer die ik nooit heb gehad. Hij is zo aardig en attent en gul en geweldig. Ze zijn een geweldig stel.'

Dit was meer dan Dahlia kon verdragen. Ze liep naar de microfoon. Toegegeven, ze had te veel champagne op.

'Welkom op deze bruiloft allemaal! Kunnen jullie deze shit geloven? Wie zíjn jullie?' Ze kon niet verder praten. Beneveld keek ze rond naar de bekende en onbekende gezichten. Ze waren allemaal onbekend, besloot ze, en voegde er nog 'Godsamme' aan toe, waarna ze de microfoon weer naar de bandleider duwde.

Na dit debacle – 'Ze heeft mijn bruiloft verpest!' had Nadia gehuild, haar episch opgemaakte ogen deppend met een stoffen servet, 'mijn brúíloft!' – was de situatie een beetje gespannen.

'Heb je iemand, La?'

'Nee pa, Jake is gewoon een vriend.'

'Ik bedoel een therapeut, La.'

'O, jezus. Het was grappig! Het zijn verdomde idioten, pa. Kom op nou! Je weet net zo goed als ik dat het mongolen zijn.'

'Dit is niet grappig meer, La. Je hebt hulp nodig.'

'Ik heb geen hulp nodig. Ik ben gewoon geen idioot.'

'La, had je drugs gebruikt?'

'Pa.'

'Dahlia, ik maak me zorgen om je.'

'Alsjeblieft, pa.'

'Je bent nu bijna vier jaar in New York, Dahlia. Wat doe je daar?'

Ze had kwaad naar het plafond gestaard.

'Volgens mij moet je een afspraak met iemand maken. Ik maak me zorgen om je. Kom maar naar me toe als je je als een volwassene kunt gedragen.'

De geldkraan ging dicht. Ongelooflijk! Ze had nooit gedacht dat ze dat zou meemaken. Hoe kon ze nou zowel een persoonlijkheidsstoornis hebben als er zelf verantwoordelijk voor zijn die te verhelpen? Klootzakken.

Maar hoe dan ook: o, shít. Wat nu?

Herijken betekent eenvoudigweg loslaten, beste lezer.

'Kom bij ons wonen,' zei Steph. 'Je kunt ons helpen, dat wordt te gek.'

'Ja, Dahl. Je komt bij ons wonen. We hebben toch een derde wiel nodig.'

Haar enige broer woonde zestig straten noordwaarts, haar vader bevond zich op een banaal telefoontje afstand en haar moeder verkende nog steeds de wereld, op avontuur en ontdekkingsreis, verliefd op het leven. Maar Dahlia leefde in een wereld die alleen zichzelf omvatte, waarin ze volledig van alles en iedereen onthecht was, waarin ze op zichzelf en afgezonderd was. Ze was haar hele leven al op weg naar deze onthechting, en ze had eindelijk het gevoel dat ze die bereikt had. Wat niet niks was. Geen investering, geen hoop, geen verwachting. Ze behoorde niet toe aan haar leven en haar leven behoorde haar niet toe. Wat nu?

Wees dankbaar

Je bent gezegend met het leven. Dankbaarheid cultiveren vormt een essentieel onderdeel van welzijn. Wanneer we over het hoofd zien wat ons geschonken is, belemmeren we ons welzijn. Elk moment is een volledige, volmaakte ervaring: wees dankbaar.

Toen Dahlia terugkwam van een langzame, langzame wandeling met Bruce – waar waren ze heen gewandeld? Ze waren ergens heen gewandeld – trof Dahlia Daniel en Nadia aan in haar dierbare bungalow. Ze zaten ineengedoken op de bank met Margalit en zagen er doodsbenauwd uit.

'Wat doen zij hier?' wilde Dahlia weten, haar hart bonkend en haar woorden moeizaam. Haar huis! Haar toevluchtsoord! Haar privébolwerk van welzijn! Bezoedeld. Binnengedrongen.

Niemand zei iets. Danny, Nadia, Bruce en Margalit keken elkaar aan. Niemand keek naar Dahlia. Er waren ballonnen van de praatgroep, een mandje met snoep van de neven, een teddybeer met in paarse folie verpakte negerzoenen van tante Orly. Offergaven.

'Wat de fuck doen zij hier?' vroeg Dahlia opnieuw, en ze probeerde vergeefs niet te brabbelen. Ze voelde haar grip verslappen, maar wilde de woede die was opgeborreld niet vergeten. Smekend wendde ze zich tot Bruce. 'Pa.'

'Ze willen hier zijn,' zei Bruce. 'Ze zijn overgevlogen, La. We zijn nog steeds een gezin.'

Dahlia produceerde een kort, bitter lachje en wendde zich tot Dan. 'Ik wil je hier niet hebben. Ik haat je, verdomme.' Het was heel erg belangrijk dat ze zich vastklampte aan die realiteit. Het kostte behoorlijk veel moeite zich te concentreren, maar ze was bereid haar uiterste best te doen. *Ik haat*, prentte ze zichzelf in. *Haat Haat Haat Haat Haat.*

'We vinden het niet fijn om zo toegesproken te worden,' opperde Nadia.

'Nou, dat kan dit majesteitsmeervoud geen reet schelen, jij… lelijke trut.' Het viel niet mee om de juiste woede op te roepen; haar vocabulaire – die woorden van doorleefde verontwaardiging – voelde bezoedeld aan. Wás bezoedeld. 'Sodemieter op.' Stilte. Met dergelijke vijandigheid zou ze vóór de kanker nooit zijn weggekomen. Noteer dat ook maar voor de zonnige kant: een hersentumor overtroeft een klaarblijkelijke borderlinepersoonlijkheidsstoornis. Een hiërarchie van ziekte, feitelijk.

Nadia was een authentieke nerveuze lacher. Een razend makend grijnsje waardoor haar gezandstraalde kinnetje straktrok. Dahlia keek als versteend toe, machteloos als een ijssculptuur in de tropen.

Daar zaten ze, alsof het een therapeutische sessie was. Welke diagnose zou er nu weer gesteld worden? Welke interne en diepgewortelde verdorvenheid huisde er nu weer in Dahlia? Als een bokser maakte ze zich breder. God, ze moet er belachelijk uit hebben gezien.

'Dahlia,' zei Dan. 'Het is tijd om oude dingen los te laten. Hier schiet niemand iets mee op. Het is tijd voor ons om oude dingen los te laten.'

(Waar had ze dat eerder gehoord: *laat los*?)

'O, en wat ben jij, een soort zenmeester? Het helpt míj. Gore klootzak. Dit is geweldig! Ik denk dat ik de Tamoxifen maar oversla, pa. Kunnen we rabbijn Dan niet aan een stoel binden, en dat ik hem dan een halfuur per dag tot moes sla? Dat zou weleens de oplossing kunnen zijn.' Verdriet is de prijs die we betalen voor liefde, lijkt het wel, en we zitten allemaal met een soort betalingsregeling. Hoe groter de liefde, hoe groter het verdriet. Ze had een ander gezin gewild. Ze had van dat niet-bestaande ideaal gehouden. Het bestond niet, maar ze had van haar geloof erin gehouden. Ze had zich zo lang mogelijk vastgeklampt aan dat geloof.

Margalit giechelde, een heuse nerveuze giebel in hart en nieren.

Dahlia wilde deze mensen weg hebben, wie ze ook waren. Weg.

'Oké.' Danny stond op en praatte op zachte toon tegen Bruce. 'Oké. Ik denk dat we maar gaan.'

Maar Nadia verroerde zich niet. 'Weet je,' zei ze tegen Dahlia, en de neerbuigendheid lag er even dik bovenop als haar foundation die nét de verkeerde kleur had, 'ik ben therapeut, en…'

'Je bent een sociaal werker die een fucking avondopleiding heeft gevolgd, domme, domme, domme trut.' Ja, daar had je het, de juiste woede en de juiste woorden in de juiste volgorde – ze had het te pakken! Ze zouden haar woede uit haar koude, dode handen moeten wrikken.

'En ik wil alleen maar zeggen dat ze veel onderzoek hebben gedaan en dat ze erachter zijn gekomen dat een goede houding erg belangrijk is wat ziekte betreft.'

'Wauw! Gratis advies! Dank je! Heel erg bedankt!'

Nadia schudde haar hoofd naar Margalit, met dat vreselijke lachje. 'Haar slechte houding is heel ongezond.'

'Denk je dat mijn hóúding ongezond is, lelijke trut? Denk je dat ik doodga aan m'n hóúding? Wil je woede? Wil je wóést?'

Ze hapte naar adem. Ze gilde. Ze had een wilde blik en was duizelig. Ze schreeuwde zich schor. Maar weet je? Ze voelde zich beter.

'*Motek*,' zei Margalit. 'Je hebt al je energie nodig om tegen deze ziekte te vechten. Spaar je energie alsjeblieft daarvoor.'

'Ga weg! Ga weg! Ga weg!'

Er was een milkshake van soja, chocolade-ijs, Phenobarbital en Avitan voor nodig – liefdevol en zwijgend bereid door haar lieve papa Bruce – om haar weer te kalmeren.

Een nare scène. Het kon haar niet schelen. Dit was het moment ervoor, toch? Hoe kon iets dat zo goed voelde slecht voor haar zijn? Wie kon het wat schelen als het slecht voor haar was? Was er eigenlijk wel iets góéd voor haar? Haar broer brieven en cassettebandjes sturen en zich na de virtuele en letterlijke verdwijning van haar ouders aan hem vastklampen? Zich maandenlang voorbereiden op qualitytime met haar gestoorde moeder? Gebruikmaken van de bereidwilligheid van haar vader om geld over de balk te smijten? Zich alleen over de aarde begeven, ongebonden, onzichtbaar? Elke dag de hele dag stoned worden? De GRE-test!?

Dit niveau van haat was een apart soort opwinding, het meest complete, eenvoudige gevóél dat ze kon opbrengen. Inderdaad, de capriolen rondom die belachelijke bruiloft waren op het randje geweest. Dat moest ze toegeven. Maar – Gene! – twee dingen: één, werd alles binnenhouden niet juist als heel ongezond beschouwd? En twee: het waren toch alleen helden die jong stierven? Antwoorden, Gene. Alsjeblieft.

De bruiloft was gevolgd door een slechte periode. De ergste eigenlijk. (Nou ja, of die vóór de ergste.) Ze had alle banden verbroken. Ze had besloten de restjes familie die ze nog de hare zou kunnen noemen overboord te gooien. Margalit was weer begonnen over het strijdplan (of gebrek daaraan). Bruce had vriendelijk doch dringend meegedeeld dat hij alleen geld zou overmaken als ze 'hulp' zocht, en ze had besloten dat hij net als de rest van die belachelijke gasten de tering kon krijgen. Ze had het heel duidelijk gedacht: ze kunnen allemaal de tering krijgen.

Ze was ingetrokken bij Kat en Steph, die giechelig en enthousiast waren, onverklaarbaar blij om Dahlia om hen heen te hebben. 'We houden van je, lieverd,' zeiden ze bij het minste of geringste tegen haar. 'Nu is ons gezinnetje compleet!' Dahlia stond perplex van hun avances, de gastvrijheid, de 'liefde', maar ze had geen beter aanbod, er zat niets anders op dan ze te geloven: zelfgekozen familie, daar kwam het op aan.

'Ik hou ook van jullie,' zei ze tegen Kat en Steph.

'Trek bij mij in,' zei Jacob.

'Jij woont in een kraakpand in Bushwick.'

'Eigen haard is goud waard, poppedein.'

En dus had ze afscheid genomen van Casa Papa in de East Village, de meeste van haar spullen verkocht en was naar de loft verhuisd. Ze droeg een armzalige zeshonderd dollar per maand bij, en vroeg zich voor de honderdste keer af hoe het in godsnaam zat met Kat, Steph, de half afgemaakte doeken, de overdadige toevoer van drugs en de ronduit fabelachtige ruimte.

'Nou,' zei Steph. 'We zijn massagetherapeuten.'

'Dat weet ik,' had Dahlia geknikt. Ze begon zich te generen voor haar baantje als barkeeper, huiverig hoe ze vroeger of later over moest komen op een denkbeeldige en dreigende klont vrienden van de middelbare school, Kantrowitztweeling, Mara en iedereen die ze op die verdomde bruiloft had gezien: een loser. Een mislukkeling. Een niksnut. Ze dacht afwisselend: *misschien ga ik wel rechten studeren* en *misschien word ik wel massagetherapeut* en *misschien rook ik een hasjpijp* en *misschien maak ik mezelf wel van kant.* Ze kreeg een kaart met de datum die ze het jaar erop moest vrijhouden voor de tienjarige reünie van de Westwood School. (Hoeveel zelfmoorden zouden voorkomen kunnen worden door eenvoudigweg een einde te maken aan mailinglists voor oud-leerlingen? Vijfentwintig procent? Zoek dat eens uit, Gene. Red godverdomme eens écht een paar levens.)

Kat werkte hard aan haar doeken, weigerde de voorschotten van galeries die haar werk wilden tonen, bezwoer altijd dat ze 'nog niet helemaal klaar' was. Steph had een atelier in Williamsburg, maar ze werkte maar zelden. Haar schilderijen bestonden uit zwarte vormen die graffitiachtige woorden opriepen, fragmenten. Ze waren energiek en modern, maar zelfs Dahlia kon zien dat ze absoluut niet origineel waren. Geen bedoeling. Niets te zeggen.

'We zijn de beste soort massagetherapeuten!' had Kat gegiecheld.

'We geven de beste massages aller tijden!' voegde Steph eraan toe.

'Dat zal wel,' zei Dahlia. Ze had geen flauw benul. Ondanks al haar dieptepunten, razernij, zelfdestructie en alles wat er ogenschijnlijk psychisch mis met haar was, was ze eigenlijk best wel naïef.

Kats lieve, gezette oudere broer was op een avond langsgekomen met een vriend. Heette hij nou Will of Bill? Ze kon het zich niet herinneren. Will/Bill, de hippe gast uit North Brooklyn met de krulsnor, die om de een of andere vage reden Dahlia's homevideo's had willen zien. Misschien was ze aan de praat geraakt over haar kloterige familie, zoals wel vaker gebeurde wanneer ze stoned of dronken of allebei was.

'Man, wat was je leuk,' zei hij tegen haar. Was het iets ironisch voor hem, naar homevideo's kijken? Of wist hij op de een of andere manier dat het haar pincode was? Het is namelijk een bekend gegeven dat elke vrouw een geheime code heeft, een wachtwoord dat bij juiste invoer volledige (zij het tijdelijke) toegang verschaft. Dahlia's pincode: bewondering voor het schouwspel van de Fingers in volle glorie.

'Wat een lieverd.' Zijn hand in haar hals achter in haar nek, blik op het kind dat ze geweest was, lippen die langs het randje van haar oorschelp schuurden. En ja dus, natuurlijk zou ze met hem naar bed gaan. Dat was voorgeprogrammeerd.

Ze gaven enorme drugsfeesten op het dakterras. De ene avond was het cocaïne. De andere was het ecstasy. Eén keer gebruikten ze paddo's. Ook gingen ze een keer 'retro' en probeerden ze een feest met alleen alcohol, dat algemeen beschouwd werd als een mislukking en vlak na middernacht al ten einde was.

Dahlia had Clark op Onafhankelijkheidsdag op het dak leren kennen. 'Retelekker', zoals Steph het stelde. Hij had vlak bij haar gestaan met een biertje in zijn hand, een gekreukt blauw linnen overhemd tot halverwege zijn brede, haarloze borstkas open, mouwen opgerold om onderarmen met dikke aders. Ze hadden 'hé' tegen elkaar gezegd en Dahlia was nonchalant naar de andere kant van het dak gelopen. Ze voelde hoe hij haar nakeek. Hij was ouder – veel ouder, halverwege de vijftig, op zijn minst – en Dahlia vroeg Kat wie hij was.

'Clark,' zei Kat.

'Wie is dat?'

'Dat is... Clark! Clark Anselm. De muzikant! Hij is een fucking genie.'

'Wie is hij? Hoe ken je hem?'

'Van de sociale dienst,' zei Kat treurig. 'Wat denk je nou, D.? Hij is een klant van Jake. Hij is een van de beste ritmegitaristen aller tijden. Hij heeft zo'n beetje met iedereen gespeeld.'

Ze hadden elkaar flirterig genegeerd, een opwindende pas de deux die de hele avond duurde. Clark bleef tot het einde van het feest en dreef haar uiteindelijk in een hoek.

'Dat viel niet mee,' zei hij met fonkelende ogen. Ze had haar schouders opgehaald, en de twee gelakte eetstokjes (Margalit was het jaar ervoor naar China geweest) losgetrokken die haar haar in een warrige hoop op haar hoofd hielden. Van dichtbij was het duidelijk dat hij nog ouder was dan ze had aangenomen. Ze baadden in het zweet. Hij gaf haar zijn visitekaartje – zijn naam in het zwart en een nummer, meer niet.

Het was zo leuk. Hij was geboren in 1949, een schamel jaar na haar vader en de staat Israël. Volgens wilde geruchten had hij een lang leven vol legendarische voorvallen geleid: in de portiek van een leegstaand gebouw op Avenue C heroïne gesnoven met Basquiat, in Noord-Californië eigenhandig een blokhut gebouwd, met zijn beste vrienden een pand in de East Village gekraakt, waarna hij in 1988 voor een schijntje een ranzig hol kocht en er zijn loft annex opnamestudio van maakte. Zijn ex-vrouw was een experimentele dichteres die een MacArthurtoelage had gekregen en hem verlaten had. Zijn twee dochters, nu onverschillige tieners, woonden met hun moeder op een biologische zuivelboerderij in Vermont, waar ze kaas en boter maakten. Hij had voor een lange lijst met sterren (die Kat opgewekt had opgenoemd) ritmegitaar gespeeld, en zei tegen haar dat hij de laatste tijd 'veel studiowerk' had gedaan. En het ware kenmerk van grootsheid, wat de zaak beklonk: hij liet bijna nooit namen vallen.

Ze namen downtown hun intrek in een reeks donkere bars met houten wanden, servetten van stof en maîtres d' die hem bij zijn naam noemden, en dronken er tot vier uur 's nachts martini's. Hij zoende haar langzaam, stak haar briefjes van twintig toe en hield taxi's voor haar aan. De gentleman.

Ze werd de volgende ochtend wakker en voelde zich gesterkt en wijs, niet bang om verder te gaan, in de stellige overtuiging dat ze het rommelige leven leidde dat van haar verwacht werd, waarover Clark een soort zegen had uitgesproken dat het allemaal oké was. Ze was artistiek, niet alleen maar naar de kloten. In zijn ogen was ze aantrekkelijk, grappig en charmant. Ze hadden lange, onsamenhangende, quasi intellectuele gesprekken.

'Ik denk net zo over religie als over concerten van Dylan,' begon hij dan: vergezochte vergelijkingen waren een vereiste voor hun favoriete vorm van gekeuvel.

'Hoe dan?'

'Je betwijfelt of het wel zo goed kan zijn als je wilt, zo goed als het hoort te zijn. Je bent bijna bang om te hopen dat het goed wordt, want dan zijn je verwachtingen gewoon te hooggespannen.'

'Uh-huh.'

'Maar je gaat en je rekent nergens op en stelt je open, en je bent niet teleurgesteld als het ruk is, als hij mompelt, als je een hele tijd niet weet welk nummer hij speelt, als hij het podium op komt schuifelen, speelt, weer wegschuifelt, whatever.'

'Ja.' Dahlia moest haar eerste concert van Dylan nog bijwonen.

'Want hoe dan ook: het is Dylan. Hij is onaantastbaar. Hij is te gek, ook als het concert klote is. Ik geloof in hem. Ik hou van hem. Hij is Dylan. Klaar.'

'Mmm-hmmm.'

'Maar hij blijkt natuurlijk hartstikke goed te zijn, en vanaf de eerste maten van het eerste nummer denk je: oké, dit is te gek.'

'Ja.'

'Maar overal om je heen staan stonede corpsballen en oude hippies en dronken eikels die te hard weetjes over Dylan tegen hun dronken klotevriendinnen staan te vertellen, en je raakt geïrriteerd, want je komt er niet aan toe te genieten van Dylan zélf die daar staat. Je krijgt het gevoel dat je iedereen om je heen af zou willen maken zodat je die zalige toestand kunt bereiken waarin je communiceert met Dylan en een te gekke ervaring zou hebben.'

'Huh.'

'Dus je bent geïrriteerd en pisnijdig op iedereen die je persoonlijke moment met Dylan verneukt, dat ongelooflijke moment. En als je al die eikels wilt afmaken ben je zelf natuurlijk ook een eikel. Zo denk ik over religie.'

'Dus je zou liever naar huis gaan en naar Dylan luisteren op je stereo? Is dat de enige manier om er echt van te genieten?'

'Zoiets, ja. Waarom zou je moeite doen in het openbaar een ervaring met Dylan te delen als de enige ervaring die je kunt hebben in je eentje is, alleen, in je eigen hoofd?'

'Dus Dylan is God en al die vervelende mensen die zijn show voor jou verkloten zijn gelovigen?'

'Precies. Weet je, ze hebben allemaal het verkeerde beeld. Het is verachtelijke afgoderij, en om de verkeerde redenen. Eén vent gaat "Woehoe!" en maakt het duivelsteken omdat het enige dat hij weet is dat Dylan beroemd en te gek is en zo. Een andere vent probeert indruk te maken op z'n vriend door de titel van het volgende nummer te voorspellen. En iemand anders wacht gewoon op een nummer dat-ie kent, zodat hij mee kan zingen. En een ander is bezig op te schrijven welke fucking nummers hij speelt. Dus niemand heeft echt een organisch moment in zijn eigen hoofd, met die muziek en deze performer en hun eigen gevóél daarbij. Ze zijn niet in staat gewoon van een moment te genieten, dus ze schrijven het allemaal op en verpesten het hele moment, terwijl jij daar alleen maar probeert te zíjn.'

'Hm.'

'Ja. En dan wil je iedereen uitroeien die het niet begrijpt zoals jij, snap je?'

'Ja.'

'Het is leuk om je te zoenen.'

'Ja?'

'Ja.' Hij trok haar naar zich toe en kuste haar diep. Misschien bloosde ze zelfs wel.

'Dat wilde ik al heel lang doen.'

'Ja?'

'Ik wil je mee naar huis nemen en smerige dingen met je doen.'

'Echt?'

'Ja.'

Ze nam een laatste slok van haar whiskey-gingerale en knikte. 'Laten we gaan dan.'

Opgetogen rommelde hij met zijn portefeuille, smeet een paar briefjes van vijftig neer en werkte Dahlia direct hun hoek uit. Het was aandoenlijk hoe gespannen hij leek. De bijzonderheden van een man deden er heel weinig toe: oud/jong, lang/klein, dik/dun, slim/dom, succesvol/loser, rijk/arm – met die schattige wanhoop van ze wilden ze allemaal maar één ding: hun pik in iets warms en levends stoppen.

Ze was nog nooit met iemand geweest die zo oud was. Clarks lichaam was anders dan alle lichamen die ze ooit had gehad: op een bepaalde manier losjes, op sommige plekken ontwapenend zacht, zijn schaamhaar grijs, een aangename erectie. Ze was vreemd voorzichtig met hem, ze bood zichzelf teder aan, waarbij ze zich net zo bizar sappig en verrassend voelde als een volmaakte, lokaal gekweekte biologische perzik in de winter. Met iemand die zoveel ouder was beleefde ze haar lichaam echt als een object van schoonheid; haar relatieve jeugdigheid was zo buitengewoon, zo kostbaar dat er geen plek was voor slaapkamerironie. Geen van haar gebruikelijke trucjes: de ingehouden buik, de armen precies zo geplaatst dat haar borsten niet naar haar oksels rolden, lichten uit. Geen van haar afgezaagde grappen en verontschuldigingen voor foutjes of bewegingen die ze opmerkte (haar linkerborst iets groter dan haar rechter, de striae op beide heupen, haar volkomen onvermogen om met enige atletische gratie over te gaan op een ander standje, enz.).

Ze werden stoned, aten kaas en druiven en luisterden naar Dylan.

Op een regenachtige middag, met een handjevol brandende kaarsen in Clarks niet-werkende open haard, besefte Dahlia wat het was met Dylan. Ze wisselden *Desire* af met *Love and Theft*.

'Ik weet wat het is!' zei ze na 'Mississippi'.

'Wat is het?' vroeg Clark ronkend, innig tevreden, stoned als een garnaal.

'Nummers van Dylan zijn nooit afgelopen voordat je er klááŕ voor bent.'

'Hmmm, ja.'

'Ze gaan door tot je er helemaal vrede mee hebt dat ze afgelopen zijn. Ze stellen je nooit teleur. Ze houden nooit te vroeg op.'

'Inderdaad.'

'Ze nemen je mee en zetten je aan de andere kant veilig weer af.'

'De andere kant waarvan?'

Ze haalde haar schouders op en deed alsof ze zelf niet wist wat ze bedoelde.

Het was geen conventionele relatie, soms zagen ze elkaar weken niet. Clark dronk haar af en toe onder de tafel in de Bar and Books op Hudson Street, waar ze je zelfs vandaag de dag nog toestaan om te roken – burgemeester Bloomberg (en kanker) kon verrekken. Hij belde haar onverwacht op, vroeg wat ze gedaan had, hoe het met haar ging, stelde voor om af te spreken. Dan zouden ze tot sluitingstijd blijven ouwehoeren, zich er allebei van bewust dat ze met hem naar huis zou gaan.

Het kwam in deze periode wel degelijk bij Dahlia op dat ze de ene vaderfiguur had ingeruild voor een andere, maar dat was psychologische prietpraat, elementair geleuter, analyse op Nadia-niveau.

Toen ze eindelijk uitvogelde – zo vreselijk laat dat Clark zich naast haar in bed bijna een gebroken rib had gelachen – wat Kat en Steph écht deden om zichzelf met 'massages' te bedruipen, was ze verbijsterd. Weer zo'n besef dat pas laat kwam (geen grap!). Dahlia die nooit in staat was de overduidelijke werkelijkheid uit te vogelen die zich om haar heen ontvouwde. Goed werk, Sherlock.

'Kom op,' had hij gezegd. 'Dat wist je wel.'

'Nee,' had ze gezegd. 'Echt niet.' Ze was met stomheid geslagen. Waren Kat en Steph prostitués?

Een heel universum van dingen die kennelijk overduidelijk waren en die zij niet kon of wilde zien. Was dit wat haar anders maakte dan ieder ander? Was dit waarom bij haar alles harder aankwam? Alles. Elk ding. Zelfs de dingen die ze net zo goed kende als haar eigen naam, die haar trouwens nu ook stukje bij beetje ontglipte. Het had wel iets van dag in dag uit stoned zijn. Altijd de laatste om over alles te horen wat belangrijk was, altijd verbaasd over en verraden door alles wat iedereen kennelijk al wist zonder het verteld te hoeven worden, altijd van haar stuk door de alledaagse patronen die het leven op aarde vormen. Dus waar zou ze in godsnaam dankbaar voor moeten zijn?

Geloof

Je hoeft je geen zorgen te maken over hoe of wat. Accepteer dat alles is zoals het hoort te zijn en je zult vrede hebben. Het doet er niet toe welke vorm je geloof aanneemt, het belangrijkste is om iets te geloven.

Echt, Gene. Wát? Alles is zoals het hoort én ze moest overal vrede mee hebben? Maar dat is zo passief! Ze ging misschien wel dóód! En dat moest ze maar goedvinden? Tering, Gene. Of ze is een vechter of ze accepteert alles en is passief. Hoe kan ze allebei zijn?

Is dit geen idee: een boek over wat er gebeurt wanneer een jonge vrouw je adviezen om te overleven niet afdoende kan (of wil) opvolgen. Een Dahlia, de antiheld. Titel: 'Het zit tussen je oren'? What - ever. Doneer haar deel van de opbrengt maar aan PETA of Planned Parenthood. Begrepen? En vergeet niet contact op te nemen met de redactie van Oprah!

Dahlia bereidde zich voor op de dood zoals stewardessen het protocol voor noodgevallen gesticuleren: verveeld, afgeleid, onthecht, een masker van ernst en plichtsbesef over een diep dal van onzekerheid en – diep, diep, diep weggestopt – angst.

Ze bewoog zich voort als een oude vrouw, traag en gefrustreerd, haar geheugen op zijn best onsamenhangend en op zijn slechtst volledig naar de kloten. Bruce was nu voortdurend bij haar, maakte eindeloze sojamilkshakes met Phenobarbital/Avitan voor haar en herinnerde haar er voorzichtig aan hoe laat het was, waar ze waren, waar ze heen gingen. Ze was alleen aanwezig in elk concreet moment: elke seconde vormde zijn eigen volledige wereld, omsloten als in een druppeltje water. En het volgende moment vormde zijn eigen druppeltje, trillend en opzichzelfstaand, en dan door naar het volgende. De momenten bleven komen, elk op zich, en drup, drup, druppelde dan weer weg. Tegen de tijd dat Dahlia van streek zou kunnen raken, was ze al door naar een volgend moment dat alles omvatte.

Er werd gesproken over fulltimeverpleging. Precies zoals dokter C. had beloofd gingen begrip, namen, woordgeheugen, taalbeheersing, conversie van korte- naar langetermijngeheugen en ruimtelijk geheugen stuk voor stuk steil achteruit. Ze sliep ook meer (slechts voor een deel dankzij de milkshakes), wat ook overeenkwam met de prognose van dokter C: naarmate de kanker zich ontwikkelde zou ze steeds meer slapen en ten slotte niet meer wakker worden.

Ze ontfermde zich over een reeks blokken Post-its en besloot dat dit een uitgelezen moment was om zich aan de naakte waarheid te herinneren. Ze had altijd het gevoel íéts uit het oog te verliezen.

Dahlia, schreef ze. Het was nuttig om het uit een pen te krijgen, hoewel ze nog steeds uitstekend in staat was om te praten. *Krijg de klere*, schreef ze. *Lampenkap* hing ze op de lamp. *Ground Zero* deed ze op de bank, maar die bleef niet zo goed plakken. Hij gleed naar beneden en eronder. Misschien zou iemand het op een dag vinden wanneer ze haar spullen uit het huis haalden. Binnenkort? Ze schreef *hoofdpijn* op en plakte het op haar voorhoofd. *Hoi pa*, en ze plakte het op zijn borst toen hij in de buurt kwam.

Bruce keek bezorgd. Heel erg bezorgd. Zijn voorhoofd een bergketen, zijn blik tragisch. *Maak je geen zorgen*, schreef ze, alleen maar om die vreselijke bergketens boven zijn ogen even te laten verdwijnen. *Arme papa Bruce*, schreef ze. 'Maak je geen zorgen,' zei ze, een deur die openging, een flard van een herinnering aan de tijd dat ze hem heel dwaas de smerige details van zijn mislukte huwelijk wilde besparen, hem godsamme alleen maar wilde opvrolijken, deze treurige man.

'Oké,' zei hij lachend/huilend.

Ze vroeg zich af of ze over een week, een maand, een halfjaar, een jaar nog zou leven. Ze schreef data in de toekomst op en keek er peinzend naar. Totdat de kleine wijzer verder klikte en ze zich in een heel nieuw moment bevond, bijna vergat waarover ze zich ook alweer zorgen maakte. Wat was er met die datum in haar hand? Het was als een kater, de ergste kater aller tijden, versterkt met factor veel. Honderd.

Het huis raakte bedolven onder de plakkertjes. Toen ze ooit op het punt stond naar Israël te gaan om haar verdwenen moeder op te zoeken, had ze heel opgewonden geprobeerd haar armzalige Hebreeuws op te kalefateren met plakkertjes, overal plakkertjes. Op de salontafel: *sjoelchan*. Boven de gootsteen: *keara*. Op de deuren: *delet*. Alles bedekt met geel. Het was alsof je een huis in liep dat bezig was een ander huis te worden, als een soort bouwplaats; alles wat Dahlia kende en voor lief had genomen was bezig iets anders te worden, zichzelf te vertalen in iets ánders. Ze had verward door de kamers gedwaald en geprobeerd de geluiden van de omgespelde woorden van alles wat vertrouwd was uit te dokteren, maar haar Hebreeuws was armzalig gebleven.

Ze dacht aan Julia G. en kon met geen mogelijkheid op 'Grielsheimer' komen.

'Wat was haar achternaam?' vroeg Dahlia aan haar vader.

'Waarom vraag je het niet aan míj?' vroeg Margalit, die er nu ook de hele tijd leek te zijn, panisch ronddrentelend. 'Waarom heb je zo'n hekel aan me? Wat heb ik je ooit misdaan? Het spijt me, *Bruti*, maar ze doet net of ik er niet ben! Waarom doet ze alsof ik er niet ben? Wat moet ik dan doen? Ik ben haar *ima*!'

'De achternaam van wie, La?'

'Julia!'

'Ik ken geen Julia, La.'

'Maar hoe heette ze?'

'Julia?'

Het was sowieso hartstikke vervelend om na te denken, over wat dan ook. Ze mocht geen wiet meer roken. Ze hadden haar voorraad afgepakt. Of verstopt. Haar voorraad, weg!

Andy (48), een afvallige katholiek, kreeg te horen dat hij slokdarm-kanker met uitzaaiingen had. Hij keerde terug naar de kerk van zijn

jeugd en daar heeft hij ongelooflijk veel troost uit geput. Het geloof in
een hogere macht kan je helpen een onvoorstelbare diagnose te leren
aanvaarden.

High zijn was vergeetachtig zijn, wat weer inhield dat je je geweldig voelde. Niet in staat zijn je voor langere tijd op een gedachtegang te focussen had eigenlijk veel weg van mediteren. Ze had yoga gedaan met de wondertweeling. Het was haar nooit gelukt helemaal stil te zitten en ze was nooit in staat geweest haar gedachten tot rust te brengen, zoals de bedoeling was. Maar het hele gedoe over dat je je niet moest vastklampen aan één gedachte – laat ze maar gaan, gaan, gaan – bleek aardig goed aan te sluiten bij degeneratie van de linkerslaapkwab. Ze was nu een volleerd yogi, nou en of. Wie had er retraites nodig, een goeroe? Luister, yogi's: hersentumoren werken als een tierelier voor onthechting.

Reïncarnatie, existentialisme, fatalisme: ze zou waarschijnlijk wel een standpunt moeten innemen. Maar nu echt, niet in de vorm van high worden en achter elkaar *Groundhog Day* en *Defending Your Life* kijken en hardop mijmeren dat: 'Gossie, met Harold Ramis en Albert Brooks klinkt dat hele gedoe over leven na de dood best wel fucking logisch, vind je niet?' en de meest wezenloze blik toegeworpen te krijgen door om het even wie er naast haar zat op om het even welke bank.

Ze nam aan dat het net zo zou zijn als voor haar geboorte, en dat was lang geen slechte gedachte. Voor haar geboorte: eindeloze mogelijkheden en hoop in overvloed. Alles nog in het vooruitzicht. Een hele nieuwe wereld, net buiten zicht, om een hoek, ondoorgrondelijk en oké tot het tegendeel bewezen werd. Of niet. Wie zou het zeggen?

Elk geloof, Gene? Maakt niet uit welk?

In elk geval niet de Christelijke Wetenschap, die nooit logisch was geweest: waarom kon je niet heel erg hard bidden én een pil nemen? Scientology daarentegen, dat was nog eens logica. *Elke* ziekte is psychosomatisch. Alles wat er in je lichaam gebeurt (constipatie, slapeloosheid, kanker) is een product van je geest en je emoties. Het christendom, blabla.

Elk menselijk leven kent geboorte, dood en op het laatste moment liefhebberen met het geloof.

Van oudsher had het judaïsme een paar goede dingen te zeggen over reïncarnatie, maar Dahlia's oerluie, afgezwakte versie van een 'culturele' joodse identiteit (er waren natuurlijk die jaarlijkse, o zo ironische feestjes op kerstavond voor joodse singles in New York) had daar niets van gehad. Trouwens, hoeveel waarde kon je hechten aan een traditie die rabbijn Zakkenwasser had aangesteld? Die kabbalisten waren zeker wel intrigerend, maar om het vriendelijk te zeggen: ze hadden hun boekhouding niet helemaal op orde. En dat was dan nog een goede dag. Ergens in deze periode – die Dahlia zo af en toe geassocieerd hoorde worden met het onwaarschijnlijk mooie woord 'hospice' – had Margalit een rood koordje om Dahlia's pols gebonden. Het was gezegend door Jarom persoonlijk en tegen de tombes van de vrouwelijke stamhoofden gewreven.

'Dit is het koordje om je te beschermen,' zei Margalit. 'Het moet om worden gedaan door iemand die heel veel en volmaakt van je houdt. En wie houdt er meer van je dan je *ima*?' Dapper vocht ze tegen de tranen. 'Niemand houdt zoveel van je als ik, *motek*. Niemand.'

Dahlia was nooit zo dicht bij een goddelijke ervaring geweest als tijdens haar stonede ritten in de metro. Het mocht geen spitsuur zijn, en het moest de F, de A/C of de 2/3 zijn. En alsof er een sluier van het oppervlak van het leven werd gehaald, zag ze volkomen helder dat echt iedereen hetzelfde was! Iedereen was als zij, en zij was iedereen! Elke passagier bijzonder en uniek, kleine deeltjes die een wezenlijk deel van het geheel vormden. Sommigen lelijk, sommigen mooi; sommigen slim, sommigen dom; sommigen aardig, sommigen vreselijk. En ze hadden elkaar allemaal nodig om te bestaan; ze vormden slechts de cellen van één enkel wezen. Het was allemaal volkomen duidelijk.

En dan had je nog al die fantastische, griezelige vrouwelijke razernij in New York, die tastbare rivaliteit tussen vrouwen. Steeds kwadere blikken, omhoog, omlaag, weer omlaag. Hatelijke intimidatie, jaloezie, overal waar je keek een uitdaging. Het waren de vrouwen die elkaar zo aan durfden te staren – altijd alleen de vrouwen, die elkaar met toegeknepen ogen aankeken en uitdaagden. Hun simpele, saaie, uitwisselbare mannen: nou en? LA was heel anders. Ja, ook daar nam iedereen elkaar op, maar alleen om het antwoord op een zeer simpele vraag in te schatten: heeft deze persoon meer geld dan ik? Een vlugge blik waarbij subtiele kenmerken van klasse werden geïnventariseerd (dun? de juiste accessoires?) en de rest deed er niet toe. O nee. In New York: wie wás je? Wat dééd je? Waar ging je héén? Droeg je iets eigenaardigs? Zag je eruit alsof het je allemaal geen reet kon schelen? Vrouwen namen elkaar op. Ik ben beter dan jij. Slimmer dan jij. Cooler dan jij. En het toppunt: het kan me minder schelen hoe iedereen over me denkt dan jij. Hoe kon iemand nou níét van zo'n stad houden? Een stad waarin het doel was je zo weinig mogelijk aan te trekken van wat iedereen vond?

Haar achtentwintigste verjaardag kwam dreigend naderbij en Dahlia begon zich officieel oud te voelen. Ze was nu bijna zes jaar in New York, en wat had ze in al die tijd gepresteerd? Een handvol uitzendbaantjes, een lange periode als barkeeper (en een goede barkeeper, hoewel het tijdschrift voor oud-leerlingen daar geen boodschap aan had), betrouwbare wietconnecties, een paar vermakelijke vrienden en kennissen, en omdat ze haar vader al bijna een jaar niet had gesproken, een gestaag oplopende creditcardschuld. Vergeet ook maar de meest halfbakken plannen om verder te studeren, de kans op een verlossende toekomst leek dagelijks verder uit zicht te raken.

Aan wat ze met Clark had kwam een einde na een overdosis – hij had twee keer de aanbevolen hoeveelheid viagra geslikt en was vlak daarna geflipt toen hij alles blauw zag worden.

'Er gaat iets niet goed,' had hij gezegd. 'O shit.'

'Wat?' had Dahlia gevraagd. 'Wat is er?'

'Alles is blauw! O shit, alles is blauw!'

Hier had ze geen behoefte aan. Ze wilde door deze man bij de hand worden genomen, hij moest haar laten zien hoe intrinsiek lekker ze was, haar beminnen als een zeldzame, prachtige bloem, zich als een vlinder om haar heen vouwen wanneer het voorbij was en haar globaal genomen overgieten met allerlei vormen van naturalistische, metaforische aanbidding. Godverdomme, ze was zijn trofee, hij moest voor háár zorgen, en daar zat hij dan, met zijn armen om zijn knieën in de hoek. Hij drukte zijn handpalmen tegen zijn oogkassen in een poging het blauw weg te krijgen. 'Alles is blauw! Alles is blauw!' bleef hij maar herhalen, overdreven hysterisch over zijn lichaam dat eventjes minder volmaakt was. De viagra was alleen maar 'voor de lol', had hij nonchalant geopperd.

Dahlia was heel kalm online gegaan (wat had de menselijke soort gedaan vóór de komst van een directe diagnose op internet?) en kwam erachter dat 'alles is blauw!' de meest voorkomende bijwerking was van een overdosis viagra.

'Het komt wel goed,' zei ze terwijl ze hem in een taxi naar Long Island City Hospital hielp. 'Maar dit is wel leuk, zeg!'

'O god,' zei hij. 'O god, o god.' Ze moest onwillekeurig om hem lachen, vooral achteraf: wat een klein kind.

Na de spoedeisende hulp – 'Het komt helemaal goed met je vader, maak je maar geen zorgen!' had de verpleegster achter de balie gezegd – had ze hem met sussende woordjes in bed gelegd, thee voor hem gezet en vol verbittering bedacht dat ze voor hem zorgde. Ze zorgde voor iemand van wie ze had gewild dat hij voor haar zorgde. En toen was wat ze ook gehad hadden onherroepelijk voorbij, op de plaats ervan een gapend, eenzaam gat. Heel veel tijd om na te denken over haar gebrek aan een leven. En de schuld. Ze was er al wie weet hoe lang niet meer in geslaagd zelfs maar het minimale bedrag van haar creditcard af te lossen.

'Waarom help je mij niet bezorgen?' vroeg Jacob haar. En inderdaad, waarom niet? Moest je van je hobby niet je beroep maken? Welke kleur had Dahlia's parachute? Jacob had nauwelijks een woord tegen haar gezegd toen ze het met Clark deed, en nu was hij weer helemaal terug, weer haar vriend, en hij hoopte dat ze het nu met hém zou doen. Té deprimerend. Hoe dan ook, als ze zich de pleuris wilde werken kon ze altijd blijven barkeepen.

Ze had een lange brief van haar vader gekregen, waarin hij nog meer zorgen om haar welzijn uitte. *We maken ons allemaal zorgen om je. We houden van je.* Whatever. Ze hadden haar allemaal keer op keer in de steek gelaten, en nu gingen ze haar vertellen dat er iets mis met haar was? Nu dachten ze dat ze weg konden komen met zórgen om haar?

Ze doolde rond in het donker, letterlijk en figuurlijk. Ze koos de eenvoudigste oplossing: ze liet Kat en Steph haar een spoedcursus geven in de kunst van de massage met een happy end. Voor tweehonderd dollar per keer was dat gewoon te aantrekkelijk. Het stelde niks voor, zeiden ze. Geld voor niets.

'Je hebt nog nooit zo makkelijk geld verdiend, en ze aanbidden je. Als kleine puppy's. Toch, Steph-a-licious?'

'Ja, Dahlia. En je duikt niet meteen in de tepelklemmen en klysma's. Jezus. Hoeveel kerels heb je gratis afgerukt?'

Dahlia wilde toch al nooit harder werken dan nodig was en ze was ziekelijk gefascineerd door het vooruitzicht rijkelijk beloond te worden voor zo'n routinematige, mechanische handeling. Met iemand naar bed gaan zou anders zijn, hield ze zichzelf voor. Ze dacht achtereenvolgens: *wat kan het me eigenlijk schelen? Waarom niet?* en *Whatever.* De cash was te gek. Het massagegedeelte was vrij simpel – werktuiglijk op en neer wrijven over elke schouder en langs beide kanten van de ruggengraat, intuïtieve aanraking waar ze zonder problemen bedreven in raakte. Kat demonstreerde het op Steph en vice versa. Dahlia oefende op hen beiden met prijzige lavendelolie. Het happy-endgedeelte moest ze al doende onder de knie krijgen.

'Makkelijk zat,' zei Steph. Dit was ook helemaal een praktijkles in Dahlia's straatje: het duurde drie kwartier, bestond uit veel 'ja nou, je weet wel' en bij wijze van examen rookten ze een hasjpijp en keken ze *Crumb.*

Kat en Steph deden haar een paar overtollige klanten aan de hand (bij wijze van spreken). Zij begaven zich inmiddels voornamelijk op duurder terrein, waarbij chique kleding en afspraakjes overdag in hotels kwamen kijken. De paar keren dat Dahlia het had gedaan (hoogstens tien, maar ze wist het niet precies meer), waren de mannen netjes geweest en er had een geur van privileges om hen heen gehangen: een internetbankier, een paar advocaten. Ze waren schoon, beleefd en droegen, met één uitzondering, een trouwring. De internetbankier vroeg of ze hem voor honderd extra wilde pijpen, wat ze beleefd afsloeg. Tweehonderd extra? Nee, bedankt. Iets in je mond stoppen is dat ding min of meer een deel van je laten uitmaken. Ze was dan misschien wel doodmoe en de weg kwijt, maar zover heen was ze nog niet.

Het spreekt voor zich dat ze veel wiet rookte. En volop gebruikmaakte van Kats recept voor Vicodin (met dank aan een klant die arts was). Ze keek veel televisie. Ze was een stapje verder dan murw.

Kat was intussen eindelijk in zee gegaan met een galerie, en werkte aan een grote, belangrijke tentoonstelling, waarmee ze carrière kon maken.

'Ik wil geen bitch zijn,' had Steph op een avond tegen Dahlia gezegd, 'maar als ik eerlijk ben? Zo goed zijn haar schilderijen nou ook weer niet.'

Maar zo goed waren Kats schilderijen wel: imposant, radicaal, opvallend. Als kunstenaar was Steph niet half zo goed. Meisjes zijn zulke achterdochtige trutten. Diep in hun hart: ja, allemaal. Mannen zijn veel leuker als vriend.

Vreemd genoeg had Dahlia dat najaar opeens een idee gekregen: ze moest naar de dienst op Grote Verzoendag! Ze zou een van de vele gratis diensten uitkiezen, onweerstaanbaar voor de vrijgezelle, ongebonden, grootsteedse jodin, en gaan! Jarenlang had ze haar uiterste best gedaan alles wat naar joods riekte te vermijden (het mijnenveld dat velerlei familieperikelen omvatte) en opeens wilde ze naar een dienst voor Jom Kippoer.

Steph bleek half Joods te zijn, en Dahlia probeerde haar er warm voor te maken: laten we gaan! Het heette niet voor niets *High Holidays*! Wie zullen leven en wie zullen sterven? Wie door vuur en wie door water? Wie na een lang leven en wie eerder?

'Nee, dank je,' zei Steph.

'Alsjeblieft? Kom op, het wordt cool.'

'Nee, echt niet.'

En dus was Dahlia alleen naar een grote synagoge in Park Slope gegaan. Ze wilde haar eigen ervaring hebben, was nieuwsgierig hoe ze dit aspect van haar identiteit zou kunnen terugvorderen, ook al had ze het allemaal al lang geleden opgegeven. Helaas had ze alleen maar overal Danny gezien – niet de echte Danny, maar Danny ín alles en iedereen: de jonge, keurig verzorgde ouders met hun schattige, kleurrijke kroost, iedereen met één oog op de kleine Hayden/Madison/Maxwell in de Bugaboo en het andere oog dat rondkeek of iedereen wel keek hoe zij een oogje hielden op de kleine Hayden/Madison/Maxwell in de Bugaboo, en o God, Danny en Nadia krijgen waarschijnlijk kinderen, natuurlijk krijgen ze kinderen, en Dahlia wilde niet dat ze een heel nieuw wezen zouden maken, een heel nieuwe persoon die ze moest vermijden in die schijtfamilie van haar, en hoe kon ze een baby vermijden? – en ze was heel voorspelbaar vervuld geraakt met een afschuwelijke haat, waarvan zelfs zij begreep dat die lijnrecht indruiste tegen de reden waarom ze gekomen was.

Rondschuifelend in haar huis onder toezicht van Bruce krabbelde Dahlia *jij had het moeten zijn* op Post-its, en adresseerde ze in gedachten aan Danny. Ze verfrommelde ze en gooide ze weg: dat ze bestonden vormde op zich al een soort systeem van postbezorging. (De ether!) *Jij had het moeten zijn*, keer op keer, via het bestaan direct naar de kern van het probleem gestuurd: Dahlia ging dood en ze was nog steeds hels op haar lamzak van een broer. Ze wist niet hoe of waarom, maar het was allemaal zijn schuld. Dat wist ze in elk geval zeker, terwijl al het andere ongrijpbaar, drassig en troebel werd en ten slotte verdween.

Toen viel Dahlia op een dag neer en kon ze niet meer overeind komen. Bruce zwoegde om haar op te tillen, maar ze was zogoed als dood gewicht, bijna helemaal van de wereld, en Bruce verrekte een spier in zijn rug, en al met al was het zo'n ingrijpend voorval dat ze eindelijk besloten fulltime hulp in te huren.

Dus daar was de hospiceverpleger, Marco, met zijn compacte torso, sterke armen, korte benen en zwarte staart bij elkaar gehouden met een geelgroen elastiekje. Een man van weinig woorden: fors, heel erg Dahlia's type. En veel beter dan het opgewekte commentaar van haar ouders, die maar door bleven gaan met hun belachelijke, daadkrachtige vrolijkheid: 'Hoe gaat het met m'n meisje?'

'Goeiemorgen, *jaffa*! Het is een prachtige dag buiten!'

'Waar kijk je naar?'

'Hoe voel je je vandaag?'

'Ik bel de dokter, we vragen wel wat hij ervan vindt.'

'Wat zie je er goed uit!'

Ze was 'opvallend' coherent, volgens Marco de verpleger, maar het 'mentaliteitsprobleem' was 'zorgwekkend'.

Ze kreeg bezoek van de praatgroep. Arlene kwam twee keer langs en bracht de hartelijke groeten over van iedereen. Bart stuurde bloemen. Gele.

Mara kwam ook, helemaal uit Boston, naar huis om met haar ouders Thanksgiving te vieren. Dahlia deed geen moeite een goede indruk te maken, beter te lijken dan ze was. Om de een of andere reden voelde Mara's aanwezigheid als een soort verraad, en Dahlia was meteen pisnijdig, ook al kon ze niet onder woorden brengen waarom. Dahlia was blij haar binnen te zien komen en sloot zich toen stilletjes, doelbewust af, weigerde gastvrouw te spelen, weigerde haar deel van het gesprek gaande te houden. Ze verontschuldigde zich, zei dat ze uitgeput was en deed kort na Mara's aankomst alsof ze een dutje deed.

'Jezus,' hoorde ze Mara tegen Bruce zeggen, snikkend bij de voordeur, op het pad met aan weerszijden nachtjasmijn. 'Jezus. Ik had geen flauw benul. Ze klonk alsof het maar... Jezus.'

Danny's bruiloft leek een kettingreactie op gang te hebben gebracht, een rij dominostenen die omvielen: opeens trouwde iedereen. Ze had een opzichtige reliëfkaart gekregen van de ondermaatse Kantrowitz – die met het gezicht van een rat-terriër. Hoe hadden ze haar in vredesnaam gevonden? Ze hield zich schuil bij de wondertweeling, Kat en Steph. Ze had geen nazendadres opgegeven. Ze was sinds het Danny/Nadia-debacle niet meer in LA geweest.

'Nick heeft me ten huwelijk gevraagd!' had Mara niet lang daarna aan de telefoon gekraaid. Versuft onderdrukte Dahlia een geeuw.

Moest ze nu blij zijn? Niet blij? Opgewonden? Kortom: moest het haar iets schelen hoe en wanneer Mara en haar vriend (en wie dan ook, trouwens) hun relatie wettelijk bekrachtigden? Jezus, mensen, nou en? Trouw, trouw niet, maar godverdomme, waarom val je er anderen mee lastig? Naar Dahlia's mening was het huwelijk nogal banaal. Niet echt zeldzaam of bijzonder of, gezien de manier waarop de trouwringen van haar klanten hadden geglinsterd in haar flauw verlichte directe blikveld, per definitie van grote betekenis. En toch moest ze op nieuws over een verloving reageren met 'O-mijn-God, wat gewéldig, ik ben zo blij voor je!'? Moest ze een reeks gebeurtenissen en rituelen ondergaan die verbonden waren met dit nietszeggende gedoe? Waarom? (Shit, nee, hebben we dan niets geleerd? De vraag stellen is hem beantwoorden.)

Dahlia ging met Mara en vier medebruidsmeisjes naar een hele stoet bars om zich lens te drinken, maar om de een of andere vreemde reden lukte het haar niet ook maar een beetje dronken te worden. Hoe was het mogelijk dergelijke hoeveelheden alcohol te nuttigen, het dronken worden volledig over te slaan en direct over te gaan op de kater? Was al die drank direct naar de bron geschoten, de zich ontwikkelende tumor, om die gif te voeren? Waarschijnlijk. De meisjes hadden in een kring zitten kirren over de verlovings-ring, penisvormige lolly's doorgegeven en steeds giecheliger ge-sprekken gevoerd, waarbij ze zichzelf en elkaar choqueerden met hun seksgeheimen.

'Ik vind het lekker als Alan zijn vinger in m'n kont steekt!' zei een van hen, waarna ze uit vrolijkheid en gêne haar drankje in één teug achteroversloeg.

Deze meisjes hadden zich *Sex and the City* duidelijk met de grootste bewondering en toewijding eigen gemaakt, en namen het nu op zich de serie na te doen: vreselijk stijlvol en heel erg hip deel-den ze hun diepste, duisterste geheimen over relaties en winkelen. Ongelooflijk wat de kracht van cinematografische suggesties kon veroorzaken in het leven van echte, ademende, (enigszins) zelfbe-wuste mensen.

Dahlia voelde zich losgeslagen. Haar banden doorgesneden en

ver weggesmeten (of hóórde je zo te leven?). Het leven raasde verder, met of zonder haar: Mara verloofd en op de medische faculteit, Margalit die zich in een maisonnette in Noord-Hollywood had gevestigd nadat ze Jarom had overgedragen aan zijn vele bewonderaars (het laatste wat Dahlia had gehoord), Bruce die Danny's voorbeeld had gevolgd en zich had aangemeld bij JewDate, de vreselijke Danny getrouwd met een vreselijk willekeurig wicht. Niemand anders was geobsedeerd door wonden uit het verleden, door oud zeer, door wat echt en wat goed was. Iedereen ging gewoon door, de ene voet voor de andere, niks aan de hand. Dahlia niet. Voor Dahlia ging het verleden altijd sneller dan het heden, meedogenloos.

Ze leefde in angst, in afwachting van de mededeling, als nagels over een schoolbord, dat Danny en Nadia in blijde verwachting waren. Het kon nu elk moment gebeuren, ze wist het zeker. Dahlia's grootste, heimelijke angst was dat ze een meisje zouden krijgen en haar zouden vernoemen naar oma Alice. Voor de argeloze toeschouwer zou dat een prachtige terugvordering van het leven zijn, maar Dahlia wist wel beter. Dahlia wist dat wanneer dingen eenmaal naar de kloten waren, ze naar de kloten bleven, nog meer naar de kloten gingen, nooit meer goed zouden komen. (Maar hé, bedenkt ze nu vluchtig, in één keer en dan is het weg, dit was het goede aan doodgaan: ze hoeft het niet mee te maken.) Ze kon de gedachte aan Danny en Nadia die zich voortplantten niet verdragen. Ze bad om hun onvruchtbaarheid. Zelfs op dat moment nog had ze het gevoel dat het niet oké was dat het leven verder zou gaan voordat oud onrecht hersteld was. Wat wil zeggen dat het niet oké was dat het leven überhaupt doorgaat.

Niets van dit alles kon ze onder woorden brengen. Ze had net een joint gerookt met Kat en/of Steph en keek naar *Raising Arizona*. Ze gingen uit voor decadente, met wijn overgoten etentjes in heerlijke bistrootjes. Ze luisterden uitgestrekt op hun vloerkussens naar goede muziek en zagen de lucht achter de glaswand schemerig worden. Soms – en hierdoor zul je begrijpen dat ze het echt meenden – zetten ze recent werk van Luna op en dansten ze ongedwongen rond. Ze nodigden mensen uit voor etentjes en kookten rijst in de rijstkoker. Ze was gelukkig, of wat daar voor doorging, ook al was ze afwezig en kwam er zelfmedicatie bij kijken. Ook al was ze niet écht gelukkig.

Kats schilderijen werden opeens als een gek verkocht. Er kwamen voortdurend verzamelaars langs om haar werk te bekijken. En Steph slaagde er nauwelijks in haar jaloezie en wrok verborgen te houden. Ze was passief-agressief en oervervelend.

'Het is cool dat je geen keuze hoeft te maken tussen echt abstract en echt beeldend,' zei ze bijvoorbeeld. Of: 'Ik snap wel waarom je werk zo populair is, het is echt supertoegankelijk.' Ze haalde Dahlia over onzin te verkondigen ('Kats schilderijen zijn behoorlijk eentonig, vind je niet? Ze doet eigenlijk maar één ding.') en gebruikte dat tegen haar ('Dahlia vraagt zich af of je ook iets ánders kunt schilderen.').

Er kwam langzaam maar zeker de klad in hun driemanschap.

Daar kwam nog bij dat Dahlia zich begon te ergeren aan kleine dingen van Kat en Steph. Steph liet altijd harde scheten en giechelde dan, in afwachting van een reactie van wie er ook maar in de kamer was.

'Lekker,' zei Dahlia dan behulpzaam. Of: 'Heh.' Het werd vervelend.

En Kat, egocentrische Kat, had de irritante, sarcastische gewoonte Dahlia troep te 'schenken' die ze niet hoefde. Zoals: 'Hé, ik heb een cadeautje voor je! Een heel bijzondere moisturizer, speciaal voor jou', en dan was het duidelijk een weggevertje van een goedkoop merk of een half opgemaakt monster.

Dan was er nog Dahlia's gemene gewoonte om tweedracht te zaaien met Kat en/of Steph en hun vriendjes. Het was zo makkelijk, iedereen die lelijk geboren is en later enigszins aantrekkelijk is geworden zal het ongetwijfeld begrijpen: je vermogen ieders aandacht op je te vestigen, de nieuwigheid ervan, overwint elke keer weer je goede fatsoen.

De strijdlustige jaloezie tussen hen stak steeds weer de kop op. Dahlia flirtte schaamteloos met iedereen op wie Kat of Steph een oogje had. Hun gezinnetje werd al bedreigd door driehoeksdynamica: Dahlia wist dat de basisvriendschap die tussen Kat en Steph was, dat zijzelf slechts een indringer was, een derde wiel. Misschien was die wetenschap al voldoende om alles te verkloten. Hoe dan ook, ze vond het vervelend om altijd maar het extraatje te zijn, vervelend dat ze wist dat Kat en Steph *Kat en Steph* waren, de wondertweeling, terwijl Dahlia gewoon Dahlia was. Zij spraken in 'we', terwijl Dahlia altijd onvermijdelijk 'ik' was, als ze zichzelf de moeite van het zichzelf benoemen al waard achtte.

Het definitieve wapen waarmee ze de boel saboteerde was een bijzonder onappetijtelijke minnaar van Steph geweest. Lits-Jumeaux Ted noemden ze hem; toen ze voor het eerst bij hem bleef slapen was Steph er tot haar afschuw achter gekomen dat hij inderdaad een lits-jumeaux had.

'Erger dan een futon op de grond,' had Kat gegiecheld.

'Maar hij is wel leuk,' redeneerde Steph. 'Whatever.'

Hij was niet 'wel leuk'. Getatoeëerde onderarmen ('Fuck-you-tattoos', noemde hij ze: inkt die je liet zetten waar iedereen die altijd kon zien en waarmee je een einde maakte aan de hoop dat je misschien Toch Nog Rechten Ging Studeren). Hij was zo'n type dat zijn nek moest scheren. De kwaadaardige Dahlia, een en al zelfhaat, vond Lits-Jumeaux Ted het tegendeel van aantrekkelijk. Waarom zette ze dan toch een grootschalige verleiding op touw? Omdat ze dat kon? Omdat ze dat kon! Mannen wilden haar. Ze kon er niet over uit.

Trouwens: moest ze zich aan een of ander willekeurig amalgaam van *grenzen* houden? Terwijl ze het er lekker van nam met twee royaal gesubsidieerde prostitués? Alsjeblieft. Er waren geen regels. Tijdens haar korte uitstapje in de massage-industrie had ze een paar duizend dollar verdiend (een handjevol happy ends!) en ze bleef stug een steeds groter wordende reeks creditcards, die bijna aan hun limiet zaten, gebruiken voor de aanschaf van heerlijk eten, concertkaartjes, cocktails, caffè lattes, prachtige laarzen, hemdjurkjes, asymmetrische kapsels, muziek en drugs (in theorie zouden Mara's wat-zou-Carrie-Bradshaw-doen-vriendinnen zó onder de indruk zijn geweest), als zelfverkozen wees deed ze waar ze zin in had. Ze hoorde bij niets of niemand. Er moest een positieve kant zijn.

Zij en Lits-Jumeaux Ted maakten op een avond in de keuken een paar grapjes die alleen zij begrepen en wisselden welgeteld vier sms'jes uit ('wat doe je?' 'ik maak de rijstkoker niet schoon' 'wat dan?' 'ik verveel me'). Zoals hij Dahlia met zijn lodderige Billie Joe Armstrong-ogen overal achternaliep maakte hij meer dan duidelijk wat hij wilde, en Steph was not amused.

Daarna kwam Archie, een fietskoerier en speedfreak. Zijn moeder was een congreslid uit Oregon. Kat had hem ontmoet tijdens een optreden van Jonathan Richman.

En na een uitgesponnen periode waarin Kat en Steph een ingewikkelde, uitgebreide en bekrompen dans opvoerden – Dahlia uitsluiten van plannen en zich beklagen over alle 'gemene' dingen die ze tegen Steph over Kats schilderijen gezegd zou hebben – hadden ze haar er uiteindelijk uit geschopt.

'Je moet maar een ander huis zoeken,' had een van de twee tegen haar gezegd, met de armen over elkaar tegen het aanrecht geleund, en Dahlia dacht dat dat, yep, waarschijnlijk wel een goed idee was. Ze had het al die tijd natuurlijk al geweten, hun onweerlegbare 'wij' tegenover het eeuwige 'ik' van haar. Ze had het op de proef gesteld en gelijk gekregen. Toch kostte het haar moeite om niet te huilen. Weer een gezin kwijt.

Vergeven en vergeten

Bevrijd jezelf van het negativisme dat je in de loop van je leven hebt opgeslagen. Onrecht dat je is aangedaan, oude pijn, kwaadgezindheid, haat, verdriet en teleurstelling in anderen: neem er afscheid van.

Op Craigslist.com had Dahlia in Fort Greene een gemeubileerd appartement in onderhuur gevonden. Het was van een schrijfster, Audrey Rubens, die met haar vriend vijf maanden naar Vietnam, Cambodja en Thailand ging. Vorig jaar was Audreys eerste roman uitgekomen, er stond een rijtje op de onderste plank in het halletje. Dahlia las het begin, maar ze kwam er niet in. Het was een hoogst experimentele metavertelling, gebaseerd op een semirecent nieuwsverhaal over een man die na twintig jaar in de gevangenis was vrijgesproken van een gruwelijk seksueel misdrijf. Audrey had iets met transformatie gedaan waarbij de man in elk hoofdstuk een heel ander wezen was: een kluizenaar van 150 kilo, een bejaarde jodin, de magere van jongen van twaalf die het slachtoffer was geweest. Cool, maar onleesbaar.

Audreys appartement was heerlijk, ook al bevond het zich op de vierde verdieping, was er geen lift en hing er in de gangen altijd een chemisch luchtje. Dahlia's luchtwegen prikten altijd van de giftige schoonmaakproducten als ze die vijf trappen had beklommen (je kon er op wachten: kanker). Maar een tijdje voelde ze zich oké in haar tijdelijke onderkomen. Aan de muren van het appartement hingen hoeveelheden familiekiekjes die zelfs het vroegere ineenflansen van herinneringen door Dahlia in de schaduw stelde, en waardoor ze zich heel erg thuis voelde.

Ze zocht Mara op in Boston, op zoek naar troost na de recente implosie van haar vriendschappen. Terug naar de bron. Ze had nog vrienden! Nou ja, eentje dan in ieder geval. Mara liep haar coassistentschap (dermatologie, de beste specialiteit voor 'vrouwen die een gezin willen', zoals ze met een grijns had gezegd), en hokte in een schitterend appartement met Nick die, Dahlia moest het toegeven, heel erg aardig was. In een ontroerende gezamenlijke inspanning klapten Mara en Nick de slaapbank uit.

Ter ere van Dahlia hadden ze een uitje georganiseerd – een etentje in Newbury Street met een paar van Mara's nuchtere, glimmende, eveneens verloofde vriendinnen van de faculteit der geneeskunde, gevolgd door een kennisquiz in hun lievelingskroeg. Het was allemaal heel verantwoord en leuk. Op Dahlia na dan, die zich tijdens het eten volledig klem zoop aan de wijn en in de kroeg overging op bier, waarna ze in een achterafkamertje een lijntje deed met de barkeeper en even met hem zoende.

'Scott Baio!' had ze geschreeuwd hoewel ze niet aan de beurt was toen de spelleider op sombere toon een beslissende vraag had gesteld aan hun tegenstanders: *Wie speelde de titelrol in de sitcom* Charles in Charge? Er werd collectief in haar richting gekreund; ze had het spel verknald!

'Nieuwe vraag!' zei de spelleider. 'Nieuwe vraag. En wie er ook maar verantwoordelijk is voor de dronken spelbreker, zorg er alsjeblieft voor dat ze haar mond houdt.'

'Ik breng haar naar huis,' hoorde Dahlia Mara tegen Nick zeggen. Er klonk uitputting in haar stem, en bezorgdheid, en wrevel. Onderweg naar de auto had ze haar niet aangekeken.

'Dit is niet leuk meer, Dahl.'

'Leuk?' had Dahlia vrolijk gezegd. 'Léúk?' Waarna ze in de goot had gekotst.

Dahlia was gefascineerd door Audreys familie en bekeek nauwkeurig op al die ingelijste foto's: er waren twee liefhebbende knappe oudere broers, een ervan een piloot! Er waren prachtige zwartwitte grootouders, heel verliefd, en moest je ze later eens zien, met hun mooie kleinkinderen, grijnzend, en vervolgens áchterkleinkinderen. Verbazingwekkend veel geluk gehad, die mensen. Daar had je de drie rubensiaanse kinderen die in een onmogelijk groene, uitgestrekte achtertuin gekke bekken trokken naar de camera. Daar had je de fitte ouders van ergens in de zestig die de wereld over reisden, Audreys vader met zijn arm rond de welgevormde taille van haar moeder die er hartelijk uitzag, zonsondergang op een cruiseschip.

Audrey had ook een uitstekende smaak in muziek en boeken, en het huis was brandschoon. Dahlia deed net alsof ze Audrey was, wat de breuk met bijna iedereen die ze kende minder pijnlijk maakte. Ze liet haar mobiele telefoon dagenlang uit staan en kookte Audreys recepten die Audrey had aangekruist en keek naar Audreys dvd's en las Audreys boeken en luisterde naar Audreys muziek.

Ze had het merendeel van haar spullen achtergelaten in de loft en probeerde net te doen alsof ze op vakantie was (een quote uit *What About Bob*, kennelijk een favoriet van Audrey: 'Een vakantie van mijn problemen!') Ze waste zich onregelmatig. Ze bestelde eten en tandpasta op rekening. Ze weigerde met iemand te praten, zelfs met Jacob, die haar geld schuldig was, maar een heuse vriendin had gevonden en dus minder tijd had om Dahlia gezelschap te houden of, nu we het er toch over hebben, terug te bellen.

'Jake, heb je alsjeblieft wat geld voor me?'

'Ik zit momenteel een beetje krap, lieverd.'

'Ik krijg nog iets van achttienhonderd dollar van je.'

'Ik weet het. En als ik het had, zou ik het je geven.'

'Kun je het van je vriendin lenen? Ik zou het niet vragen als ik het niet echt nodig had.'

'Ik zie wel wat ik kan doen. Kan ik je terugbetalen in wiet?'

'Misschien een beetje.'

Clark belde een paar keer en nodigde haar uit voor ecstasy, ongepasteuriseerde kaas en *Oh Mercy*, maar ze kon het niet aan. Ze ging op zoek naar een baantje als serveerster, voelde zich belachelijk, gaf het op, maakte lange wandelingen naar de Brooklyn Promenade en deed alsof ze een zwijgeed had afgelegd. Haar beste moment in maanden had ze halverwege een van die wandelingen. Ze liep door

Brooklyn Heights en had opeens opgekeken naar een piepklein, charmant, doodlopend straatje dat Love Lane heette. Op het bordje stond eenvoudigweg 'Love La'. Ze was zo wanhopig en eenzaam dat ze in dit bordje een persoonlijke boodschap van God had gezien.

Ze bleef wakker tot het licht werd, keek naar infomercials over hypermoderne matrassen, matrassen die zo ongelooflijk goed waren dat je maar de helft van de tijd nodig had voor het equivalent van twaalf uur slaap.

Eén nacht had Dahlia gedroomd dat ze zichzelf was, in haar eigen lichaam, in haar eigen leven, gewoon zoals het echt ook was, en ze was badend in het zweet wakker geworden, en de ranzigheid van haar leven kleefde aan haar als een giftig wetsuit.

'Er ligt hier een stapel post voor je,' zei Steph in een voicemail. 'Best wel een grote stapel. Echt heel veel troep. En je hebt nog meer laten liggen. Kun je het alsjeblieft komen halen?'

Waarschijnlijk rekeningen en brieven van incassobureaus. En toen ze eindelijk langsging om het allemaal op te halen – ze had haar sleutel nog – vond ze een formele uitnodiging (in hoogdruk!) voor de tienjarige reünie van de klas van 1996 van de Westwood School. Te houden in het Biltmore Hotel in downtown LA. Chique hoor. (Je kent de uitdrukking 'als kiespijn'?)

Audreys buren gaven feestjes. Dahlia hoorde ze tot diep in de nacht lachen en was telkens weer verontwaardigd dat ze niet was uitgenodigd. Ze had hen nooit ontmoet, maar toch.

Ze maakte vanzelfsprekend geen afspraken met klanten. Zonder de achtergrond van Kat en Steph en het goede leven in de loft was het te weerzinwekkend om het – dát – nog één keer te doen. Ze had even met de gedachte gespeeld, maar verwierp die toen.

Ze vond een baantje als serveerster in een café op DeKalb en nam na een week ontslag.

Ze schreef zich weer in bij haar oude uitzendbureau, maar weigerde de baantjes die ze aangeboden kreeg. 'Acht uur 's ochtends?' vroeg ze dan. 'Ik, eh, geloof niet dat ik morgen kan...'

Ze was Audrey niet. Over een paar maanden zou Audrey thuiskomen en haar heerlijke leventje hervatten, en Dahlia zou... ja, wat ei-genlijk?

Ze verdeed uren online, las bloggers die zichzelf ophemelden en stalkte kennissen. Wat was er na de middelbare school van Saree Lansky geworden? Rechten op Cornell. Lekker belangrijk. Niets spectaculairs, niets wat speciale aandacht verdiende in de nieuws-brief voor oud-leerlingen. (In tegenstelling tot, laten we zeggen, *doodgaan.*)

De Velociraptor had een website waarop ze haar therapeutische diensten aanbood, met een foto van een vrouw die zonder zadel paardrijdt over het strand: *Helpt je bij je zoektocht naar voldoening en een gezonde lifestyle, sinds 1998,* stond er. De website zelf was een soort braakmiddel. En hoe kon dat nou bijdragen aan een gezonde lifestyle?

Alexis, haar ex-vriendin van haar studie had een tijdje in het Peace Corps gediend en volgde momenteel een masteropleiding in filosofie aan de universiteit van Berkeley.

Haar lieve, kortstondige vriend Aaron was een expert in sport-medicatie! Met een mollige, zwaar opgemaakte vrouw! En een bruiloftswebsite! Ze hadden onder andere een ijsmachine, paars-bruine handdoeken en een servies voor veertien personen als mo-gelijke cadeaus aangegeven.

Er was helemaal niets te vinden over Annemarie. Of de Israëli-sche neven van wie ze zich de namen nog herinnerde. Ze wist niet meer hoe Dorel van achteren heette, hoewel alleen googelen op 'Dorel' leidde naar een eindeloze stroom *Dorals*: een stad in Flori-da, een merk vrachtboten, golfbenodigdheden, conferentiecentra, sigaretten, een tandartsverzekering en hypotheekbanken.

Moest je al die levens eens zien. Zoiets als de dood bestond niet. Ja, je had de dood zelf. Maar niet als echt einde aan bestaande men-sen. Er waren alleen winkelcentra en bioscoopcomplexen en markthallen! Er was alleen de universiteit en dan een keurige, res-pectabele carrière (zeg rechten) en dan trouw je keurig en respecta-bel met een keurige, respectabele partner, en dan een huwelijksreis, en dan een kind dat gefêteerd en gefotografeerd werd alsof er nooit eerder een kind was geboren, waar dan ook, van wie dan ook. De dood bestond niet. Er was alleen dit beloofde leven met de diverse haltes waarop je kon rekenen, en nauwelijks reden waarom het niet op die manier kon of zou gaan. Ze voelde zich schandelijk wanneer ze om vier uur 's ochtends zat te googelen, haar grenzen vervaagd. Het had wel iets van hoe het voelde om voor geld een vreemdeling af te rukken.

Ze dacht weer aan zelfmoord, haar oude anker. De tegoedbon die ze altijd nog kon verzilveren. Ze had hem al die tijd zorgvuldig bewaard. Ze woog het af: een optie.

Het zal je verrassen hoe gemakkelijk het is, als je het echt wilt. Denk gewoon aan iedereen die je ooit heeft gekwetst en herhaal deze woorden: ik vergeef je. Loslaten is het beste gevoel aller tijden, dat beloof ik je. Probeer het maar.

Je snapt het niet, Gene. Waarom snap je het niet? Loslaten is het moeilijkste wat er is. Moeilijker dan de televisie uitzetten, vreselijke mensen accepteren als je eigen vlees en bloed, 's avonds in slaap vallen. Allemaal onmogelijk. Loslaten bestond niet. Zíj hield het niet vast, het hield háár vast.

In een verwarde hasjdroom confronteerde Julia G. haar: 'Waarom probeer je een soort rare versie van het leven van iemand anders te leiden? Doe liefdadigheidswerk. Ga weg. Ga in India wonen. Neem een boot naar een Grieks eiland en neuk met een visser. Vertrek. Wees gelukkig.'

'Opzouten, suffe doos. Wat weet jij er nou van? Het enige wat jij kent zijn toelatingsexamens en hopen op een Ivy League-universiteit. Je zou waarschijnlijk rechten zijn gaan studeren.'

'Maar dat heb ik niet gedaan.' Ze was een oudere versie van zichzelf, de vrouw die ze misschien zou zijn geworden. Hoge hakken, zakelijke kleding, aantrekkelijk. Ze straalde competentie en troost uit: lieftallig, warm.

'Omdat je niet lang genoeg geleefd hebt.'

(Dromen en sterven hebben veel van elkaar weg: het vindt allemaal plaats in je hoofd, alleen in het jouwe, helemaal alleen.)

'Ga naar Israël. Waarom ga je niet gewoon weg? Als dit leven je

toch is gegeven, waarom niet? Ga naar de Negev, kom me daar opzoeken!'

'Ik?'

'Ga nou maar, ga! Over geld hoef je je geen zorgen te maken, als
je het echt nodig hebt is het er! Je bent vrij!'

'Whatever.'

'Echt. En als je dan nog steeds dood wilt, kun je jezelf later altijd
nog van kant maken. Je kunt jezelf wanneer je maar wilt van kant
maken. Ga weg en geniet ervan!' Julia G. stond aan haar kant. Julia
G. steunde Dahlia in alles wat ze moest doen om haar leven leef-
baar te maken, om gelukkig te zijn. Het was een goede droom. Ze
rookte veel en veel te veel wiet.

Ze gaf zich over en belde een week voordat Audrey zou terugkeren haar vader.

'Hallo, La,' zei Bruce behoedzaam.

'Hoi pa,' zei ze, uitgeput.

'Hoe gaat het met je?' Ze hoorde hoe zijn stem medelijdend trilde: hij smachtte ernaar te praten.

'Oké,' zei ze, en ze deed geen enkele poging haar ellende te verbloemen.

'Wil je naar huis komen?'

'Ja?' zei ze. Ze gaf zich gewonnen en schoot vol. 'Ja.'

'Oké,' zei hij. 'Kom naar huis.'

'Ik wil naar huis komen,' zei ze nogmaals, en ze meende het. Het
was haar 'Zeg maar dag met je handje'-moment, onvermijdelijk en
op zijn minst enigszins herkenbaar voor veel vrijgezelle meiden in
de Big Shitty.

En dus ging ze naar huis, ook al zeggen ze dat dat niet kan. Ze bleef
een paar maanden bij Bruce voordat ze het huis in Venice vonden.

Ze had een briefje achtergelaten voor Audrey: *Geweldig appartement. Bedankt voor alles. Sorry voor de deur van de koelkast.* (Ze had
hem te ver open laten zwaaien terwijl ze stoned bedacht welke hapjes ze zou maken, en daarna was hij niet meer goed dichtgegaan.)
Geniet van je leven, dat heb ik ook gedaan!

Maar Gene. Laten we niet vergeten waar we zijn in Het Boek: het was tijd voor hospicezorg, het beste wat je kon doen: de dood niet bespoedigen maar hem ook niet proberen tegen te houden. Pieppiep, piep-piep gingen de machines, machines die naar het huis in Venice waren gebracht, samen met een ziekenhuisbed met afstandsbediening, in hoogte verstelbaar.

'Dit is barbaars,' zei Margalit over hospicezorg. 'Ze moet in een ziekenhuis zijn. Hoe kunnen we haar hier laten blijven? Wie doet er zoiets?' Hospicezorg was geen strijdplan, absoluut geen strijdplan.

O, maar wat was Dahlia op haar manier blij om thuis te zijn. Wat dat ook betekende, 'thuis'. Ziekenhuizen: gadsie. Dood, ziekte, verlies, angst, tl-verlichting. Ziekenhuizen waren de werkelijke huizen van verering, je kerken enz. mocht je houden. In ziekenhuizen vereerden mensen het leven – de overeengekomen goddelijkheid. In ziekenhuizen vereerden mensen het leven met de wilde blik en fanatieke wanhoop van ware gelovigen. Sterven in een ziekenhuis zou sterven in de allerslechtste betekenis zijn: de ultieme mislukking.

Thuis daarentegen: thuis. Het was een woord dat ze nog kon opbrengen, 'thuis'. Ook al was het niet echt 'thuis' meer, niet langer haar privébolwerk van welzijn. Het werd centimeter voor centimeter ingenomen door bloemen en kaarten en ballonnen en mensen. De kaarten waren hopeloos duf, ongepast: 'Lieve Dahlia', en vervolgens 'Liefs van [wie dan ook]', en daartussenin waren Hallmarks voorverpakte betuigingen van deelneming gedrukt. De bloemen waren voor een uitvaart en zouden direct beginnen te sterven, met goedkope gratis vazen van de bloemist die mossig werden en het huis vulden met de stank van rottende planten.

Waar kwam deze troep vandaan? Van leden van Danny's gemeente, van het kantoor van Bruce, van de neven. Van de Kantrowitzes. Van mysterieuze vrienden van Margalit. Een boeket van de praatgroep, ondertekend door Rick, met 'van ons allemaal'.

Audrey Rubens had Dahlia's nazendadres (het huis van Bruce) gebruikt om een envelop vol junkmail op te sturen – *ik wist niet of er nog iets belangrijks bij zat, dus ik stuur het allemaal maar. Misschien kun je het postkantoor je nieuwe adres laten weten! Hoop dat alles goed is. Groeten, Audrey* – die maanden eerder op een tafeltje bij de deur was gelegd en daar was blijven liggen. O, en op een gegeven moment was ook de uitslag van de GRE-test binnengekomen. Die was zoekgeraakt tijdens de rommelige periode, maar Bruce' oog was er uiteindelijk toch op gevallen en hij was erbovenop gedoken. En wat denk je? Hoe was het mogelijk: met vlag en wimpel. Mondeling 790, kwantitatief 680, analytisch 5.5. Bruce hing de uitslag op de koelkast.

'Ik ben zo trots op je, La! Gefeliciteerd!'

Ondanks zieke hersenen had ze een gestandaardiseerde test uitstekend gemaakt. Er waren toch nog mogelijkheden. Ze kon doen wat ze maar wilde. Misschien een master.

Danny en Nadia kwamen voor het laatst zwijgend en schaapachtig opdraven, vreselijk opgelaten en ongemakkelijk, ook al was dat allang niet meer nodig. Dahlia lag gewoon maar, vrijgesteld van conversatie. Niet leuk om een vijand toe te spreken die bijna in coma ligt. Woorden brengen meer woorden voort; stilte brengt meer stilte voort.

Nieuwsflits: zoiets als vergeving bestaat echt niet. Vergeving betekent slechts dat je niet lang enig belang hecht aan iets of iemand. Dat is wat 'vergeven' eigenlijk betekent: vergeten. Ooit gemerkt dat wanneer mensen het over een 'slechte herinnering' hebben, als in een onaangename ervaring of een 'slechte herinnering' voor een ervaring die ze zich minder goed voor de geest kunnen halen, ze dus vaak dezelfde uitdrukking gebruiken?

'Eikels,' wist Dahlia nog op te brengen toen ze eindelijk weggingen.

Marco glimlachte en overhandigde haar een beker met een rietje. 'Ze leken inderdaad stom.' Hij kneep in haar schouder, en binnen een kwartier had Dahlia nog maar een uiterst vage herinnering aan Danny en Nadia zoals ze daar zaten, een en al gespannen lachjes en stilte. Automatisch vergeven, de facto vergeten. Het was zo eenvoudig. Wie had kunnen denken dat het zo eenvoudig zou zijn? Ze raakte de herinnering gewoon kwijt, of de herinnering raakte haar kwijt. Als de ideale vluchteling, in ballingschap, die uit huis ging, nooit meer omkeek, op een onbekende plek helemaal opnieuw begon. Er bestond niet zoiets als vergeving, vluchten was het enige wat er was. Vergeten.

In werkelijkheid zweven de bijna-doden rond in een ether ('ether' als eerder gedefinieerd: 'een zeer ijle en hoogst elastische materie waarvan men vroeger veronderstelde dat die de wereldruimte vulde, inclusief de ruimten tussen de stofdeeltjes, en dat ze het medium was dat licht en andere elektromagnetische straling mogelijk maakte'), weet je nog?

Er zat een beetje zand tussen haar tenen op het strand in Tel Aviv, haar oom die hardop lachte om een vieze mop die iemand in het Hebreeuws vertelde, Dahlia die op de een of andere manier begreep waar de grap over ging, gebaseerd op de gebaren van de verteller, tomaten als ontbijt, de doffe pijn in haar kont toen ze de dag na Uri zonder erbij na te denken ging zitten, het hele huis dat trilde als Danny zijn deur dichtsmeet, luchtpost van haar moeder. Hoe het voelde om high te worden en een koptelefoon op te zetten en te verdwijnen, een scheermesje van Gillette over haar arm te halen, het nummer van Ben Folds Five dat grijs werd gedraaid terwijl ze in de herfstvakantie van haar tweede jaar LA doorkruiste. Jacobs zoekende, smachtende blik, de kinderlijke uitdrukking op het gezicht van elke man die ze ooit boven zich had zien zweven, onder haar, in haar. Het slechte karma van in een restaurant gaan zitten maar dan toch besluiten weer te gaan – hoe verdomd gekwetst het personeel/de gastvrouw/whatever dan altijd leek, alsof je een valse belofte had gedaan en een mes in hun vervloekte hart of zo had gestoken, in plaats van gewoon toch maar liever niet wilde eten. Het neplachje van de Velociraptor – de dode ogen hadden haar verraden – toen ze elkaar voor het eerst de hand schudden. Margalit die huilde op Danny's bruiloft, misleidend en afstandelijk. Al die stomme shit. Wat het inhield om iemand te zijn die zich zulke dingen aantrok. Zich alles altijd aantrok, zelfs nu nog, nauwelijks bij bewustzijn in de goeie ouwe ether.

Een of andere babysitter, weer zo'n corpsmeisje van de universiteit van Los Angeles, had een keer een idee voor een spelletje gehad.

'Het is heel cool,' had ze gezegd. Dahlia was alleen thuis; Danny, te oud voor babysitters, was ergens anders heen gegaan, het maakte niet uit waar. 'Je gaat tegen de muur staan' – ze had Dahlia tegen de muur gezet – 'en ik pak deze theedoek' – ze had met een theedoek gezwaaid – 'en hou hem tegen je nek. Dan ga je out en dan krijg je te gekke visioenen. Ik doe het de hele tijd, het is heel trippy.'

'Oké,' had Dahlia gezegd.

'Oké,' zei het meisje. 'Cool. Hier,' en ze was naar voren geleund met haar vuisten aan weerszijden van Dahlia's nek. Ze hield de theedoek stevig beet waardoor die Dahlia de adem benam.

Dahlia had geworsteld om adem te halen, vastgenageld, en had willen stoppen met het spel, alsjeblieft, maar de babysitter had gegrijnsd en de theedoek steviger aangedrukt, totdat Dahlia het had opgegeven, zich liet gaan en heel bizar nog even giechelde voordat ze out ging.

Toen ze bijkwam had ze geen idee waar ze geweest was, of hoe lang. Ze voelde zich alert en gespannen als een veer maar wazig, alsof haar hersenen te lang in een jacuzzi hadden gelegen.

'Dat was...' zei de babysitter overstuur. 'Gaat het?'

'Ja.'

'Je schokte helemaal.'

'Echt?'

'Gaat het?'

'Ja.'

Ze hadden zich geïnstalleerd en hadden *The Golden Girls* gekeken, en de babysitter was de rest van de avond opvallend aardig en inschikkelijk geweest. Haar blik ging voortdurend van de tv naar Dahlia en voordat Dahlia naar bed ging mocht ze een hele bak Häagen-Dazs met koffiesmaak eten.

Dus: deze gotspe was bijna verijdeld door een eerdere. Welke latere gotspe zou dít in vredesnaam verijdelen?

Ze was niet meer dan een verzameling sympathieën en antipathieën, net als elk ander mens, niet meer dan een mengelmoes van ervaringen, reacties, vooroordelen, onzekerheden en vooringenomenheid, koppig en ongepast, stom en gekweld. Gevoelens en gevoelens en nog meer gevoelens. Waar zouden ze heen gaan? Al die gevoelens waren niet meer dan rafelige linten in de wind, niets werd afgerond, niets opgelost. Hoe zou alles zijn gelopen als ze langer had geleefd? Vijf jaar? Tien? Vijftig? Wat zou de tijd schenken? Hoe zou alles aflopen, zich ontwikkelen? Anders, dat was zeker. Ja, op de een of andere manier anders. Tijd was uiteindelijk niet meer dan een camera die je uitzoomde waarna het grote plaatje onthuld werd. Maar Dahlia's tijd zat er bijna op, dus dit wás het grote plaatje. Bijna.

Ze had een vreselijk gevoel – fundamenteel, concreet en etherisch – dat haar verdwijning voor hen een soort opluchting zou zijn. Bruce omdat al dit leed voorbij zou zijn. Margalit omdat zij al dit leed dan luidruchtig kon dragen, en niemand anders. Opa Saul zou het helemaal niet meekrijgen, die dronk waarschijnlijk op dat moment met een tevreden, tandeloze glimlach een hartige rosbiefpuree.

En hoe zat het met Dan? Nee, voor Dan zou dit geen opluchting zijn. Voor Dan zou dit het tegenovergestelde van een opluchting zijn. Dan-the-man zou sloom bij Dahlia's graf staan, een blok van niets, een menselijke grafsteen. Kon het hem maar zoveel schelen dat hij over haar heen piste! Gilde en schreeuwde! Vuisten vol aarde op haar grenen kist gooide, onbedaarlijk huilde, niet in staat later tijdens de *sjiva* een fatsoenlijk gesprek te voeren. Had hij maar zoveel passie, zoveel bezorgdheid. Dat was sowieso het enige wat ze van hem had gewild. Maar dat had hij niet. Hij had het nooit gehad. Ze was een idioot. Maar toch: hij zou zich nog jarenlang gekweld voelen, al was het maar om zijn eigen gebrek aan emotie. Ze wist het zeker. Hij zou lijden. Hij zou het opkroppen en het zou gaan rotten; hij zou leven met het besef dat elke keer dat zijn moeder of vader zelfs maar in zijn richting keek, ze ongetwijfeld zouden denken: *jij had het moeten zijn.* Ja, op zijn manier zou hij lijden. Misschien zou hij uiteindelijk ook kanker krijgen. Bij die gedachte hield ze bijna weer van hem.

Hoe dan ook, hoe heette hij ook alweer, die broer van haar? Met enige moeite kon ze zijn gezicht voor zich halen, maar het versmolt steeds met een jongere versie van zichzelf, en vervolgens nog jonger, het keerde steeds weer terug naar de helse kleinste gemeenschappelijke deler van zijn wezen, dus ze kon hem hoe dan ook niet méér haten of meer van hem houden.

En in deze late fase was het niet zozeer dat ze hem haatte of van hem hield als wel dat ze gewoon dat kleine meisje terug wilde: het meisje dat vertrouwde en beminde, het meisje dat vertrouwd en bemind werd. Ze wilde de ongereptheid terug, en het gezin, en de baarmoeder, en de baarmoeder vóór de baarmoeder, en haar moeder, maar niet haar echte moeder. Ze wilde weer jong zijn, heel jong, klein, nog kleiner. En daarna wilde ze dat die dingen in steeds weer een nieuw omhulsel werden gestopt, als zo'n pop uit Rusland, of wat voor suffe metafoor mensen ook gebruikten voordat er poppen uit Rusland waren, als ze toen überhaupt al metaforen gebruikten; bovendien wilde ze dat het hele geval verpakt werd in eierdozen en ergens op een warme plek werd weggestopt.

Maar wie vergeven, en waarvoor?

Bruce had haar teruggehaald naar LA en een huis voor haar gekocht.

En het was een nieuw begin. Ze was gek op haar huis. Wat was het fijn om de wederopbouw te organiseren waarvan ze wist dat ze die nodig had. Een frisse start, een nieuw begin. Het zou wel goed met haar zijn gekomen, heus. Echt! Echt waar. Als ze eenmaal klaar was zich het tegenovergestelde van goed te voelen, zou alles goed zijn gekomen.

Ze zou 's nachts slapen, het prima vinden om in haar dromen alleen te zijn, blij om zelf te ervaren waar die dromen uit bestonden, wat het ook was.

Ze zou opnieuw beginnen. Ze zou mediteren, wederopbouwen, denken, kuieren, winkelen en glimlachen, kalm, bedaard, onafhankelijk en gelukkig zijn – vooral dat: gelukkig, in haar eentje, voor zichzelf, van niemand afhankelijk – en ze zou het leven vanuit een andere invalshoek benaderen. Ze zou haar oude poster met Hebreeuwse groente en fruit zoeken, hem mooi laten inlijsten en ophangen.

Ze zou de GRE-test doen!

En misschien was het wel tijd om een beetje te minderen met de wiet? Ja, waarschijnlijk wel. Tijd. Om te minderen met de wiet. Een beetje. Inderdaad. Binnenkort.

Terug bij af. De tijd leek een beetje stil te staan terwijl ze over het zand kuierde, high werd (maar ze ging echt afbouwen) en zich opkrulde in de diepe omhelzing van haar nieuwe bank. Ze mediteerde terwijl ze films keek. Ze zuchtte, ze rekte zich uit. Ze stofte en neuriede. Ze dacht: ik ga de voordeur blauw verven. Een dezer dagen ging ze de deur echt blauw verven.

Het ga je goed

Je hebt nu al het gereedschap dat je nodig hebt voor je nieuwe start. Dat is wat kanker uiteindelijk is: een mogelijkheid om een nieuwe start te maken. De keuze is aan jou. Vanaf dit moment heb je de kracht om te leven, dus neem het er goed van.

In de twee weken die volgden was het huis in Venice, met de burgerlijke, flets bruine deur, een stille controlekamer met Dahlia in het middelpunt, als een roerloze, bewusteloze opperbevelhebber. Ze hing in de ether, genadeloos en intens bij bewustzijn.

Ze vocht dus niet hard genoeg. Ze lachte niet hard genoeg en vergaf niet goed genoeg en ze herijkte niet op de juiste manier en uiteindelijk (en dan hebben we het ook écht over het einde) genas ze zichzelf niet. Geen happy end voor het meisje dat een enkele keer een happy end had verschaft. O, wat een ironie.

Er zijn zo veel verhalen over mensen die je boek lazen, terugvochten tegen de k, en 'wonnen', Gene. Over hoe dankbaar ze waren: ze hadden een halfjaar gekregen en in plaats daarvan gingen ze gewoon op vakantie met hun vrouw en kon kleinkind nummer zoveel elk moment geboren worden. Wat een geluk. Los van een neiging tot suïcidale bravoure zou Dahlia absoluut liegen als ze zei dat ze liever wilde doodgaan dan leven. Met het uiterst beperkte perspectief van iemand die nog steeds ademde dácht ze in elk geval dat ze liever wilde leven. Misschien zou sterven zijn alsof je de verdomde loterij won: misschien zou zij in dit geval wel de ultieme winnaar zijn. Misschien had jij eigenlijk twintig jaar geleden al dood moeten gaan, Gene; misschien betekende de dood voor jou wel 75 maagden in een klaverveld (de hemel voor jou, de hel voor hen). Je

bent de dood al zo lang te slim af en je verdient een stevige boter-
ham door anderen te vertellen hetzelfde te doen, maar misschien
ben jij al met al toch de loser. Wie zal het zeggen?

Je zult vast zeggen: een gemene, egocentrische, depressieve, luie,
slonzige, verwende, verknipte en waarschijnlijk geesteszieke loser
gaat dood. Ja, en?

Nou, dat valt me tegen, Gene. Want kom op nou: het doet er niet
toe hoe gemeen of slonzig of lui of verknipt ze was. Een leven blijft
een leven. En dat is altijd zinvol of het is nooit zinvol, sufkop, je
moet er geen waardeoordeel aan hechten. Geen selectie, geen keuze. Het doet ertoe of het doet er niet toe. Het leven heeft waarde of
het leven heeft geen waarde: het een of het ander. Nog steeds droge
ogen bij de teloorgang van Dahlia? Keur je af hoe ze haar leven
heeft geleid? Ben je argwanend over haar methodiek om met termi-
nale ziekte om te gaan? Spreek je schamper over haar houding?
Dan geef je niet echt om een menselijk leven, of wel? Dit ene beklagenswaardige leven waarover hierin verslag wordt gedaan: een lak-
moesproef, beste jongen.

Het Boek lag nu ergens, achtergelaten op de keukentafel tussen
stapels troep, Dahlia was niet langer in staat om te controleren dat
ze nergens toe in staat was. Bruce had erdoorheen gebladerd en was
niet onder de indruk geweest: zijn dochter ging dood en tot op zekere hoogte wist hij dat er niets aan te doen was. Joden begraven
hun heilige teksten wanneer ze onbruikbaar zijn geworden of onherroepelijk beschadigd, Gene: een kapot boek is niet meer dan
een nutteloos werktuig van geloof, net als het menselijk lichaam
zelf. Als Dahlia ertoe in staat was geweest, had ze diep vanuit de
ether misschien kunnen voorstellen dat ze begraven zou worden
met het Boek. Twee onbruikbare werktuigen, spikkeltjes materie,
voor altijd verstrengeld.

Haar leven kon domweg gezien worden als een reeks zaken die ze
niet overwonnen had. En nu was het voorbij. En wie blijft er achter
om te schelden, te razen, te schreeuwen, te schoppen, te vechten en
te huilen om het verlies van Dahlia? Wie zal er onberekenbaar en
helemaal kapot zijn? Wie zal er 's avonds laat en 's ochtends vroeg

aan haar denken, op hun gelukkigste en slechtste momenten? Wie zal er aan haar denken? En aan haar denken? En nog meer aan haar denken? Wie zou haar vanuit de diepste uithoeken van een enkel, solitair bestaan stilzwijgende, verbindende liefde sturen? Bijvoorbeeld wanneer Cyndi Lauper op de radio werd gedraaid? Ze wilde geen verdriet, ze wilde Rouw. Verdriet is plichtmatig, *rouw* is waar het om gaat. Wiens leven is kapot, wiens vertrouwen in het leven verdwenen? Wiens kans op volkomen geluk voorgoed verwoest?

Ze ademde niet goed. Ze had veel apneus. Wanneer dat gebeurde telde iemand – een verpleger, of Bruce, als hij het aankon – de seconden. Hoe lang duurde het voordat ze weer inademde? De langste pauze was ongeveer twintig seconden. Toen stopte haar ademhaling opnieuw en niemand telde. Dit was duidelijk niet de gebruikelijke apneu. Eindelijk ademde ze weer in. Van haar gezicht was geen zichtbare worsteling af te lezen (hoewel het in de ether zoals we al gezien hebben een heel ander verhaal was). De ademhaling was maar een ademhaling, er was geen snakken, geen inspanning.

'Ik raak je niet aan, ik raak je niet aan!' Haar broer, met zijn prepuberale handen die een paar centimeter voor Dahlia's gezicht zweefden, zong haar in spectrale gedaante toe. Raak me alsjeblieft wél aan, schreeuwde ze holografisch. Alsjeblieft! Toe maar.

Een (kort) leven van spreektaal die oprecht klonk: zo eenzaam dat ik wel kan sterven. Ik sterf van de honger. Ik ben doodmoe. Ik kan wel doodgaan van woede. Ik kan wel doodgaan van verdriet. Ik kan wel doodgaan van geluk. Al die dingen zo intens voelen evenaart, ja, een theoretische dood. En inderdaad: wanneer je meer overloopt van gevoelens dan ooit, zowel goede als slechte – denk orgasme, denk de begrafenisscène in *Steel Magnolias*, denk verkrachting, denk je teen stoten en een wortelkanaalbehandeling en geboorte en nierstenen – kom je het dichtst bij begrip.

Zo ondertekende ze altijd haar mails wanneer ze bitchy en quasi beleefd was: 'Het ga je goed.' Als in: krijg de tering. Als in: ik heb niks met je te maken, dus veel succes ermee, je staat er alleen voor. Iets gemeners kon ze niet bedenken om tegen iemand te zeggen: het ga je goed. Je staat er alleen voor. Je bent helemaal alleen! Ik heb niks met je te maken! Ik raak je niet aan! Het was een laatste sliertje, het moment waarop ze afstand nam van de een of andere eikel. Maar nu begreep ze dat het eigenlijk helemaal niet gemeen was. Iedereen wás alleen, en uiteindelijk zou het iedereen goed gaan. Echt iedereen, ook al waren ze net zo onbeholpen, zelfzuchtig en treurig als zij. Maar ze wisten niet beter. En echt, omdat ze zich nu toch nauwelijks iets meer kon herinneren, wenste ze hen het beste. Het ga je goed, dacht ze op een manier die helemaal niets met denken te maken had. Denken dat niets met denken te maken heeft. Het ga je goed, ondacht ze. *Het ga je goed.*

Wil je het geheim? Dit is het: Dahlia was de allerlaatste die stierf. Eerst gingen haar dromen, vlak erna gevolgd door haar hoop. Daarna gingen idealisering en verlangen, gevolgd door nostalgie voor een verzonnen tijd waarin alles heerlijk en goed was geweest. Pas toen ging zij zelf. En tegen die tijd: whatever. Of, in Dahlia's woorden – Hé! Opzouten! Het is haar begrafenis! – krijg de klere.

Bruce was bij haar en hield haar hand vast. Ze zat propvol medicijnen (middelen die nu waren voorgeschreven, hoewel ze hetzelfde doel dienden als drugs die je uit vrije wil nam: haar omzichtig uit haar genadeloze bewustzijn halen, een buffer vormen tegen een onbarmhartige werkelijkheid, een eersterangs alternatief perspectief ontsluiten). Bruce sprak zacht tegen haar. Wat zei hij? Meer van wat Charlie Brown en de rest van de groep misschien zouden horen: *wah wah wah wah wah.*

'La La,' zei hij, haar hand in de zijne, zijn gefluister en gesnik als takken die uitgestoken werden om haar te redden van een verdrinkingsdood, naar haar grijpend. La. 'Ik hou van je, La.'

O kut. Kut. *Kut!* (Vanwaar al die verwensingen? Omdat ze doodgaat, slome sufkut. Hier had je haar dan: de meest aardse waarheid.)

En hé: zou er een licht zijn? Zou er een warm wit licht zijn? Kut, alsjeblieft niet, laat er niets zijn dat zo voorspelbaar is: wat zou na al die herrie het nut zijn van iets wat iedereen kon voorspellen? Zou het een kwelling zijn niemand te vertellen wat ze zag, wat ze voelde, wat het was? Of het warm en goed was? Of als het dat niet was? Wat als het vreselijk was? Of erger nog, als er niets was? *Niets!?* Dit besef, deze stem, deze herinneringen, deze banale, typische, saaie en opmerkelijke herinneringen, het wezen dat ze zelf volledig begreep en waar ze – heus, echt, diep vanbinnen – toch van hield: waar zou het allemaal heen gaan? Al die herinneringen – dingen die ze niet kon overwinnen, niet had overwonnen en nu ook niet meer zou overwinnen – maakten een onbekommerde rondedans, een Israëlische volksdans, van het langzame, vriendelijke soort. Grauw, ongrijpbaar, vaag, en uiteindelijk bestonden ze uit niets meer dan lief en leed en was geen enkele concreet genoeg om vast te pakken, je aan vast te klampen, stevig beet te houden.

Ze plakte zorgvuldig stickers op een zelfgemaakte kalender om de dagen te markeren tot haar moeder terugkwam van een mysterieuze reis, lachte manhaftig mee om haar eigen vernedering nadat Danny haar doodgewoon in het gezicht had geslagen toen ze de clou van een middelbareschoolgrap had verpest. Er was niemand anders die wist hoe deze dingen voelden, die emotionele vingerafdrukken, niemand behalve Dahlia: ze bladerde nu door haar leven alsof het een pornoblaadje was dat ze op veel te jonge leeftijd had gevonden, het allemaal zag, het laagste dat er bestond, er was iets aan de hánd met dit meisje. Maar het weten, het beseffen, niet wegkijken zorgde ook voor opluchting. Het was laag, het was slecht, het was niet fijn. Maar hier was het, en dit was het. Kalmte na een orgasme, natte glazen op een bar, het shake, shake, shaken van een cocktail-in-wording, het gekrijs van een metrotrein die afremde. Een tandenborstel die Wintermint over haar tanden trok. Danny die haar knuffelde, haar een verhaal vertelde terwijl hun wangen gloeiden na een bad en ze met een speen in haar mond in slaap viel. Margalit die haar een piepklein kusje op het puntje van haar peuterneusje gaf. Ze raasden allemaal voorbij, er was er niet eentje die ze kon pakken terwijl ze naar de ene en de andere greep en graaide. Hoe zou ze – zij: Dahlia! – overleven? Ze had tijd nodig om het allemaal uit te zoeken, tijd om alles wat gebeurd was te doorgronden. En erger nog: alles wat nog niet was gebeurd. Vooral die dingen. Want wacht! Er was zoveel meer. Kibboets Dalia, de zon in haar nek, een groene en harde avocado in haar hand, een joint rollen, het knipperende lampje op Bruce' prehistorische videocamera, Clarks laconieke glimlach, Mara met een Big Gulp tussen haar dijen geklemd op de passagierszetel, de wind in haar haren, een dinsdagmiddag op de Brooklyn Bridge, een sigaret rokend en glimlachend naar de lucht. Ze had iets goeds nodig, iets puurs en volmaakts om mee heen te gaan, om vast te houden, om met zich mee te nemen. Was dat niet het grote voordeel als je niet verrast werd door de dood? Een minuut om het te accepteren, het op haar eigen voorwaarden te begroeten? Misschien niet.

Het was buitengewoon eenvoudig: een kwestie van loslaten, meer niet. Zoals dat ene bezielde moment, jaren eerder, waarop Dahlia haar lievelingsboek had weggegeven. Haar lievelingsboek van dat moment, het doet er niet toe welk. Een meisje in haar studentenhuis had haar tijdens het eerste jaar gevraagd hoe het was en Dahlia had enthousiast gereageerd en gezegd dat het fantastisch was. Er was een korte stilte gevolgd, en in dat korte moment, vlak voordat het meisje kon zeggen: 'O, oké, ik zal het eens lezen', had Dahlia beseft dat ze klaar was met het boek, het gelezen had en ervan genoten had en er nu klaar mee was, dat zijn plek op haar plank puur ceremonieel en ijdel was, en dat ze het vroeg of laat op de een of andere manier toch zou kwijtraken. 'Hier,' had ze tegen het meisje gezegd, en ze had het boek met een poging tot nonchalance aangereikt. 'Neem het maar.' Zou het meisje het daadwerkelijk lezen? Of nu we het er toch over hebben, het waarderen? Waarschijnlijk geen van beide, maar wat deed het ertoe? Dahlia had in haar hand iets wat belangrijk voor haar was, iets zinvols, en beng, alsof het niets was had ze het losgelaten. Ze had er onmiddellijk spijt van, maar toen was het te laat: het boek was weg.

'La La,' een echo. 'La.' O. Dus dit was het dan. Oké. Waar was haar moeder, of *een* moeder, welke moeder dan ook, de moeder van iemand anders – om haar in slaap te zingen? Ze voelde paniek opkomen en wegzakken, als het knikkebollen wanneer je niet in slaap wilde vallen. Ze was nog niet klaar. Er was aarzeling, als aan het einde van een telefoongesprek waarin belangrijke dingen onuitgesproken waren gebleven. Ze was nog niet klaar. Ze bedacht dat vóór haar al heel veel mensen waren doodgegaan, zeg maar iedereen. Toch kwam de paniek op en zakte weer weg, kwam weer op waarna ze weer wegzakte, een soort trekkracht die haar gestaag en resoluut wegsleepte, bijna een liedje op zich. Zelfverzekerd, zonder haast. Twee stappen naar voren, pauze, één stap terug, en niet meer naar je voeten kijken nu. De paniek kwam weer op, zakte weer weg, kwam weer op, aarzelde toen; ze was nog niet klaar. Ze was nog niet klaar. Ze was nog niet klaar.

DANKBETUIGING

Elaine Albert, Carl Albert, Binnie Kirshenbaum, Jonny Segura, Maris Kreizman, Wylie O'Sullivan, Simon Lipskar, Martha Levin, Dominick Anfuso, Jill Siegel, Edith Lewis, Barak Marshall, Elanit Weisbaum, Robin Kirman, Nellie Hermann, Abigail Judge, Zac Kushner, Heather Magidsohn, Jen Mazer, Lauren Grodstein, David Gates, Jayne Anne Phillips, Joel Farkas, Stuart Ende, Gavi Roisman, Klatzker/Miller, Dana Frankfort, Paige Olson, Vermont Studio Center, Brooklyn Writers Space, Tahl Raz & Co., de Schwarzschilds, oma Helen, papa Irwin, Susan Schaefer Albert, Bill Schaefer, en bovenal, hoofdzakelijk en in het bijzonder de sublieme Ed Schwarzschild, van wie ik hou, hou, hou: bedankt.

Over *Het Boek Dahlia* van Elisa Albert:

'Albert schrijft met de zwarte humor van Lorrie Moore en een pathos die helemaal van haar is, en die des te vernietigender is doordat ze plagerig wordt gebracht.' *The New Yorker*

'Wat begint als een donker geestige roman ontwikkelt zich snel tot een ware tragedie maar totaal anders dan je ooit las.' Tien beste romans van 2008, *Entertainment Weekly*

'Het is Dahlia's kwetsbaarheid, gevangen in dialogen, die haar strijd zo schrijnend maakt... een toon die beweegt van krachtig naar grappig, van schattig naar ontroerend als het uiteindelijk een klaaglied is geworden.' *Time Out New York*

'Hoewel Elisa Alberts donkere, briljante debuutroman *Het Boek Dahlia*, je 's nachts uit je slaap kan houden, is het nauwelijks een thriller. In plaats daarvan heeft Albert iets zeldzamers geschreven – een boek zo origineel in visie en stem dat het *thrilling* is... Lezers die zoeken naar een beschrijving van ziekte als voorbeeld van de overwinning op de menselijke geest, zullen teleurgesteld zijn. Het boek blijft stevig gefocused op een complexere waarheid, dat is zijn overwinning.' *San Francisco Chronicle*

'Is Dahlia's weggegooide leven een zinloos leven geweest? Wie weet. Maar de tijd die we aan haar boek besteden is dat niet.' *Los Angeles Times*

'Dahlia's gewaagde verhaal is steeds onweerstaanbaar.' *Booklist*

'Verrassend en schokkend ontroerend.' *Boston Globe*

'Deze ongewone roman is een grandioze prestatie.' *The Jerusalem Post*

'Albert creëert een heldin die even hilarisch als eerlijk is, en ze doet het zonder een greintje sentimentaliteit.' *People Magazine*

'Dahlia is geestig, verleidelijk en heeft een eigen stem.' *The Washington Post*

'Meeslepend en schrijnend... een *snapshop* van onze tijd. Een boek over doodgaan, absoluut; maar meer dan dat, een boek over leven.' *Haärets*

'Geef een hersentumor aan een bijdehante, sarcastische jonge joodse vrouw die leeft in een huis dat haar vader voor haar heeft gekocht in Venice, Californië, die haar dagen doorbrengt met televisie kijken, pot roken en denken aan wat de toekomst haar brengen zal, en wat krijg je? De respectloze debuutroman van Elisa Albert.' *The New York Post*

'Een krachtige bespiegeling over sterfelijkheid, Alberts expressieve roman bezit de zeldzame kwaliteit je het leven écht te doen voelen.' *Jewish Book World*